U0036214

# 人文思想與現代社會

## The Humanities and Contemporary Society

◎洪鎌德 著◎

【第二版】

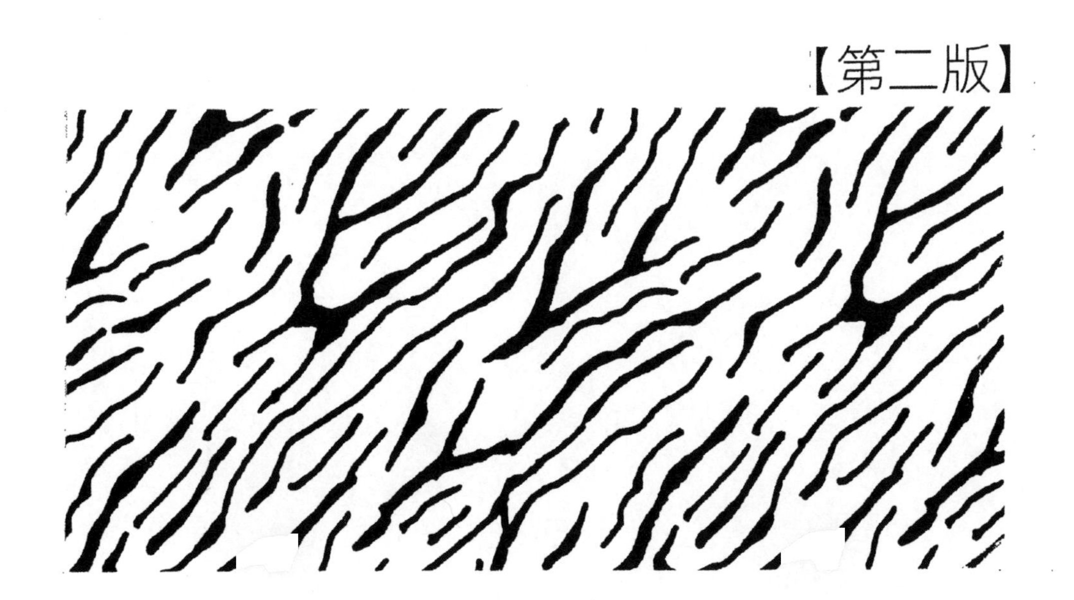

# 再版序

依據揚智文化事業股份有限公司負責人葉忠賢先生的告知，本書出版後不及半年便已重新刷印一次，算是第二刷的刊出。不過當時作者因忙於撰述《21世紀社會學》，所以來不及爲第二刷寫序，更不用提增訂修正之事。現在已交出該社會學稿件，便可以對《人文思想與現代社會》這本著作進行徹底的翻修。在第二版（第三刷）中，筆者不只修改了舊著的錯字，還在第八章中，增添有關杭廷頓文明衝突的批評一節，也在第十三章裡增加經濟行爲的剖析一節。由是可知這本著作的新版本，比起舊版本而言，增加了不少的資料。

本書推出不久不只讀者反應熱烈，連港台星之大專學院教授也紛予好評。淡江大學歐洲研究所所長張維邦教授在《哲學與文化》（第288期，1998年5月號）的書評中推崇備至，也做了很好的指點與建議，這都是令人感激興奮之事。筆者會在張教授的鼓勵與期許聲中，努力改善本書的瑕疵，而求其完美。

對於參與修改工作的李世泉、胡志強、盧奕旬、林文媛和劉仕國諸同學，我表示至深的謝忱。而揚智公司編輯部幾位同仁的努力，特別是閻富萍與范維君兩位小姐的賜助，尤令我感激不盡。

洪鎌德誌於台大研究室

2000年2月28日

# 原 序

這是一本廣泛地介紹當今世界先進人文思想與社會學說的專書。

所謂的「人文思想」牽涉到人本主義和人道精神，而其具體的學門則爲人文學科 (humanities)。是故本書一開始便闡釋西洋文藝復興以來所產生、發揚的人文主義、人本思想和人道精神，然後按各人文學科的次序分別討論神話、宗教、藝術、美學、語言、文學、哲學、倫理學、歷史、史觀、文化與文明等等，其目的在彰顯人文學科所討論的人本主義之本質，以及東西文明相互交融與衝突之情況。

在由淺入深逐步引導下，筆者於介紹人文學科之後，轉而討論社會、社會現象、社會學說與社會科學。對西洋社會科學產生的時代背景、其所蘊藏的哲學意涵有進一步的勾勒。尤其對現代社會科學的方法論及其發展趨勢做了細緻的描繪與精密的分析。接著由社會行爲、經濟與政治行爲之考察進一步探究政治學、社會學、經濟學、社會人類學與社會心理學這社會科學五大主要的分支，包括個別學科的研究主旨與近期發展狀況。最後殿以現代社會諸種面向、諸種特徵的剖析，俾爲進入後工業、後現代、跨世紀台灣社會之定性與定位，舖好研究途徑。

自1994年本人在台大講授「人文思想與社會學說」這門通識教育的課程以來，前後已有三年。教學主旨始終圍繞在人文思想與社會科學這個主題，為便利學生理解，曾編印講義提供參考。鑑於在台灣通識教育亟需擴大與加深，且其宗旨在為莘莘學子培養愛鄉愛土的情懷與現代化的國際觀的情況下，遂自我鞭策、秉筆直書，完成此一著作，一方面作為個人過去數十年學識的整理與反思；他方面也希望拋磚引玉，喚起人文與社會科學界的注意，大家共同切磋，而促成更完善的教本之出現。

本書之完成得力於本人之助理群，包括台大三研所碩士邱思愼、李世泉、郭俊麟、王啓彰、胡志強；政研所碩士胡正光、梁文杰和社研所碩士應靜海；淡大歐研所碩士藍欣開、曾志隆；以及師大三研所碩士顧家銘諸同學之協助。在此特申至深謝忱。

揚智出版社總經理葉忠賢、副總經理林新倫、總編輯孟樊（陳俊榮，為本人所指導之博士班學生）諸先生以及社內諸小姐，特別是韓桂蘭小姐，對本書之推出貢獻尤多，特示感激之意。

內子蘇淑玉、長女洪寧馨、次女洪琮如為了讓我專心完成此書，忍受我的無理取鬧，我特致歉意。由於她們的包容與愛心，此書才能及時面世。要之，此書是獻給我的愛妻與兩個女兒的偉大母親蘇淑玉女士，表示對她大半生辛勞的最深摯的感謝。

作者 **洪鎌德** 誌於

台大三研所研究室

1997年5月11日母親節

# 目　錄

# 第一章　人文思想的湧現

## 一、何謂人文與人的現象？

在沒有討論人文思想之前，我們不妨先研究一下「人文」兩字的意思。「人文」兩字在中國古籍中首先出現於《易經》<易賁>：「觀乎人文，以化成天下」，疏：「言聖人觀察人文，則詩書禮樂之謂，當法此教而化成天下也」。又《後漢書》〈公孫瓚傳論〉：「舍諸天運，徵乎人文」，注：「人文，猶人事也」。可見古時中國人視人文同人事相似，是涉及人間一切的活動而言，而這類的活動和詩書禮樂的教育與教化密切相關，是除了自然的演變（「天運」）之外，人間的教育、文化與典章制度之總和。

顯然，人文或人事，都是以人爲中心，以人類的活動及其滋生的問題爲觀察的對象，常稱之爲人文現象。由於人類無法離群索居，是故人文現象也呈現爲社會現象。又因爲時間的貫穿、社會的變遷，則人文現象也可說是歷史現象。

作爲靈長類，有知識、有見解、能言善道的智慧人（*homo sapiens*），其出現在地球上，至少也有幾百萬年的歷史。不管東西方哲學家對人怎樣描述，怎樣與其他動物分辨區隔，怎樣來分析人的特質，作爲個人的人與作爲集體的人類，都是一個完整的、獨特的種類。作爲整體的人有其獨特的、單一的、完整的圖像。

這包含了人的出現、存在和演展的條件和關係。其中特別是(1)人與自然;(2)人與社會;(3)人與歷史;(4)人與自身的幾重關係最值得我們注意。

## 1. 人與自然

在太空探險和宇航開發日益進展的今天，人類征服地球之外的行星，殖民其他星球的可能性大增。不過有史以來人類仍舊是棲息生長在地球上的動物，是與地球的發展及變遷一起成長的，是故人類乃地球主要的住民，也是地球長期演展的產品。地球對人類而言不只是其寄居的本家，更是開物成務、利用厚生的自然倉庫。因之，嚴格的說，人是自然界的一部分，也是自然的產物，而不可能超越於自然界之外。

人雖然產自大自然，是自然界的一部分，這包括人本身的生理結構，與一部分的心理結構，都是受到自然時空範疇與生老病死的演變所規範、所制約。但自從人類出現在地球之日起，即不斷地以其行動開天闢地，作用到自然之上。因之，利用自然、改變自然、征服自然，也就成爲人類有異於其他動物的特徵。這種對自然戡伐利用，目的在使自然的變化愈來愈適應人類的需要，從而吾人可以說，地球的面貌已因爲人類的出現、成長、演展，而被加上了人類的烙印。自然已遭到人爲的改造、傷害、破壞，乃至毀滅的嚴重地步。

人類本來是地球生物圈的一部分，但卻因爲懂得與善於利用自然，終而擴大人類活動空間而造成了人類圈。凡是與人的生存、發展有關，而爲人類棲息活動的所在，即爲人類圈之領域。由於工業化、城市化、現代化的過程之推擴，人類圈的範圍擴大了，但其他的生物圈卻相對遭受傷害而萎縮，同時也嚴重地破壞了礦物圈的自然資源。因之，導致生態環境的惡化，亦即破壞了生態環境的平衡。人類對自然環境的破壞與汙染已威脅了整個生態系統的功能，也直接危害人類的生存與發展，這有導致生態危機之虞。

作為自然的產物，也要靠自然提供我們成長、發展的原料，人類不可竭澤而漁，摧毀與耗盡我們賴以生存與發展的自然資源。是故人與自然怎樣和諧共存、互動調適已成為當今關懷生態的人、關懷人文的人，不可輕忽且不容漠視的重要課題。

## 2. 人與社會

古希臘哲學家亞里士多德 (Aristotle 384-322 BC) 早便說過「人是居住在市邦的動物」(*Zoon politikon*)，意思就是說人是成群結黨、營集體生活的社會動物與政治動物。的確，人不能離群索居，自人呱呱墜地之日開始，即是生活在人群之中，不管是家庭、是醫院、是育嬰所、是孤兒院。幾乎毫無例外地，人必須誕生於有人照顧、養育、呵護之處。其後經由嬰兒、孩童、少年、成年這段漫長的成長過程，與他人發生或親或疏的關係，但仍無法離群獨居。只有到人的身心業已健全發展之後，人或可能脫離人群，而在山巔海角營孤立自主的生活。但這種孤僻人、或是隱士畢竟在衆多的常人中佔極少的比例。就算他（她）離群索居，但其維持生命的必需品，仍舊需靠其他人的供應（包括他開天闢地、自耕而食所需之工具、避寒之衣物、房舍等無一不是他人事前的供應)，其謀生的能力，也是隱居前從家庭、親朋、鄰居、學校的學習和教育所得。總結一句，由社會學習而得。所以他（她)

仍不失爲社會人，社會的一分子。

所謂的社會是指兩人以上的成員彼此有聯絡的意思，也是由互動的關係所建立，在時間上稍爲久遠的、具有目的或功能取向的組織。社會可以大到寰球、大洲、國家，也可以小到夫妻、伴侶、鄰居。人的社會是由諸個人組合而成，不過人並非都有意識、有自覺地組成社會，有時剛好是出生在某個家庭，或棄嬰被人收養，而變成那個家庭——一個小社會——的成員。

不過從猿人而發展到最高智慧的靈長類，人的形成不是以單個人的形式，而是以集體、以社會的形式來實現。人類社會出現之後，每一個人的出生、存在、成長、發展都以社會爲前提，爲先決條件。一個人究竟會出生於怎樣的家庭、怎樣的社會，並非他本人事先可以選擇。因之，一個人的存在與發展一開始便受到社會的制約。但人除了受社會的影響、制約之外，社會也是受到人的創造、改革，也就是社會充滿了人活動的烙印。在很大的範圍上，社會乃是人的第二天性，人所改造的自然，人所創造的環境。

更明確地說，社會是由諸個人基於物質利益與經濟關係而構成的共同體，由是可知個人與社會的關係是相當密切而複雜的。社會也是基於共同利益而聯合在一起的諸個人。所以個人與社會的關係，也是個人與群體、或個人與集體的關係。有異於其他的動物，人類爲了生存、安全和心靈的需要，無法營個體單獨的生活，必須結合成群體，以集體的方式來從事物質生產、經濟運作，以及從事感情上和精神上的活動，才能生存與發展。社會就是人經營群體生活與集體生活的場域，也是這些群居生活的表現。

## 3. 人與歷史

人的歷史包含了人類整體的歷史和個體的歷史。整體的歷史，也就是人類的歷史，是從人類出現在地球之日算起直到今天所有的人所經歷的全部活動、變遷、發展之過程。個體的歷史則爲個人的經歷、事業之記錄，或出於自傳方式，或出於傳記方式，或出於口口相傳、代代敍述，其爲人類歷史的一部分乃毋庸置疑。

由於人是社會動物，營社會生活，因之，整部人類史又表現在人類社會的歷史之上。這是以宏觀的角度，也是抽象的角度來看待人類群體（氏族、部落、市邦、民族、國家、帝國、區域、世界等）活動之經過。這種人類社會之生成、變遷、轉型、衰落、消失、重生之過程，比之個人短暫的生命來要龐雜得多。爲了便於理解，常區分古代、中古、現代諸時期來一一考察，也以地理之分佈區分爲東方社會、西方社會，或更仔細地區分爲古希臘、羅馬、歐陸、印度、中國等國度或地區之社會（其他如蘇末爾文化、巴比倫的社會、印卡帝國等），而考察與研究其變化、生成或是沒落。

在時間演變的流程中，個人感受生老病死的自然變化，在幾千年的典章制度與文化變遷中，人類也體會一個民族、一個帝國、一個民族國家的崛起、壯大、衰微、失落或再生。人彷彿是歷史的旁觀者或是歷史的產品。可是歷史並不是外在於個人，對個人只有拘束、壓制的外力。相反地，歷史應當是人類本身所創造、所經營的活動之記錄。問題在於人並不是憑空創造歷史、改變歷史，而是在前人所傳承下來的基礎上，在其所面對的現實之前創造歷史。這點馬克思說得很好，他說：「人群創造了他們的歷史，但他們並不按其所喜歡來創造歷史，他們並不是在其所選擇的情況下創造歷史。反之卻在直接碰上的情況下，在〔別人〕給予的、和過去所傳承下來的情況下進行歷史的創造。所有已死的前代之傳統以夢魘的方式重重地壓在活著的〔現代人〕之心靈上」①。

明白了人是歷史的產品，也是創造歷史的主角之後，我們當會更理解人的活動不只受到空間的規約，更受到時間的限制，這也說明人是受時空制約，而又企圖利用或超越時空囿限的動物。

## 4. 人與自身

人類在探討其身外世界而取得一連串的成果——知識、科學的進步，工具、技術的應用——之後，開始反躬自省，企圖瞭解人的本質與本性。固然自上古以來東西方哲學家、思想家便企圖對人性有所理解，但懂得使用有系統、有根據的科學方法去對人本身的生理、心理、人與自然的關係、人與人的關係作徹底的考察與深邃的省思，還是在近代人類學、心理學、社會學等行爲科學興起之後。

毫無疑問，人類由於知識文化的長進，引發其本身心智之變化，而企圖改善其周遭的環境，同時也改善人與人之間的關係。當環境與人際關係有所變化，也會影響個人心態的改變。所謂「衣食足而知榮辱」，當人們初步的、或基本的需要獲得滿足之後，自然會進一步去詢問人生的意義與目的。

自歐洲啓蒙運動以來，其所鼓吹的進步之說法一直主宰人類的心靈。但這種進步與樂觀的表象背後卻存有悲觀、頹廢的陰影。我們在當代一方面看到人類地位的升高、物質生活的改善、精神生活的多彩多姿，但另一方面又發現現代人的孤獨、疏離、失序、解體，尤其是自我認同的失落。因之，現代人是矛盾而相互衝突的人性之產品。

20世紀以來人類歷經了兩次的世界大戰和近50年的冷戰，全球很多地區曾陷於戰火肆虐的陰霾下，受著強權、強勢、強人等的蹂躪。在民不聊生、社會擾攘不安下，使思想家懷疑理性在人事處理上所扮演的角色。這一懷疑剛好與兩百年前社會科學萌芽時，人們所鼓吹的理性主義成一絕大的對比。換句話說，當代的思想家已看出人不單單是一個理性的動物。人的非理性的部分，唯我獨尊的思想和主觀的色彩，在在都影響人們的言行。因此個人的寂寞，自由的落空，憂鬱的瀰漫，靈智的界限，生存的意義，抉擇的重要等等都成爲當代哲學思想——特別是存在主義——的主題。

乍看起來，人類心智的恐懼以及人生的意義，與社會科學的研究是風馬牛不相及。但我們如果仔細考察，便會發現這些現代人的心態，是當代社會科學發展的境遇（contexts and ambiences）。蓋「失落的個我」不僅是當代哲學或文學關心的對象，也是20世紀社會科學不容忽視的主題。特別是疏離、失常、認同危機、違規（estrangement from norms）等概念，都是當今文化人類學家、社會學家、社會心理學家、政治學者津津樂道，而又致力尋求解答的難題。

顯然有關文化與社會現象的研究，都離不開人類的文化之考察，而考察文化的途徑，除了社會科學之外，應輔以哲學、文學、神學、美學、倫理學等人文學科。社會科學是研究人與人的行爲之科學。既然當代人際的關係，人與自然的關係，人與人的行爲都發生了劇烈的變化，且趨於複雜，那麼有關這類對象的研究，也自然水漲船高跟著產生變化。因此，我們可以說，20世紀的社會科學是社會科學發展過程兩百多年當中，質與量變化最劇烈的時期。

## 二、人本主義與人文思想

### 1. 人本主義

英文humanism, humantarianism都是從拉丁文 *humanus*（人的、仁愛的）、*humanitas*（人、人道、人情、教養、教育），或*humaniora*（古代文化之研究）等字轉化而成，一般譯爲人本主義、人道主義或人文主義。在哲學用語方面，humanism 是與absolutism（絕對主義）以及 theism（神本主義）相對照，而強調人的重要性，並把人的價值和人的欣賞列爲首要的地位。

人本主義早在古希臘的文化哲學中便受到重視，像普羅塔哥拉斯 (Protagoras 485-410 BC) 主張萬物應以人爲衡量的尺度，以人之所是爲是、以人之所非爲非，這應當是人本思想的濫觴。這種說法便是反對以絕對主義的觀點來認識周遭的事物。

到了中古文藝復興的時代，像佩脫拉克（Francesco Petrarca 1304-1374）和衣拉士穆（Desiderius Erasmus 1467-1536）都強調學問的本質在於古希臘與古羅馬的文化，而批評經院和士林哲學以神爲本、註釋聖經的煩瑣，並反對引用教會的權威作爲知識的源泉。

近幾個世紀以來，人本主義常被用來對抗神本主義的想法，而將人當成良善與生產力、創造力之來源，孔德（Auguste Comte 1798-1857）便大量提倡以人爲中心的觀念，甚至不惜以人爲崇拜的對象（worship of humanity）。可以說人本主義作爲一種時代的思潮和理論，它的產生、發展是與西歐資本主義的產生、發展相配合的。開始是出現於14世紀歐洲文藝復興時期的義大利，後來傳播到西歐及世界各國。從內容上看，是以繼承、恢復和發揚古希臘羅馬文化藝術著手逐漸展開，擴及到文藝創作和研究、教育的理論和實踐、人生哲理、道德規範、社會理想、政治學說等等，幾乎包括意識形態的各個領域。其基本思想則是提倡以人爲中心的人本主義，反對以神爲中心的神本主義，進而逐漸形成了與經院哲學、教會文化相對立的，以人爲中心的世俗文化的人文學科，因此，它又譯爲人文主義。

人本主義在它的發展前期，是一種把批判的矛頭直接指向封建貴族、地主和教會反動統治的思想文化運動。它針對封建制度和教會對人的壓迫，神對人的統治，號召人們回到人間，回到自然，把崇拜與敬仰的對象從神變爲人自己，把人生的意義從天堂轉到人世。它從一種抽象的、帶有普遍形式的人性理論出發，論證人的一切現實要求（歸結爲個人自由和幸福）的合理性，主張以人性作爲衡量歷史和現實的準則，重視個人的價值，維護個人的尊嚴和權利，解放個性，使個人得到充分的自由發展，以及對人寬容等。

到了17、18世紀工業革命，激進的人本主義思想家就以「自然權利」、或「天賦人權」的形式，進一步提出「自由、平等、博愛」的政治口號，要求建立公正的社會制度，成爲資產階級革命的先導和旗幟。這種人本主義集中表現在法國的《人權宣言》和美國的《獨立宣言》中。

19世紀德、俄等國資產階級民主主義者也都宣揚人本主義。大約與其同時的烏托邦社會主義、烏托邦共產主義則用人本主義作爲武器來批判資本主義制度的弊病和對人的摧殘，宣揚未來美好的社會理想，這也反映了早期無產階級和勞動群衆的願望。19世紀中葉以後，西歐、北美資本主義矛盾的發展、階級鬥爭的激化，特別是馬克思主義和國際共產主義運動的產生和興起，一些資產階級思想家曾打著人本主義的旗幟來反對無產階級的革命鬥爭，並以欺騙與軟硬兼施的手法，來麻痺勞動人民，以維護資本主義的統治與剝削。

隨著資本主義發展到帝國主義階段，西方出現了公開拋棄人本主義旗幟的理論。二次世界大戰期間，德、義、日等國實施滅絕人性的法西斯政策和納粹暴政，集中反映了壟斷資產階級的反人道本質。

在現代，人本主義在思想界、理論界仍佔重要地位，絕大多數人都自稱是人本主義者或維護人本主義原則。重視研討人的理論和人與科學技術的關係是其主要特點。進步的政治家、社會活動家則用人道精神反對戰爭、反對民族壓迫、種族歧視、摧殘兒童與婦女，反對虐待老人及其他反人道的社會罪惡②。

早期的席勒 (Friedrich C. S. Schiller 1864-1937) 與現代的詹姆士 (William James 1842-1910) 都把人本主義作爲對抗哲學的絕對主義之詞彙來使用。這與普羅塔哥拉斯在認識論上強調人爲萬物的衡度不同，而是反對以超驗的形而上學的觀點來論人，亦即反對過分把人理想化，而變成絕對的觀念論、絕對的唯心論。其強調的是一個開放的世界、多元主義並存和人類的自由。

如果把 humanism 譯爲人道主義，則當代出現的結構主義剛好與它針鋒相對。結構主義主張所有的社會和文化都擁有其獨特的結構，亦即規範人的行爲者乃是無意識、也無法反思的不變關係。這種關係不僅出現在社會、文化上，更是潛藏在我們的語言文字裡，甚至下意識當中，從而個人的自我不過是被結構化的下意識。在這種情形下，強調人是主體、是能動的主體、是事物的中心都是錯誤的。事實上，人只是一個「退場的、褪色的主體」而已（拉坎 Jacques Lacan 1901–1983 的說法）。

## 2. 人文思想

人文思想源於人文主義，是歐洲文藝復興時期及其後的啓蒙時代主導社會的思想，是由新興的資產階級之學者、藝術家率先領導，起而對抗封建主義、專制政治和宗教壟斷的精神解放運動。人文思想湧現於14世紀勃興的資本主義搖籃之義大利北部，在15與16世紀之間擴大到荷蘭、英國、德國、西班牙。代表人物爲義大利的佩脫拉克、薄伽丘、但丁、達芬奇、德國的庫薩努士（Nicolaus Cusanus 1401-1464）、荷蘭的衣拉士穆、英國的莫爾（Thomas More 1478-1535）、西班牙的比特魯（Petras Hispanus 1226-1277）、法國的蒙太涅（Michel de Montaigne 1533-1592）、拉普雷（Pierre Simon Laplace 1749-1827）等人。

這時期西歐這些學者發掘、研究古希臘、羅馬的語言、文學、自然科學和哲學等古典文化，藉此建立了一種有別於神學的，關於人和自然的新興世俗文化。他們借用拉丁文 *humanitas*（即人文學科）來稱謂它。後來，人們稱這些學者爲人文主義者，從19世紀開始使用人文主義來概括這一時代的整個社會思潮。

人文主義要求在各個領域把人從宗教神學的禁錮中解放出來。它的主要內容概括爲下列四個方面：

(1)反對中世紀神學抬高神、貶低人的觀點，肯定人的價值和尊嚴，讚美人的特性和力量，主張人的全面發展，把人看作「宇宙精華」、「萬物靈長」和衡量一切事物的標準；

(2)反對禁慾主義和來世觀念，注重現世生活的意義，追求享樂和幸福；

(3)反對宗教桎梏和封建等級觀念，主張個性解放、意志自由和平等，強調個人道德、努力、才能的重要作用；

(4)反對經院哲學和蒙昧主義，推崇經驗和理性，提倡認識自然，造福人類，通過知識和教育消除社會弊病。

人文主義是資產階級世界觀的最初表現，它的理論基礎是抽象的人性論，它的原則是個人主義。它採取的是全人類的共同人性和要求的普遍性形式，實際上反映的是以新興資產階級爲代表的「第三等級」的理想和要求。人文主義的影響是廣泛深遠的。它推動了歐洲各國科學文化的發展和思想解放，成爲反對封建專制和宗教神學的思想武器，爲建立和發展資本主義作了思想的、輿論的準備，在歷史上起了積極的、進步的作用③。

## 注釋：

①Marx, Karl 1979 *The Eighteenth Brumaire of Louis Bonaparte,* in Marx, Karl and Friedrich Engels, *Collected Works,* Moscow: Progress Publishers, vol.11, p.103.

②黃楠森，夏甌陶，陳志尚（主編） 1990 《人學辭典》，北京：中國國際廣播出版社，第78至79頁。

③同前注，第80至81頁。

# 第二章　神話與宗教

## 一、神話

### 1.　神話的定義

希臘文*mythos*（風俗、民情）演變爲英文的myth，是神奇的傳說（legend）之意思。這個傳說、或神奇的敍述被當成眞的故事來看待，可是其眞實性卻無法證實。傳說中超人的力量是提供有關宇宙創造與運作的起始之說明。神話與譬喻（metaphors）及寓言（allegory）有關，係指某一族群在某一時代中，其原始經驗的象徵性、或符號性的表述。

神話作爲某一民族在某一時代裡流傳的故事，其中涉及神祇、超自然力量、或英雄豪傑的悲喜情節。爲科學誕生之前，該族群充滿幻想、迷信的認知方式之一部分，也構成該族群宗教信仰、宇宙觀、人生觀的基礎。

神話是遠古時代人民集體生活中口口相傳的故事，也是一種口頭創作的文學作品。這是他們對宇宙、世界，甚至人類起源的猜測，也是對自然現象、超自然現象和文化現象之產生或創造的想像，包含幻想、玄思、投射等非實際的理解方式。由於古時生產力低，知識欠缺，無法用科學方法來理解超自然、自然和人文的現象，而每日飽受天災地變的威脅，以及人群生活的矛盾、衝突、鬥爭之脅迫，因而產生了幼稚的猜測和主觀的想像，遂使口口相傳的神話出現與流傳。是故神話為古代初民對超自然、自然和社會的原始理解，也是人與天爭、人與人爭以及追求安樂、理想的表述。

古希臘的神話促成其後文藝的發達，也造成哲學的萌生。中國神話亦頗為豐富，是小說、文學的淵源。許多神話保存在古代的著作中，像《山海經》、《楚辭》、《淮南子》、《莊子》等。歷代文藝創作中，模仿神話、假借傳說中的神祇，來反映、諷諭或抨擊現實的作品，通常也可以說是神話的一部分，例如《封神榜》。

瑞士法學家巴赫霍分(Johann Jakob Bachofen 1815-1887)稱神話為「象徵的解釋」(die Exegese des Symbols)，為「在宗教信仰基礎上民族經驗的表達」。

不要以為只有古代才有神話的創造與流傳，就是現代人也仍常生活在神話裡。現代人將一些典章制度（諸如國家、民族、群體、技術）當成影響個人的神祕機制來頂禮膜拜，便有把典章制度神祕化（Mythisierung）之嫌。與此神祕化剛好適得其反的作法（例如去揭開基督教神祕的面紗），可稱為去掉神話化（Entmythologisierung）。

早期國民黨控制下的台灣，視蔣介石為「民族救星」，視打倒中共、重新奪取統治中國的權力，為「光復大陸」，就是政治神話的一種。反之，把台灣與中國當作兩個獨立自主的政治單元，各自發展，將來才決定統一或分離，則是「一個中國」神話的解構①。

神話學（Mythology），係有系統地對神話進行研究，俾瞭解神話與產生神話的民族之間的關係，亦即嘗試去理解神話所代表的族群活動及其時代意義。

## 2. 西洋神話的闡釋

每一民族都有其或早或晚，或多或少，內容豐富或貧乏的神話。西洋神話主要產生自古希臘愛琴海的文化，經歷近代至現代。

古希臘神話包括了對宇宙的起源與發展的說法，亦即宇宙生成說（cosmogony），以及重大發現與發明（火）、城市建構、帝王系譜和神人之間的關係。

古希臘的神話促成符合理性的解釋方式之出現，亦即協助哲學的產生。在蘇格拉底（Socrates 470-400 BC）之前的哲學家像赫拉克里圖（Heraclitus 540-480 BC）、塞諾方（Xenophanes 570-470 BC）和辯士派的哲學家都把神話看成包含概念性的眞理之譬喻。柏拉圖（Plato 428-348 BC）更利用洞窟的神話來說明人類對外在變動中的世界之認識。早期的基督教神學家更認爲神話的譬喻，可提供解釋現象的分析工具。聖奧古斯丁（Saint Augustine 354-430）的上帝之城與地土之城之譬喻，以及在聖經中對傳說、神話之闡述都豐富了基督教教父哲學的內容。

近代義大利哲學家韋寇（Giambattista Vico 1668-1744）在其著作《新科學》（*scienza nouva*）中認爲神話學可爲人類的歷史分期提供分析的起點。他認爲歷史可分不同階段：人類文明之始爲「衆神的年代」，接著是「英雄的年代」，最後則出現「民衆的年代」。在衆神時代裡，藉著神話，人們可以理解早期的宗教、道德、法律和社會生活。他不認爲神話是謬誤的敍述，也不認爲它們全是寓言；反之它們表述了某一特定時代的集體心理。

德國哲學家謝林 (Friedrich W. J. Schelling 1775-1854) 把韋寇的說法顚倒過來，認爲人群的歷史是受到其神話所決定的，原因是神話對人群的創造潛力有控制的作用，透過對人群創造力之控制，神話便可以形塑社會的實相。

啓蒙運動以來，西方學界力斥迷信之非，包括對古代詩詞頗爲欣賞的赫爾德 (Johann Gottfried Herder 1744-1803) 也視神話爲錯誤的信仰。

德國青年黑格爾門徒施特勞斯 (David Strauss 1808-1874) 認爲基督教的福音書代表著人們無意識的創造力，他是以黑格爾式的想法來進行神話的詮釋。

出生於德國的英國語言學家繆勒 (Max Müller 1823-1900) 認爲神話是語言加給思想「黯淡的影子」。這個影子所以產生，乃是由於口口相傳的口語之曖昧不清所引起的，因爲任何一個簡單的話，都可能產生不同的聯想或想像。因之神話產自於語言的歧義、模糊。要之，在1856年他所出版的《比較神話學》中，企圖藉語言學或語源學去理解神話背後潛藏的原理。

英國人類學家泰勒 (E. B. Tylor 1832-1917) 解釋神話是初民做夢和清醒的經驗，兩者無法分辨所滋生的混亂之產物。

法國社會運動家索列爾 (Georges Sorel 1847-1922) 認爲神話是人類對理想狀態、或完美境界的嚮往。他認爲馬克思主義的不少主張都是神話，其目的在鼓勵工人階級打倒資本主義體制，而達到奪權宰制的目的。涂爾幹 (Emile Durkheim 1858-1917)、哈里遜 (Jane Harrison 1850-1928) 則指陳神話的功能在解釋族群意識的禮儀。

奧地利精神分析大師佛洛依德 (Sigmund Freud 1856-1939) 在神話中發現家族親密關係的愛憎，這種親密者之間的愛憎被社會規範所壓制。例如戀母情結（Oedipus complex）和戀父情結（Electra complex），便由古希臘神話人物伊底帕斯殺父娶母的神話表述出來。

瑞士心理分析家雍恪（Carl Gustav Jung 1875-1961）認爲人的心靈是無數的心理力量構成的，其中有些力量是可以意識的，有些無法意識。這些力量常互相阻擋，有時也互相加強。無意識的力量亦即其原型（archetypes）。原型有時對外界投射，便形成了神話、或宗教。是故神話乃爲集體無意識的投射。

出生於波蘭之德國猶太裔哲學家卡西勒（Ernst Cassirer 1874-1945）認爲人乃爲能把事物加以象徵化（symbolizing）的動物。人類象徵化的工作是由神話、藝術、神學、哲學一步步高昇。在最早的階段是神話階段。這裡人把事實（實相、實在）和其形象（影像）看成一體。透過形象，人類創造語文，而語文也成爲一個廣包自足的符號體系，所有的名詞也變成實在之物（實相）。有了名字，便認爲是對該名字所指涉的事物擁有權力（控制、駕馭的力量）。當文化逐漸演進之後，神話的力量轉趨薄弱，但象徵性的表述卻不斷增加。換言之，卡西勒認爲神話的想法就是言辭與實在一致，也是敍述的力量與控制自然（超自然、人事）的力量相一致的時候。

法國人類學家列維・史陀（Claude Levi-Strauss 1908-）就像韋寇一樣，強調神話是社群的習俗。他以人類學的方式討論神話，認爲神話是凝聚社會實在的工具，俾對抗反社會的力量。因爲人群所生活的社會現實，與人群中理想的社會生活常有極大的差距，只好借助神話、儀式、宗教來化解彼此的差距，或掩蓋這種差距。換言之，在神話中使本來無法相容的社會矛盾得以解開而相容。神話無法用理性去解析，因爲在解析神話時，經驗主義失去其效力。神話的分析同時牽涉到食物的供應、親族體系和語言結構。因之，神話是把現實的、理想的社會狀況及其歷史的反思熔爲一爐的大雜燴，是不容易做經驗性解析的。

要之，列維・史陀應用人類學的知識指出神話反覆顯示社會兩元（日夜、陰陽、善惡等）對立的結構之認知方式。不過在神話中，這種兩極的對立常可化解調和。因之，神話爲社會對其結構的瞭解或理解之方式。他證實了韋寇的話：「衆神的寓言乃是眞實的風俗史」。

英國詩人與美學家郎格（Andrew Lang 1844-1912）則視神話爲早期社會規範的殘留物。

## 3. 神話的功能

神話是理論與創思的結合，它與詩詞頗爲接近。神話產生自人群的感受、情緒（emotion），其情緒性的背景使神話泯沒了人我之分、天人之分。原始人對生命的看法是把它視爲一體的、綿延的。靠著「生命的連鎖」（solidarity of life）化解萬事萬物的歧異與差別。在神話的構思中隱含一種信仰的成分在。

神話有概念（conceptual）的結構，也有感知（perceptual）的結構。概念是指神話中所使用的名詞和指涉的事物。感知則爲這些名詞與事物結合所呈現的意義。亦即任何神話都有故事的情節以及其所欲表述的寓意。可用「微言」（概念的部分）和「大義」（感知的部分）來分成兩種結構。

神話與科學都企圖掌握（grasp）實在（reality）。科學是以邏輯的、普遍的、超然的、分類的、系統的方法去理解實在；反之，神話卻以直觀的、直接的、非邏輯的感覺去捕捉實在，亦即掌握事物「直接的性質」(immediate qualitativeness) (杜威語)。簡單地說，科學依賴分析；神話依賴綜合。

神話取材自社會，而非借鑑於自然。神話產生的動機完全是人類社會生活的投射。在投射中連自然也社會化。神話帶有社會性格是無法被駁斥的〔涂爾幹和列維•布胡 (Lucien Levy-Bruhl 1857-1939) 之主張〕。

對原始人而言，自然成爲一個大的社會，一個生命的社會。人在社會中與他人平等，人在自然中也與動植物處於相等的地位。不僅同代人、同時的動植物相同，就是隔代或異代人或是動植物也是平等的。更何況有人主張來世或轉世的觀念，亦即認爲宇宙有生命的輪迴。

神話能夠自圓其說並不靠理智與邏輯的推演，而是依賴感覺的完整。因爲原始思想最堅強有力的部分就是感覺的一體性、完整性。

神話的世界不受任何律則的規範，唯一的例外爲變化 (轉型) 的規則 (law of metamorphosis)。在神話世界中任何的事物都有變化成其他事物的可能。

神話對生命的完整與延續極爲重視，但對死亡卻持「非自然」的看法，認爲死亡是起因於意外、失敗、反常。這點值得我們注意與反思。

## 二、宗教

### 1. 宗教的定義

宗教是社會意識的一種，根據馬克思（Karl Marx 1818-1883）的說法是麻痺人心與老百姓的鴉片，是無助者的呻吟，也是屬於上層建築的一部分。人們相信在現實世界之外還存在著超自然、超人世的神祕境界與力量，主宰著現世的人、社會和自然，因之對它頂禮膜拜、敬畏有加。

宗教是原始社會發展到一定階段文化的產物之一。最初是作爲初民自發信仰的事物。原來在太初原始人智力蒙昧未開，無法區別人力與自然力，對閃電疾風等自然現象尤其畏懼，於是支配初民生活的自然力被擬人化、人格化，變成超自然的神靈。

隨著社會的變遷和歷史的演進，宗教也不斷地演變，例如黑格爾（Georg Wilhelm Friedrich Hegel 1770-1831）就認爲崇拜石頭爲神的人是不自由的人，崇拜肉身的人稍獲自由，只有懂得崇拜精神、或聖靈的人才獲得眞正的自由。可以說宗教的演變是這樣的：由最初的自然崇拜發展出精靈崇拜（泛靈論）、圖騰崇拜、祖先崇拜和神靈崇拜。由多神崇拜發展到統攝諸神的至上崇拜，乃至一神崇拜。由部落宗教（例如南非布殊曼人的宗教）演化爲民族宗教（如猶太教），乃至世界宗教（佛教、基督教）。

宗教的發展過程中，陸續出現了由信教者組織的宗教組織、專職教務人員（祭司、僧侶、牧師等）和教階制度。各種宗教還形成其教義信仰、神學理論、清規誡律、祭祀禮儀和各種與宗教有關的典章制度②。

宗教作爲一種社會歷史現象，有它產生、發展和消亡的過程。馬克思主義者預言當共產主義實現之時，人與自然之間、人與人之間建立起合理關係，社會的力量和自然的力量不再以異己的力量來宰制人類，屆時宗教才會徹底從人間消失③。

## 2. 宗教的起源

對死亡的恐懼是人類最普遍也是最深沉的本性。絕大多數人在日常生活中都會親自經驗到親人、熟人或陌生人的遽逝或病變體衰而終於走上死亡的路途。死亡給予後死者的悲痛、哀悼、震驚、失神是造成恐懼的原因。對於臨終者而言，在生死幽門的徘徊無助，想到死亡是個人一己必須面對，而又無同伴奧援時，那種寂寞孤單無助的境況，也是死者震慄駭怕的經驗。因之，宗教源自於恐懼，特別是對死亡的恐懼。

初民產生一種克服或戰勝死亡的想法或期待，認爲生命完整性的不可毀滅，使得人群得以團結合作。這種團結合作的社團便是生命共同體。藉著人群不斷地努力，藉著巫術儀式的嚴格執行，和教規的遵守，生命共同體得以保持不墜，得以強化延續。

英文religion源自於拉丁文 *religare* ，意即緊密結合在一起，這是指涉一群人有組織的團體，他們爲了進行崇拜、祭祀而經常集會，並且信奉某些教義，作爲成員與團體最終追求的目標。

宗教的起始是泛靈論（animism），相信自然界的萬事萬物都有其靈魂，都有其神明。除了泛靈論之外，宗教的起源與巫術、召靈等神祕儀式活動有關，當然也與祖先崇拜、或偶像崇拜（idolatry）、或圖騰說（totemism）有關。圖騰是原始氏族、或部落以某一動物（例如鷹、狼）爲其集體之象徵或符號，因之對所屬動物的敬禮膜拜。

從對屍體的驚避到屍體的保存，以及死者靈魂的召喚，無論是神話或宗教，召喚靈魂方面都是無分軒輊的。在人類的文化中，我們無從嚴格區分神話與宗教。換言之宗教並非始自神話結束之時。可以說神話一開始便是一種潛在的宗教（Myth is from its very beginning potential religion）。

哲學家以爲宗教是由於人類的依賴性而產生的：德國哲學家舒萊業馬赫（Friedrich E. D. Schleirmacher 1768-1834）指出「宗教產生自人類對神聖事物的絕對依賴性」。

英國人類學者傅拉哲（James G. Frazer 1854-1941）則說：

> 宗教的開始是由於人們微略得知一種超人力量的存在。人們在知識增長之後，反而更深刻體認到自己的無助，以及自己對神明的依賴。早期逍遙自在的行爲，變成對莫測高深的神祕力量之匍匐膜拜。

他更認爲巫術終止之處，即爲宗教開始之時。

## 3. 宗教的性質

宗教是一種信仰與儀式的模式，藉此人們企圖和他們普遍經驗的世界（現世）之後的來世相通，或者希望獲得有關來世的靈性感受。一般說來，宗教以「終極」或「絕對」爲中心，但許多信徒都以「神」爲重心。宗教不僅是對最終的關懷，也是對人類起始的探索。由是最終者與最先者（第一根源）遂結合成一體。

由於人類對最先者與最終者的看法不同，因此也就有不同的宗教之產生，主要可分爲內在於現世和超越於現世這兩大類別，這是依最先者與最終者乃內在於世界、或超越於世界而定的。印度教、佛教、道教、以及儒家學說是屬於前者；反之，猶太教、基督教、回教則屬於後者，最後這三種宗教都主張一神論（monotheism）。至於主張宇宙的根源不只一個，而係衆多的，即爲多神論（polytheism）。有人崇拜位格化的自然力量，像把神像視同爲神本身就是偶像崇拜；把物體視爲具有神祕力量，而予以位格式的崇拜則爲拜物教（fetishism）④。

一般地說，宗教感情涉及一種神聖、敬畏和奧祕的意識。宗教感情的最強烈時刻可由對神聖事物的「神妙者」（numinous）感受所引起，numinous 一字是20世紀德國宗教歷史學家奧托（Rudolf Otto 1869-1937）根據拉丁字*numen*（意思就是靈）創造的。在宗教的許多階段，對悟力的神祕追求，以及在心中發現神的存在是很重要的。無論是對外在力量的依賴意識、或是在內心探求意義，都涉及與神聖之物、或與神相通的靈性感受。這種靈性感受使信徒們獲得力量來應付生活中艱困危險的境遇。大多數宗教的目的都在於與那些明顯控制人的生活之人類以外的力量相通。

## 4. 宗教的主題

世界上大多數的宗教內總有一些共同的主題或內容。然而不同教派的成員，甚而同一教派中的成員，都會以不同的角度，或有時看來自相矛盾、截然對立的觀點來探討這些共同的主題。

有神論者相信，神是一位具有神聖情感、或人格的神，因此他們可能強調《舊約》中的耶和華、或印度女神時母（Kali）對弱小、罪孽深重者令人恐懼的憤怒，也可能讚美阿拉的慈悲與佛陀的憐憫，或以「愛」來描述基督教的上帝。然而據許多神祕主義者說，神乃是一種存在人內心深處，不具人格、不可解釋的感受、或意識。有神論者關於人必定跟一位具有人格、有回應之神相通之信仰，與神祕論者的概念相牴觸；神祕主義者認爲，不具人格的神超乎人類概念之上，不能以言語加以描述。

救贖或來世的共同信念，可能採取印度人相信靈魂可以化身（重生）的形式而生生不息，亦即是生命的輪迴；或可能採取另一種大不相同的形式，即來世接受神的審判。

爲使各種人士皆能皈依宗教，許多教團把崇尙精神的、少數優秀份子的、嚴肅的、迷思的宗教（往往要過修道院生活）與一般民衆教規較少的宗教加以嚴格區分，而一般民衆對宗教的虔誠則用慶祝典禮、崇拜儀式、偶像和其他手段加以提高。

部分宗教改革家與先知反對上述人民表達宗教熱誠的方法，尤其在西方，企圖迎合全體人民需要的一般或全國性教派，與獻身於純潔宗教情感表達方式的少數人教派間，產生了相當緊張的關係。

大多數宗教團體都有領導機構，這些領導機構採取了兩種有時會相互對立的組織形式。其中一種組織形式強調受過訓練的教會組織專家——僧侶、牧師、教區管理人員、神學家和法律學者；另一種則強調先知或具有神聖能力的人物，他們認爲自己受命於天，爲某種內在宗教經驗泉源所驅使。牧師與先知的差別即在於涉及不同的權力概念。有些宗教強調神的原初啓示——如《吠陀》、《聖經》、《可蘭經》——的權威，並認爲人將依靠神獲得救贖。其他宗教——如佛教和儒教——更強調人的主動精神，並教導那些無助的人獲得啓迪或永生。

宗教的基本態度是信、望、愛；因此宗教生活以祈禱為要務，人在祈禱中與神建立起位格間的關係。祈禱以崇拜為第一義，也就是虔敬地在神的無限崇高及絕對榮耀之下低頭。崇拜最莊嚴的外在表示即祭祀：人在祭祀中把一樣自己所珍視的禮品獻給神作為獻身的象徵；為了表示獻身是絕對而無可反悔的，往往把祭品焚毀。感恩很自然地跟隨著崇拜而來；人一再經驗到自身力量的限度，因此也感到求恩的需要，如密宗的灌頂儀式。眞正的宗教生活不僅是內心的，也必須表現於外在行動；對人的仁愛即宗教生活的實踐和徵驗。由於對神的密切關係，道德生活有了內心的基礎，不會只以家庭、朋友等小圈子的利害關係為準則，更不會一味依賴社會的獎懲⑤。由是可知宗教的信仰與實踐，對人群道德生活、倫理生活起著很大的作用。

## 注釋：

①「一個中國」係指中華人民共和國而言，這是今天世上絕大多數國家理解的「一個中國」之意涵。至於北京因爲堅持一個中國，而把台灣當成其不可分離「祖國神聖領土」之一部分，則是中共一廂情願的說法（另外一種政治神話）。世人一向把台灣視爲中國之外的獨立自主的政治實體看待。事實上，先承認分裂分治之事實，再談有無合併與統一的可能不遲，東西兩德的例子可爲殷鑒。

②參考任繼愈主編 1981 《宗教辭典》，上海：辭書出版社，第712頁。

③任繼愈前揭書，第712至713頁。

④布魯格編著，項退結編譯 1988 《西洋哲學辭典》，台北：國立編譯館，第二版，第一版1976，第315頁。

⑤布魯格，前揭書，第315至360頁。

# 第三章　藝術與美學

## 一、藝術

### 1.　藝術與美術

藝術的英文字art來自於拉丁文*ars*，是手藝、工藝、技巧、技術的意思，是以特殊的知識和技巧完成某些作品的行爲，亦即依照美的原則產生藝術品的本領，包括了藝術與技藝。Art現引申爲包括文學、詩詞、戲劇、音樂、舞蹈、美術在內的廣義之概念，範圍爲之擴大。

中國古代所謂「百工技藝」，也是包括同樣廣泛的範圍。在古代，無論東方或西方，都只有「工藝」、「手藝」這樣的概念，例如在中國古籍上只有「繪繢之事」、「刻削之道」、「刻鏤之術」、「錦鏽文采」等工藝術語的運用，卻未見類似「美術」這樣的專門名詞，這是因爲人類的美感意識，是首先從滿足生存需求的工藝品萌生的緣故。

在歐洲，「藝術」和「美術」這兩個概念，直到文藝復興時代才確立，並被公認。那時人們開始意識到創造純粹精神領域的產物，足以使人激昂精神、開闊胸襟，達到互相同情、增強意志、建立信念的目的。這類思想意識的活動，是人文主義發展的一種重要表現，是人的主體意識的發揚，它涉及到藝術的不同領域和形態，這就是我們現在已經大規模擴展開來的文學、藝術各門各類，其中包括美術。

這種精神產品，從物質提升，和物質相輔而行，成爲全面滋養人們心靈所不可缺少的營養。人類依靠它陶冶情懷，並協同各門各類的科學認識世界，普及教育，開拓文明，同時起著組織和協調社會成員的意志和行爲的作用。文明的發展是和藝術的創造分不開的，藝術是精神文明的重要與鮮明的標誌之一。

在歐美拉丁語系國家，art 既作「藝術」解，又作「美術」解。在中國，蔡元培早期運用「美術」這個術語時，也包括詩歌和音樂。其後，中國的文藝界、教育界把「美術」和「藝術」的概念逐漸區分開來。「藝術」是一切藝術門類的總稱，它是用不同形象化手段來反映自然和表達社會意識的一門大學科，廣義上包羅文學、音樂等，也包括建築和園林設計等。

綜合性藝術有戲劇、電影、曲藝、雜技等，它們不同程度地利用美術，有的和美術密切結合。「美術」作爲「藝術」的一個門類，必然與相關的藝術有共通性，但它的藝術形態具有鮮明的特徵。它和相關的藝術結合時，相當地豐富了藝術表現力，在一定的社會發展條件下，美術甚至可以和科技相結合（像電腦音樂、電腦繪畫等）衍生出藝術的新品種。

藝術是人的本領對外界事物改變，而使其產生了美的感受。藝術是人對世界進行精神掌握的特殊方式，也是通過塑造形象和聲音具體地反映社會生活、自然演變、和人心感受的一種表述方式（mode of expression）。爲了滿足人們的精神需要與審美要求，藝術又是人們用語言、音調、表演、造型等手段來塑造外界的意識形態。藝術形象是藝術反映美感的手段，對美的塑造與追求是藝術內在的靈魂。藝術的美並非自然美的重複，也不只是它忠實的寫照。藝術的特質在以全新的深度和力量照射出觀念來，而且在作品中反映出人存在的秘密。因此，藝術最高的使命不在製造事物，而是表現觀念。藝術家是一位創造者，他（她）能夠把其所透視的觀念在其作品上表達出來。透視與創作對他（她）而言是同一件事。

藝術在本質上要求感覺直觀，藝術的各種形式就是感覺直觀的語言，而美的本身則未必需要感覺的表達。藝術家與欣賞者都不應該只看到美的感覺形式，凡是沒有直接進入感覺形式所顯示奧秘的人，都沒有抓住藝術的眞諦。

藝術發源於日常生活，又與政治思想、法治觀念、經濟活動、道德意識等其他社會制度與意識相互影響、相互滲透。藝術風格常隨時代、社會而變動，可以說是受歷史的塑造、也能夠掌握歷史的脈動之精神活動①。根據馬克思的理解，藝術是在人類社會的生產實踐活動中產生的，最初的藝術有音樂、舞蹈和詩歌，隨著人類物質和精神財富的積累，藝術的門類日益增多，內容日益豐富。

## 2. 視覺藝術

藝術一詞在現代西方一般通用的名義是指美術而言，亦即所謂的視覺藝術（visual art）。

視覺藝術可以分爲繪畫、雕塑與建築三個主要類別。繪畫是造型藝術之一，通過線條、色彩、明暗、透視、構圖等造型要素，在紙、紡織品、木板、牆壁等平面上，創造出直接可感的，具有一定形式、體積、質感和空間感的藝術形象。平面藝術：木刻版畫、蝕刻版畫、雕版畫、直刻版畫和石版印刷版畫，廣義上也屬繪畫。線條、形式或形狀、色彩、空間和明暗是視覺藝術的基本要素。在每一種特定的藝術形式中，某些要素會比其他要素重要，例如色彩對繪畫家就遠比建築師重要。

雕塑是以雕、刻、塑等製作方法，在各種材料上塑造出可視而又可觸的立體形象。雕有石雕、木雕；塑則泥塑，鑄則有銅鑄、鐵鑄。浮雕是介於平面繪畫與立體雕塑之間具有背景的雕塑形式。

建築則為實用與審美結合的一種造形藝術。它利用特殊的物質材料與技術手段，通過空間的組合、體積、尺度、比例、質感、色彩、韻律等建築要件，以及特殊的象徵手法，構成一個豐富複雜的形體體系，創造出某種意境，來滿足居住者或使用者對舒適、方便、歡悅的追求。

### 3. 音樂

音樂是憑藉聲波振動而存在，在時間中展現，通過人類聽覺器官而引起各種情緒反應和情感體驗的藝術門類。從社會學的角度講，音樂是人類所創造的諸多文化現象之一；人類早期的音樂活動是混合性社會文化現象的一個要素，到人類進入階級社會以後，音樂又同時是社會意識形態之一。

在中國，春秋戰國以前，「音」和「樂」兩個詞一直是分別使用的。在古漢語中，把聲、音、樂分為三個層次。按中國古代音樂理論專著《樂記》的說法：「感於物而動，故形於聲。聲相應，故生變，變成方，謂之音。比音而樂之，及干戚羽旄，謂之樂」。

可見「聲」泛指一切聲音，古代又稱之爲天籟、地籟、人籟等，其中包括各種噪聲；「音」特指有秩序、有條理、有組織的聲音，相當於由樂音綴合而成的音調、曲調、音響組合等；至於「樂」，在上古時代指的是詩歌、音樂、舞蹈三種因素混爲一體，尚未分化的藝術活動，孔子時代作爲教育必修科目「六藝」（禮、樂、射、御、書、數）之一的「樂」，就是這種混合性的藝術活動。

中國古籍上第一次出現「音樂」一詞，是在《呂氏春秋》〈大樂〉篇中：「音樂之所由來者遠矣：生於度量，本於太一」。此後，「音樂」一詞逐漸取代原先「音」一詞的地位，用以指稱音樂這一藝術門類。而「音」一詞的涵義則逐漸變窄，僅指有確定音色高低的樂音（例如「五音」）。到後來，「樂」一詞才作爲「音樂」一詞的簡稱而用來指稱音樂。

在歐洲，拉丁文中音樂*musica*一詞，起源於希臘神話中掌管文藝、科學的女神繆斯的名字，它的涵義不像漢語中「音樂」一詞那麼明確。但是希臘神話中繆斯的職責是侍奉太陽神阿波羅，從這點看，借用繆斯的名字來轉述音樂這一語義演化中，隱含著一種象徵性的寓意：讚譽音樂令人心曠神怡的功能，並賦予她高貴純潔的形象。

## 4. 舞蹈

舞蹈係指身體在賦予的空間裡所產生有節奏性的連續性動作。人們藉以表達情感思想，散發多餘精力，也是快樂的來源之一。

舞蹈的歷史至少與人類一樣久遠。事實上，有些學者指出，某些鳥類及動物會在有限的範圍內，本能地從事有節奏的表演動作（例如在交配之前），我們或許可以稱這些動作為「舞蹈」。早期人類對節奏本能的辨別力，或多或少由有知覺的舞蹈動作中表現出來，這往往是模倣動物動作的結果。他們發現這是一條通往歡樂與精力充沛的途徑：透過這一途徑，他們不但可以表達對生活中最重要的事件之感念，而且可與肉眼看不到的精神世界溝通。

原始時代的舞蹈是直接維繫部落繁榮與福祉的一個重要活動。當時人們藉著舞蹈來慶祝生命的誕生、疾病的痊癒及哀悼死亡，並為豐富的獵收、充足的雨量、或戰爭的勝利而祈禱。

當較複雜的農業與畜牧社會開始發展時，舞蹈也逐漸與宗教及巫術分開，而與娛樂活動及社會關係的經營較有關聯。於是原始舞蹈就發展成土風舞，其中包括了孩子們的遊戲舞蹈及成人們求愛的舞蹈。

當土風舞被西方都市中心的上流階層接受後，即轉變成西方社會最具特色的社交舞。雖然土風舞與社交舞早已失去原始舞蹈原來形成目的之嚴肅性，但仍保留了其儀式形式呈現目的之本貌，同時也增加了舞蹈技巧與風格上的精緻性和多樣化。

高度文明的複雜社會發展了所謂的「劇場舞蹈」：舞者必須經過專業的訓練，再將其舞技呈現於觀衆面前。劇場舞蹈所強調的是風格、優雅與技巧。

在西方社會，人們往往可以從一位獨具天賦的舞者或編舞者的表現，而對劇場舞蹈留下深刻的印象。然而，這種舞蹈仍保有儀式主義目的的基礎。例如古典希臘劇場舞蹈以及印度寺廟舞蹈，這些民族舞蹈皆具宗教本質，而且與宗教祭祀及禮拜天神們的事務有關聯。甚至西方芭蕾舞及所謂的「現代舞」這些相當具世俗型態的劇場舞蹈，也常把原始時代的儀式作為他們舞蹈的靈感來源。

## 二、美學

### 1. 概論

美學（esthetics，aesthetics）源於希臘文*aisthesis*，意爲感覺（sensation），不過不是所有的感覺，而是美的感受。美學之成爲一門學問是德國美學家鮑姆加騰（Alexander Baumgarten 1714-1758）引進的，他的專著《美學》（1750）認爲，相對於研究知性認識的邏輯，應有專門研究感性認識，即審美的科學。此後，美學正式成爲一門獨立的學科。但迄於今日，美學並無公認的定義。最常見的說法是，美學是研究美的學問。黑格爾認爲美學是藝術哲學；前蘇聯有一種觀點認爲，美學著重研究人對現實的審美關係；義大利美學家克羅齊（Benedetto Croce 1866-1952）認爲美學是個體在幻想中直覺的表現；還有人認爲美學是批評學之原始，美學是有關審美經驗的價值論。在中國與臺灣，如同在其他許多國家一樣，在「什麼是美學」的問題上，存在著不同觀點、理論和爭辯。

撇開美學的定義，具體觀察美學的對象、範圍和問題，則可以看到，自古至今美學大體不外下列三個方面：關於美和藝術的哲學探討，關於藝術批評、藝術理論一般原則的社會學探討和關於審美與藝術經驗的心理學探討。

## 2. 美的哲學詮釋

研究、探討在歷史上和邏輯上經常構成美學的基礎部分究竟是什麼？它包括美是什麼、藝術是什麼、自然美的本質、眞善美的關係等問題的思辨或分析。例如，柏拉圖認爲美不是某個具體的美的女人、美的瓶罐，美應該是使所有美的事物成爲美的那種東西和性質，即美是理式、是理念、是原型。又如，法國百科全書派思想家狄德羅（Denis Diderot 1713-1784）認爲美是關係，黑格爾認爲美是理念的感性顯現。分析哲學則認爲美學在於分析文藝批評中所使用的概念、語彙和陳述，澄淸它們的含意，如「藝術」一詞究竟是什麼意思，有多少不同的用法等等。

所有這些，都可以說是屬於哲學的美學。這種美學經常作爲某種哲學體系、或哲學理論的分枝、或組成部分。例如，康德（Immanuel Kant 1724-1804）的美學是他的批判哲學的一個方面，杜威（John Dewey 1859-1952）的美學是他實用主義哲學的重要引申。馬克思主義的美學是馬克思主義哲學的一個重要組成部分。

除去分析哲學的說法之外，對古往今來頗爲繁多的有關美的哲學理論作一般性的概括，則大體可以分爲客觀論、主觀論、主客觀統一論三種。

### (1) 客觀論

客觀論認爲美在於物質對象的自然屬性或規律，如事物的某種比例、秩序、和諧、有機統一以及典型等等，這是唯物論的美學。客觀論主張美在於對象體現某種客觀的精神、理式，這是客觀唯心論的美學。

### (2) 主觀論

主觀論有許多種類和派別，但它們都認爲美在於對象呈現了人的主觀情感、觀念、意識、心理、慾望、快樂等等，美是由人的美感、感情、感覺等所創造，這是主觀唯心論的美學。主觀論有不少理論強調表現、移入、體現情感和精神必須有物質載體或對象。在這種意義上這種主觀論是主客觀統一論，但產生美的能動的一方仍是主體的精神、心理，所以仍屬主觀唯心論的範圍。

### (3) 主客觀統一論

這種理論認爲美是作爲主體的人類社會實踐作用於各種現實世界的結果和產物。這就是馬克思所講的「自然的人化」。因爲人類社會實踐是客觀的物質現實活動，所以這種主客觀統一論既是客觀論，又是唯物論。不過，這派理論也遭到前述的自然唯物論者的反對和批評，他們否認「自然的人化」與美有關。

總之，對美的問題的哲學探討最終不外三個方向或三種線索，或者從人的意識、心理、精神中，或者從物質的自然形式、屬性中，或者從人類實踐活動中來尋求美的根源和本質。美的本質問題在當代西方較少討論，一些人認爲這種研討缺乏意義或不可能解決，在中國卻仍是一個許多學者和人們極感興趣的重要問題，認爲美學學科本來就不能，也不應迴避、或抹殺這種有關根本理論的探討。

## 3. 美的社會學分析

美學的第二個方面是有關藝術原理的一般研究。西方從亞里士多德的《詩學》起，中國至遲從《樂記》開始，對戲劇、音樂乃至於對整個藝術提出了比較有系統的理論觀點，對後世產生了持久的影響。此後，有更多樣和更為系統的有關藝術原理的學說和著作。其中各門藝術共同性的一般原理，如什麼是藝術的本質特徵，藝術與社會歷史的聯繫，藝術與現實的關係，藝術中形式與內容的關係等等，構成了美學研究的重要方面。但儘管如此，至今關於什麼是藝術、什麼算是藝術作品這些似乎是最簡單的問題，仍無一致的看法或明確的界定。

最廣義的說法之一是，一切非自然的人工作品都是藝術品；一般觀點是把藝術品局限在專供觀賞的作品範圍內，稱為美的藝術。現代科技工藝的發達愈來愈明顯地表明，大量供群衆消費的日常實用物品，如房屋、傢俱、衣裳到各種什物裝飾等等，及生產工作、生產過程，包括場地、環境、機器自身及工作節奏、生活韻律等等，都具有審美性能和藝術因素。即使是神廟建築、宗教雕塑、教堂音樂種種今日看來似乎是專供觀賞的藝術作品，在當時也都是以其明確的宗教、倫理、政治等內容和實用目的為主要價值的。由此又產生了另一種觀點，認為不管是專供觀賞的對象，或者是附著在物質生活、精神生活及其實用物品之上的形式或外觀，作為藝術或藝術作品，其共同的特徵是直接訴諸或引起人們的精神活動。藝術作品以某種人為的物質載體訴諸人的感性經驗，包括視、聽、觸摸和表象，直接影響著人們的心理和精神。

## 4. 美的心理學考察

美學以其研究藝術和日常經驗中的審美特徵而日漸成為獨立的學科，對審美經驗的心理學研究稱為審美心理學或稱文藝心理學②。它構成美學的第三個方面。

在古代許多談及藝術的美學理論中，包括有許多關於藝術的審美經驗、審美心理的現象描述和理論說明。亞里士多德《詩學》中的淨化說、《樂記》中講「樂從中出」、「感於物而動於心」等等，便是對藝術的審美心理及功能的初步探討。18世紀英國經驗學派美學特別是德國康德美學，把審美的心理特徵明白地突顯出來。19世紀中葉德國生理學家、哲學家費希納（Gustav Fechner 1801-1887）提出「自上而下的美學」（哲學美學）和「自下而上的美學」（心理學美學）的著名說法以後，審美心理學日益佔據美學的中心，成爲近代美學的主體部分。對審美經驗、審美心理的研究，幾乎成爲美學區別於其他學科以及區別於一般藝術學的基本標記。

關於審美經驗，大體上有兩種意見：

⑴ **獨特的審美觀**

認爲有不同於其他經驗甚至與其他經驗毫無關係的獨特的審美情感，持這種意見的有英國藝術與文學評論家貝爾（Clive Bell 1881-1964）和傅萊（Roger Frey 1886-1934）。貝爾認爲每一次美的出現都代表一種特殊的、重要的形式，含有溝通的意思。傅萊則強調「美的情緒」之獨特性。

⑵ **美感與經驗的結合**

認爲並沒有某種獨特的審美情感，審美經驗不過是日常生活中各種普遍經驗的「完善化」、「組織化」或經驗刺激的中和、均衡。持這種意見的有杜威、李察茲（I.A.Richards 1893-1979），特別是李察茲認爲美感是藝術家情緒與意向的表示，而非知性的描述。杜威則在經驗中尋找藝術，經驗可分成兩種，一爲工具性的，另一爲消費性的。藝術是屬於後者。

很多人採取中庸態度，認爲可以存有性質上不同於其他生活經驗的審美經驗，但這種經驗與日常生活經驗並不處於隔絕或對立的狀態，而且常常是緊密相關聯著的。

關於審美經驗與日常生活經驗如何相關聯的問題，至今還談不上有嚴格心理學的科學分析。對審美經驗的眞正心理學意義上的實證研究始於實驗美學。這就是用各種不同顏色、線條、形狀、聲音，對一些人作實驗，記錄反應，統計結果，但是把各種形式因素孤立地抽離出來以測量不同反應的實驗方法，不可能得出什麼科學的結論。在實際生活和藝術作品中，任何形式因素都是在與許多其他因素極爲錯綜複雜的緊密聯繫和滲透中訴諸人們，而引起審美感受的。所以，這種實驗美學雖曾流行一時，但很快就爲多數人所捨棄。

佛洛依德精神分析心理學是當代西方流行的理論。它直接踏進了美學領域，佛洛依德本人寫過《達‧芬奇》(1910) 等論著。他認爲藝術深植於人內心的欲望和驅力，包括生與死、性與罪。透過壓抑與昇華，藝術家藉材料來表現他的意識。經過改變了的材料，藝術品對欣賞者產生吸引力。他有關藝術是慾望在想像中的滿足之類的見解爲許多美學家、文藝批評家所接受。精神分析學派在探討慾望、本能由於受到社會壓制而在藝術中無意識地呈現，有如在夢中呈現一樣，這一點有某些事實根據，但佛洛依德似乎有點誇張了性慾，把許多著名藝術作品解釋成童年性慾的表徵，完全抹殺其社會現實的眞實內容，並把藝術作品都看作性慾的昇華，也很難提供美學上的批評標準以區分優劣。

與佛洛依德同樣有影響的是雍格 (C. G. Jung 1875-1961) 的集體無意識理論。它認爲，在不同時代、社會的藝術作品中，反覆出現的主題乃是各民族史前時代所形成的某種集體無意識原型觀念，人們因被喚醒這種沈睡在心中的集體無意識原型而得到審美的愉悅。這一理論比佛洛依德更重視歷史的社會因素，推動了對禮儀、神話、民俗與藝術之間關係的研討，對深入瞭解審美心理的社會根源有一定啓發，但雍恪的理論實質上充滿著神祕主義，並且有宗教的傾向。

研究審美態度的意義在於，揭示藝術創作和日常欣賞中主觀心理的巨大能動特徵，從而擴大人們審美的眼界和欣賞的範圍，於醜怪中識光華，在平凡中見偉大，確認審美不是消極的反應、被動的靜觀，而是主體主動地投入自己全部心理功能，包括知覺、想像、情感、理解、意向等各種心理因素的積極活動之高級精神成果。

然而，這種審美態度以及審美經驗、審美心理的具體身心狀態和過程究竟是怎樣的，是否可以和如何來作出定性以至定量的嚴格的科學分析，它與日常經驗和心理活動，它與社會、時代、階級、民族、集團、個性的內在外在關係又如何等等，都仍然是一系列還未解決的課題。這些課題極端複雜，涉及了多種學科，諸如腦生理學、社會心理學、信息論等等，估計在近時期內還難以眞正解決。

**注釋：**

①布魯格編著，項退結編譯 1988《西洋哲學辭典》，台北：國立編譯館，第二版，第一版 1976，第21至22頁。

②參考朱光潛著 1980《文藝心理學》，香港：開明書店。

# 第四章　語言與文學

## 一、語言

### 1. 語言的定義

廣義的語言，包括人類、動物和機器從事溝通的各種媒介。這種溝通不限於口述的 (verbal)，也包括非口述的 (non-verbal)。不過狹義的語言仍限於人類使用的溝通手段。是故語言是社會的成員當作相互理解和交際溝通的工具，當作傳情達意、意識的現實存在與人類文化的基本要素之符號系統。這是人類有異於其他動物，經由漫長的歷史發展過程中代代相傳的溝通手段，也是人類各種文化中最基本的形式。其重要特徵爲無限豐富和不斷創新。語言是隨社會的產生而產生的，也爲社會共同體的存在而存在的。

語言和社會生活的各個方面關係密切，因之只有在社會中，並且聯繫到社會的具體情境，才能理解語言的性質與功能。

隨著社會風俗、習慣、文化、國情的不同，世上也就呈現各種各樣的語言。馬克思是把語言當成活生生的個人的社會意識之一部分來看待。個人在勞動與繁殖中不斷地「自我產生」，而其「眞實的意識」則透過震動的空氣氛圍與聲波、音調，而以語言的型態出現。因之，「語言同意識一樣的長久出現在人類的生成發展歷史上」。「語言是對別人如同對我自己確實存在的、實用的、眞實的意識。就像意識一般，語言產自於人的需要，出於必須與他人溝通的需要」①。語言是眞實的意識；反之，意識形態則爲扭曲的、虛僞的意識。在這裡我們看出馬克思將理念、概念、意識，亦即人眞實生活的語言，看成爲人類物質生產活動的產品，也是人類物質交易活動的產品②。

能利用（或說或寫的）言辭來表達思想或事件的能力，是一般正常人類所獨具，而爲其他物種所沒有的。就最基本而言，它是思想、概念或意象與語言的連續，亦是創造與理解循環重複之語言的能力。語言最基本的目的是在人際間的溝通。一個人藉著自然的人類語言告訴另一個人內心的想法，正說明了語言的定義。當然，「語言」一詞亦指該（或說或寫）能力的產物。

不管是使用母語或母語以外的他種語言（方言、外語），語言都不是個人的創造物，而是社會成員之間約定俗成的產品。因爲語言是個人社會化，亦即把社會內化於其本身之中，在學習過程中獲得的能力，所以又稱爲自然語言。自然語言以聲波爲媒介，爲有聲的符號系統，故又稱爲口頭語言。由口頭語言轉化爲可資記錄、形成文字的書面語言。書面語言，亦即文字，可以突破時空的囿限，而擴大溝通的範圍。

除了自然語言之外，尙有人工語言，這是指人們有意識創造的符號系統而言，如數學、化學、物理、電腦等所使用的數字、符號、公式、程式語言等等。每個符號都由語音和語義兩個要素構成。符號的組合與使用都遵循相當的語法規律。人工語言是在自然語言的基礎之上，因應科學統一名詞與避免歧異的要求而發明的，它標誌了人類心智與文明進步的程度。

研究語言的社會與文化功能，以及語言的結構，爲社會語言學 (sociolinguistics)，這是由語言學家、社會學家、人類學家、心理學家和哲學家共同營造的新學問。

涂爾幹如同馬克思一樣，也強調語言是一種社會現象。語言對個人所施的壓力就如同社會其他的規範。因之，語言的存在，證明了人身之外社會的存在。涂爾幹的學生，亦即著名的法國語言學家梅列 (Antonie Meillet 1866-1936)，是奠立語言社會學的先驅之一，他批評了德國語言學者溫德 (Wilhelm Wundt 1832-1920) 以心理學的方式來詮釋語言。原因是語調和語意的改變，受個人心理因素影響者少，受群體影響者多。語言具有雙重的性格，一方面是社會的產物，是透過溝通成爲人們社會關係的「工具」；另一方面語言又是「社會認識的形成」，這種認識不只在溝通，還創造了認識的條件。

## 2. 語言的起源

人類語言起源的問題，本來是18與19世紀初期哲學家研究的主要課題，不過後來語言學演變成一項實證的科學，比較語言學家認爲這是一個無從解答的問題而將之擱置下來。此後，由於我們對腦部發育過程瞭解更多，語言學研究領域擴展到心智現象，語言起源的問題又再度出現。

最初對語言起源的推論是根據人們的想像——想像當初語音是如何與事物、思想發生有意義的聯結。古代語言與神話接近，難分難解。繆勒 (Max Müller 1823-1920) 視神話爲語言的副產品。語言本質上爲比喻的 (metaphorical)：無法把實物、或實狀徹底描寫說明，故只能用比擬的、間接的描述方式。利用魔咒來呼風喚雨的神祕字眼，終於被具有功能性作用的語言所取代。話（word）去掉魅力（magical power），而披上語意學上的功能（semantic function），就成爲「理念」、「道」（logos）。古希臘赫拉克里圖（Heraclitus 540-480 BC）認爲人必須先瞭解語言的意義，然後才能瞭解宇宙的意義。「理念」、或「道」爲宇宙第一原則。由此可見古希臘的思想是從自然哲學邁向語言哲學。

普羅塔哥拉斯與赫拉克里圖持著不同的意見，認爲要解釋語言，不能靠形而上學的「理念」，而應回歸到人身上，因之主張「人爲萬物的尺度」。不以物理、不以形而上學（後設物理、超越物理）的現象來解釋語言，而視語言爲人類獨有的溝通工具。

詭辯學派注重修辭學，認爲名稱（詞）不在表述萬物的本質，而是在激發人們的情緒，促成人們付諸行動。語言經歷了神話、形而上學和實用三個發展階段。德謨克里圖（Democritus 460-370 BC）主張，語言是人類感情驚嘆、宣洩的無意間表述。換言之，他提出了語言的驚嘆理論（interjectional theory of language）。以上古希臘哲學家對語言的探討就是語言演變的進化說。

如果「個體發生學概述了種系發生史」（亦即個體的發展說明了物種的進化過程）這個理論，對語言和人類其他方面的發展而言亦可成立的話，那麼，對一個孩童如何獲得語言能力瞭解的越多，就越能對人類語言的起源提出更精確的假設。這個問題目前已是語言學家、心理學家及腦部研究的學者所致力研究的目標。

## 3. 語言的習得

語言學家和心理學家已發現，正常的語言在習慣上有相當固定的學習階段。嬰兒出生後約三個月大就開始牙牙學語。到了快滿週歲，開始會說一些單詞，這些單詞的意義其實就等於詞組或句子。例如幼兒可能會以「車」，來表示「我看到一輛車」、「我剛剛在坐車」、「我們上車吧！」諸如此類的意義。到兩歲時，開始像「發電報文」那樣會說一些由二、三個單詞所構成的詞組，已能使用極簡單而精確的句法。在這幾個階段中幼兒也逐漸在掌握發音和語調。而且這些階段的發展與其抽象概念的建立，是互相關聯的。

最後由大腦功能局部化的研究看來，語言之習得甚至和語言之起源都有所關聯。人類的腦部與其他猿類的差異在於其大腦的左半球容量較大且較發達。雖然有關語意、語法及音調等方面的功能是同時爲兩個半球所控制，但右半球主要統攝具體事物的瞭解，而左半球則主宰抽象概念的理解，因而後者乃成爲人類的語言中樞。大約在青春時期，個人的腦部主控機能已建立，因而逐漸失去幼兒期很容易且快速學習語言的能力。

一旦這些研究完成與融貫之後，將可揭開語言起源的迷霧，同時印證20世紀美國語言學家詹斯基 (Noam Chomsky 1928-) 的假說——在某種程度上語言可視爲人類獨有的天賦。

詹斯基在其著作《語意結構》(*Syntactic Structures*, 1957) 一書中指出，所有的人類都具有學習語言的能力。雖然有些人因爲腦部受傷，或是出生爲低能兒而妨礙了學習與使用語言的能力。嬰兒出世之時，其本身便擁有內在的、與生俱來的、生物性之計畫（programmes）。這種本能的計畫懂得怎樣來結構其後習得的語言。這包括了三種方式，其最後一種的方式爲能夠產生複雜的「轉換式文法」（transformational grammar），亦即把自然語言中無數的語句作不同的表述。

就在詹氏《語意結構》出版的1957年，哈佛大學史金納（B. F. Skinner 1904-）也出版了《口述行爲》（*Verbal Behavior*）。史氏以行爲主義者的觀點解釋人們如何獲取使用語言的能力，其解釋方式和詹斯基大爲不同，認爲語言是嬰孩時代，幼兒透過日常的活動學習而得。透過不斷的增強（reinforcement）與報償鼓勵，嬰兒的語言學習能力大增。詹氏反對這種幼兒學習語言說，而主張嬰孩必須在出生之時已擁有學習語言的本能（計畫），亦即對語言的結構有認識與接受的本能，其後才能逐步學習，而掌握到語言的功能。

有人主張小孩能夠習得複雜語言結構，既非與生俱來的語言計畫之本能，也非後天從行爲中學習而得，而是由於嬰兒所具有自然的、天生的智慧（natural intelligence）。這種智慧表現在跨國親子關係上，被收養的孩子能夠學習義父義母的語言，亦即能夠同時習得多國的語言。

## 4. 語言的特質

語言除了是人們溝通交流的工具，更是思想、思維的手段。此外，語言是一套符號系統，這是19世紀末與20世紀初葉瑞士語言學家索緒爾（Ferdinand de Saussure 1857-1913）所強調的，他促成了符號學（semiology）和結構主義（structurialism）的誕生。他認爲語言就是一套符號的系統（system of signs），人們要傳情達意就必須依賴聲音或字畫，這些聲音、文字、手勢、圖像等都是約定俗成的規則，是符號系統的構成部分。

符號是形式和概念的結合，包括能指（signifier）與所指（signified）。能指與所指是兩個獨立的實體，它們只能作為符號的組成部分而存在。但能指與所指之間並沒有必然的關係，而是社群約定俗成的說法。譬如華人對一隻汪汪而吠的動物（所指），稱呼它是狗（能指），英美人士則稱它 dog，德奧等人稱它為 Hund，法國人叫它為 *chien*。這些各國人士不同的稱謂，正是表示能指與所指之間因人因地而不同，其關係是隨意的、偶然的。這也就是說符號的任意性，表現在能指與所指任意的聯繫之上。

所指的東西通常是人們對一個實物、或一樁事實的看法，也就是一個概念。表面上看來語言是一大堆命名的集合體，但進一步考察，我們發現語言的所指並不是預先存在的概念，而是暫時的、可以變化的概念（約定俗成的想法與命名），它是隨語言的發展而逐漸變化。既然能指與所指之間的關係是任意的，而所指的概念也非固定不變，則能指與所指之間都是純關係的，或是有區別性的實體。

語言既然自成一個符號系統，那麼它與實際的物體所形成的系統便明顯地區分開。換言之，要確定語言的單位，就必須把純關係的、抽象的單位和這些單位的實質體現區別開來，由是我們得知語言單位是形式，而非實質，是符號，而非實體。

索緒爾進一步分辨語言（*langue*）和言語（*parole*）的不同。前者可稱為語言系統、語彙倉庫，後者則是實際的講話，是說話的行為（speech act）。換言之，語言或語言系統是人在學習語言時所吸收的那種東西，是一套形式，或者說「通過語言實踐存放在某一社會集團全體成員中的寶庫，一個潛存在每個人腦子裡、或者說得更確切些，潛存在一群人的腦子裡的語法體系」。「語言是社會的產物，它的存在使每個人具有能夠運用語言的能力」。反之，言語是「語言的體現」，「說話的人利用語言規則表述他個人思想的各種組合」。亦即講話者選擇並組合言語中的要素（字彙、語言、聲調）把語音和語義表達出來。

區分語言和言語的目的主要在分離出語言研究的對象。根據索緒爾的說法，語言學家主要的研究對象爲語言，或稱語言系統。在分析語言的時候，語言學家要做的不是去描寫言說行爲，而是要確定構成語言系統的單位及其組合規則③。

## 二、文學

### 1. 文學的定義

廣義的文學是指用語言文字記錄下來的、具有社會意義的人的思維的一切作品；狹義的文學是指語言藝術。作爲專指語言藝術的「文學」，只是在近、現代才被廣泛使用的。文學是一種特殊的藝術樣式。它以語言文字爲媒介和手段，塑造藝術形象，反映現實生活，表現人們的精神世界，通過審美的方式發揮其多方面的社會作用。

同其他藝術形式相比，文學是通過訴諸讀者的審美想像力和創造力，使讀者在觀念中重建美的形象的藝術。它在把握、分析、評價生活等方面勝過其他藝術。文學是一種特殊的意識形態，它是通過揭示人的精神世界、描繪社會生活在人的靈魂中的影響和表現，進而對現實的社會生活作出反應並發生影響。

不同時代、不同社會、不同階級、不同民族的文學，通常表現出不同的特點，文學把人的生活、人的思想、感情、爭執和願望，當作認識和反映、描寫和表現的對象。

## 2. 文學的形式

文學是人類傳達情感、心靈、或智慧方面的訊息時，所採用最具有創造性與最普遍的方式之一。如同優美的音樂和美術一般，優美的文學具有想像力、有意義的表達，以及良好的表現形式與技法等特色。廣義的文學形式可分爲散文和詩，而在這些基本的分類裡，若針對風格、形式及目的等方面予以考量，則又存在著無數的類別，諸如小說、戲劇、短篇故事、論文、傳記、抒情詩、敍事詩及史詩等。

文學可以兼具教育性、報導性與娛樂性；表達個人的喜樂與悲愁；反映宗教的虔誠；對於國家或英雄的頌讚，或者用以鼓吹政治、社會或美學方面的種種特殊觀點。

現代大部分的文學都是以書寫與印刷的方式呈現，然而，口語式的文學也同樣具有悠久的歷史。口語文學可以追溯到更早，像在古希臘和中古時期的歐洲，旅遊的詩人便以吟頌作品來娛樂大衆。事實上，一些偉大的文學巨著，如荷馬的《伊里亞德》和《奧德賽》，也許就是以口語方式完成的作品。今天在民間文學裡仍保有口語的傳統，寓言、神話、故事和詩篇，便是藉由口耳相傳，而得以流傳下來。

某些像抒情詩之類的文學形式，所表達的幾乎都是個人的經驗，其目的在於供給個人閱讀和欣賞。其他諸如戲劇之類的文學形式，則是爲了在公開場合讓大衆欣賞與聆聽而創作。然而，所有偉大的文學作品，無論是出自個人、或者與他人共享的經驗，都希望藉由表達一般人熟悉的事物，以激發讀者深刻懇切的迴響。

## 3. 文學的發展

文學是隨著社會生活發展而發展的，具體地表現爲文學的內容和形式的歷史演變。文學作品是作家對一定時代的社會生活的審美反應。每當社會發展到了一個新的階段，就給文學提供了新的社會內容和新的表現對象。作家的審美意識也會隨時代變化而變化。因此，文學作品的內容總是隨著時代的發展而發展的。文學形式的發展，也離不開社會生活的發展，文學史上每一種新的文學形式的出現，都是在舊形式的基礎上，爲適應表現新的生活內容的需要，即爲適應社會生活發展的需要而產生的。

文學的發展，不但受社會歷史條件的制約和影響，而且還有自身繼承與革新的規律。同時，各民族的文學之間也會發生相互影響，各個時代的文學，都是在批判地繼承本民族的文學遺產，並吸收其他民族文學的影響的基礎上，根據反映現實生活的需要不斷地進行革新與創造而向前發展的。文學的發展也是人類社會發展的因素之一。

## 4. 文學的鑑賞

所謂鑑賞，是指讀者閱讀文學作品時的一種審美認識活動而言。讀者通過語言的媒介，獲得對文學作品塑造的藝術形象之具體感受和體驗，引起思想感情上的強烈反應，得到審美的享受，從而領略文學作品所包含的思想內容，這就是在進行文學鑑賞。

讀者懂得作品所使用的語言文字是進行文學鑑賞的前提，在閱讀過程中，讀者常常會產生一種藝術美感，不知不覺地被引入作品所展現的生活天地中，關心著作品中人物的命運和事件的發展，體驗著作品中抒發的感情和創造的意境，從而獲得對形象的具體、生動的感受。這就是文學鑑賞的感性認識階段。

在此基礎上，讀者又會進一步藉回憶、想像、聯想等思維活動，撥動起自己頭腦中原有的生活印象、生活經驗，與作品中的形象互相聯繫、互相比較、互相補充，力圖理解形象所包含的意義，從而使自己的認識不斷深化，作出對形象的藝術鑑別和審美判斷。這就達到了文學鑑賞的理性認識階段。當然，文學鑑賞的這兩階段實際上是互相滲透著的。文學鑑賞是人類重要的精神活動之一。

## 5. 現代文學

現代文學受到科技文明求新求變，以及民主多元價值的影響，過於追求形式的新奇多變，其結果造成內容的繁瑣庸俗。當科技文明把人們「物化」之後，文學活動被迫脫離「人的藝術」之軌道。結果我們發現人的物質層面不斷膨脹，但其精神層面卻反而萎縮，舊本能已無法適應新刺激。在此一變化莫測、日新月異的世代中，文明氾濫、文雅消失；教育普及、禮貌消失；群衆興起、個人消失；都市擴展、田園消失；交通發達、地方色彩消失。人們渴求化混亂的情勢為統一智慧的力量，卻受時空的局限，看不到人類生活的遠景，也看不到生活的全貌。

20世紀文學眞正的困境有來自文學的本身，也有來自外部的壓力。文學本身方面首先涉及文學人才的流失，其原因為一流人才投身於科研與專業致富的生涯，無心參與文學的創作與鑽研。其次，作家雖可旅遊四海，卻欠缺深刻的生活體驗，其美感經驗的貧乏，刻骨銘心的體會之欠缺，自然無法創造出不朽的篇章。

20世紀在文學上是個崇尙創造性的反叛，刻意求新、喜歡唱反調的世代，其結果是把「新的」與「眞的」神祕地混淆在一起。這一代的作品，如能浪得虛名，並不是內容感人，而是由於形式炫目的緣故。羅森柏格（Harold Rosenberg）指出：「喬哀思的作品是小說的批評，龐德的詩是詩的批評，畢卡索的畫是畫的批評。現代藝術也批評當前的文化」，這就叫做「高度智性的文學」。人們盡量創造嶄新的表達技巧和新奇的藝術形式，以取代飽滿充實、具強大震撼力的文學內容。於是文學的眞摯情感不見了。因爲當代作家以心靈上的撿破爛者自居，題材已沒有莊嚴與庸俗的區別，也無所謂重要的題材與平凡的題材之區別。文學心靈的虛空，創造活力的疲軟、生命銳氣的老化，乃至文學上唱反調者的囂張，造成現代文學的困境。

當代文學所受外來的壓力，包括科技抬頭之後，人類對事實的盲目追求，迫使向來注重感性的文學誤入理性的崇奉。在追求進步的當代中，科技工業佔上風。科學家肯定其方法精確、客觀、合理而有效。因爲它是實證的、經驗的，而實證科學是非個人的、客觀的、可以計量的，所以科學的「眞」遂凌越了文學的「美」。科學的世界觀之膨脹，轉變了人類的價值觀念，也動搖了人們的生活根基，人們開始過著緊張壓迫、危機頻現的生活。物質愈發達，心靈愈空虛。要之，科學無法治療現代人心靈的疏離、生活的落寞、時代的艱困。

暫時性（或稱過渡性）、新奇性、多樣性造成現代社會物質取向、經濟掛帥、庸俗、膚淺與同質化、同形性、隨波逐流（conformity）的悲劇，這就是說科技陰影對文學創作、文學理論、文學批評所造成的負面作用④。

至於人口的爆炸、世局的巨變、資源的濫用、環境的惡化、和意識（宗教、政治、社會等的意識）的褪失，在在都使人文價值遭受嚴重的衝擊，從而使現代文學在人們的日常生活，特別是感性生活中扮演日漸式微的角色，這也是促成文學沒落的原因。

## 注釋：

①Marx, Karl and Friedrich Engels 1976 *Collected Works,* Moscow：Progress Publishers, vol.5, p.44.

②同上，p.36.

③喬納森·卡勒（Culler, Jonathan） 1993《索緒爾》（張景智譯），台北：桂冠出版社，第10至22頁。

④趙滋蕃 1988《文學原理》，台北：三民書局，第3至24頁。

# 第五章　哲學與倫理學

## 一、哲學

### 1. 哲學的定義

哲學這一名詞起源於希臘文*philos*（愛）和*sophia*（智慧）兩字之結合，是故爲愛智之學。首先使用這個名詞的哲學家爲畢達哥拉斯（Pythagoras 580-500 BC），他曾經指出，人類大體上可分爲三種不同嗜好的人：一種人愛好享樂；另外一種人愛好活動；第三種人愛好思考和智慧。追求智慧應當是人求取最高境界，亦即以人的救贖爲目的，這不失爲人進步的表現。哲學涉及世界的本質、人們的行爲和認識的途徑之探討。哲學是系統性、合理性和批判性的思維。

哲學會因時、因地、因人、因事，而有不同的定義。

有人反對爲哲學下定義。在西方思想史上，從古希臘開始，其他學科（例如數學）曾經長期依附在哲學之內，其後才與哲學分家獨立而成爲一門學科。17世紀自然科學也從哲學範圍中解放出來；18世紀社會科學宣告獨立；心理學則在19世紀另立門戶。

在西洋漫長的哲學發展史上，各家對哲學的定義和功能持各種不同的看法，值得我們略加介紹：

蘇格拉底（Socrates 470-400 BC）被視爲是出身辯士學派，而又反對辯士學派的古希臘哲學大師。他認爲哲學的作用在於自知。至少他坦承自己所知甚少，甚至無知，因此，勸人要有自知之明。他以爲「不經查明的存活是不值得人們去追求的存活」。哲學的方法就是類同助產士協助知識嬰兒降生，反覆推敲、嚴密論證的方法。

對柏拉圖而言，哲學的目的爲發現實在（實相、實狀），也就是發現絕對的眞理，透過辯証的關係，實相與眞理呈現爲同一之物。

亞里士多德認爲哲學開始於驚疑，是考察萬事萬物原因和原則的學科。在這一意謂下，哲學可以說是人類所有知識的總體。除了普遍之學的哲學之外，尙有第一哲學，那是指「神學」而言。「神學」是討論最終原因和最高原則的學問，包括對神的概念。

在古希臘三大哲人之後，哲學思想轉向現實、實際的問題之探討。像伊壁鳩魯派的哲學家認爲哲學是教人避禍就福、減少痛苦之學；斯多噶學派則教人如何求取靜定（apathia）①，作爲哲學嚮往的目標。

新柏拉圖派的思想家卻視哲學爲人們與聖神合一的學問。

在中古世紀裡，哲學被當成生活中對信仰的干涉之學，或稱爲神學的婢侍，也是由理性轉趨信仰的學問。

對笛卡兒（René Descartes 1596-1650）而言，哲學是闡明最終眞理的學問。人以懷疑作爲追求眞理的開始，但疑問最後總有個限度，亦即無法對發出疑問之思考的主體再質疑下去。是故「我思故我在」（*cogito ergo sum*），主體我的存在成爲懷疑的極限。既然本身的存在是經由清楚、而可資分辨的思維方法獲致，因之，「任何可以清楚與可分辨的方法所瞭解的事物就是眞實的」。是故清楚明晰的理念之掌握，便是進行哲學思考的起點。

洛克（John Locke 1632-1704）認爲我們心如白紙，心靈中所儲存的理念需要加以分析。因之，哲學的活動爲在模式（modes）、本質（substances）、關係（relations）三種理念類型中對其構成要素進行分析。因爲我們的概念世界都是從諸種理念類型引申和建構起來的。

聖西蒙（Claude Henri de Rouvroy Saint-Simon 1760-1825）認爲哲學是使世界在某一階段裡走向和諧的心智手段。

康德（Immanuel Kant 1724-1804）哲學的起點爲質問「綜合性、先驗的判斷如何成爲可能」？自從萊布尼茲（Gottfried Wilhelm Leibnitz 1646-1716）以來，西洋哲學界的作品中便分別了分析性與綜合性的判斷，以及先驗的與後驗的判斷之不同。一般而言，分析性的判斷不須涉及經驗世界，便可爲眞，亦即將分析的與先驗的判斷看成爲一組。另外，綜合性的判斷則與後驗的、或稱經驗事實列入另一組。前者的特徵爲其邏輯上的必然關係，其缺陷是並不增加吾人的新知。後一組沒有邏輯上的必然關係，顯示其缺陷，但卻能夠增加人們新的訊息、新的知識。康德便是企圖要找出兼有上述兩者的優點「邏輯上必然關係」與「增加新知」的判斷，這就是他何以發出綜合性的判斷與先驗性的判斷如何可以結合的問題。由是他發現了數量（quantity）、質量（quality）、關係（relation）和模式（modality）等四大範疇，再由四大範疇，引申爲十二大範疇，而把它視爲哲學探討的主要對象。

黑格爾認爲哲學的功能在從萬事萬物的生成變化的歷史中抽繹出事物的本質，亦即事物的範疇、事物的理念，其結果必然在絕對的形式中找到絕對的眞理。對黑格爾而言，理念的本身就是精神，精神分爲主觀的（或主體的）、客觀的（或客體的）和絕對的三類。研究這些精神的學問也就分成三類。像人類學（研究人的靈魂）、現象學（意識）、心理學（心理）是屬於研究主體精神之學問。法律學（法律）、修身學（道德）、社會倫理（風俗、民情、立國精神）是研究客觀精神。至於藝術、神學、哲學，則分別研究絕對精神中涉及「美」、「聖」與「眞」的學問。這就是他何以視哲學爲追求絕對眞理之因由。

斯賓塞（Herbert Spencer 1820-1903）認爲哲學爲綜合性的學問，是把散開於各學科的資料，用普遍的原則加以統合的學問。哲學與科學不同，科學在於發現現象中的律則與常規，每一科學皆有其獨特的研究對象與範圍。反之，哲學比起科學來範圍大得很多，而且不是研究個別的、特殊的現象，而是普遍的、寰宇的事物。其目標在把所有的知識統一起來。在這一意義下，演進、演化的概念是哲學的。他的演化觀建立在由「比較無限的、不融貫的同質性（homogeneity）邁向比較有限的、融貫的異質性（heterogeneity）」，這便是他綜合性（synthetic）的進化哲學觀②。

尼采（Friedrich Nietzsche 1844-1900）則拿著鐵鎚去進行哲學思維，目的在打破傳統的、浮濫的、無用的概念。

胡塞爾（Edmund Husserl 1859-1938）認爲哲學爲一種現象學的分析，直接指向人的經驗，在人的經驗意識中找出事物的本質。

柏格森（Henri Bergson 1859-1941）主張哲學爲直觀的學問，這是因爲理性把實相加以扭曲之緣故。直覺的動力可以使理性的靜態變得活潑，則直覺可能更接近實相與實在。

克羅齊 (Bendetto Croce 1866-1952) 認爲哲學研究具體多於抽象，是故哲學與歷史學是不容分開。

卡西勒認爲哲學的任務是在人類所有的思想領域中，找出象徵或符號的形式，俾對人性作出適當的表述。

施立克 (Moritz Schlick 1882-1936) 勾繪出哲學的兩大任務：其一，科學的結構和科學知識的基礎之清楚辨明，換言之，在發展「科學的邏輯」；其二，掃除傳統哲學語言中的混亂、模糊、歧義，亦即清除人們思想混沌的名詞等等。

海德格 (Martin Heidegger 1884-1976) 認爲哲學研究的對象爲對存有 (Being) 的意義之再度發現，這是古希臘哲學早已提及而未能徹底進行的思想工作。

韋根斯坦 (Ludwig Wittgenstein 1889-1951) 最先認爲哲學是可以拋棄的分析，就像韋士頓 (John Wisdom 1904- ) 所說「哲學是一種毛病，只有靠哲學來醫療此一毛病」。其後韋根斯坦認爲哲學仍有存在價値，就是對概念的體系進行分析。

彭鶴飛 (Dietrich Bonhoeffer 1906-1945) 認爲哲學使人由本身與世界的控制下解脫，他認爲一個基督徒如果能夠從哲學思維分離出來，亦即不受倫理與本體論束縛，將更能致力其救贖的志業。他分辨兩種不同的哲學，一種爲「行動」(Act) 的哲學，是以人性爲研究中心的；另一種爲「存有」(Being) 的哲學，這是強調非歷史的神性爲中心的。

賴爾 (Gilbert Ryle 1900-1976) 認爲哲學在拯救人們免於誤入概念的混亂中。由於積非成是的錯誤傳統，使很多不高明的哲學家犯著「系統性誤導的表述」，亦即犯了「範疇性的錯誤」。例如把文法的混亂誤爲邏輯的混亂，或本來屬於別的範疇的概念當成另一範疇看待。這種錯誤在傳統的形而上學中俯拾皆是。舉個例，我們誤會心靈操作與人的體力（軀體）操作爲兩樁同等、而可以相提並論的事物，這是觀念的混淆。

從上面一大堆的引述和簡介可知哲學涉及的研究對象、範圍、功用、性質、目的，因人因地因時而異，要爲哲學找出一個共同的定義是非常不容易的。最多回復到古希臘的說法：哲學是愛智之學。

## 2. 哲學的面向

研究哲學的諸方面，或稱側面，或稱諸面向（aspects），也就牽涉到哲學研究的對象、內容、範圍之上。粗略地說，哲學是圍繞著人與其世界的求知手段，這包括人賴以維生的外在世界、外界環境。其次爲人類自身，包括人群及其結合的社團、社區、社群、社會等。再其次則爲討論人的內心世界，包括其感知、思想、思維、認知、認識。現分成下面三種略加解釋：⑴探索世界的本質，探討人與外面的世界之關係；⑵哲學與人類的行爲有關，如何爲人類的行爲尋找規則？⑶正確思維和認識的原則。

上述哲學的三個面向與亞里士多德把哲學分爲物理學、倫理學和邏輯，若合符節。詳言之，哲學所關懷的是人類存活在世上所面對的三種首要的關係與問題：

### ⑴ 人與世界

雖然懷疑論者質疑外頭世界的存在，但其他的自然科學家和社會學家卻紛紛討論外界的問題。像笛卡兒堅稱有外界之存在，乃因爲神創造了世界，也創造了人，神不會欺騙人類，更何況每個人都感覺到外面的世界，這種感覺並非幻象。洛克也認爲我們得知外頭的世界，是由於我們擁有感知（sensitive knowledge）

的緣故。我們沒有存心或故意去感受而卻獲得的感覺，以及各種不同的感覺之匯聚，由這些我們乃知道外界之存在。

法國百科全書派的「哲學家」（*philosophes*）認為世界充滿各種相互對照、相反的眾多性質，使我們覺知事物之存在。因之，對外界的感知、反映甚至反抗，都使吾人確認有外面的世界。

穆爾（G. E. Moore 1873-1958）認為當下即足的經驗，像我們覺知自己的右手、和另一個左手，這類常識性的事物，便可以知道外界之存在，亦即靠常識的現實性（Common-sense realism），認識外面的實在。

「世界」最通用的意義是指一切可見事物的全部，整個宇宙，也就是希臘人所稱的 cosmos。是故研究世界不只涉及亞氏前述的物理學，還應當是宇宙論（cosmology）：包括自然哲學、宇宙發生論（cosmogony）。世界是否具統一性呢？由於一切物體有時間、空間、因果、秩序及相互關係。由於這些關聯，我們才能感覺物體及其功能。究竟世界如何出現，有無終期？或是「同一事物的永恆重現」（尼采語），都是值得哲學家或神學家加以思考的問題③。

⑵　**人與社會**

哲學就像社會學一樣，也討論作為經營集體生活的動物之人如何在社會、社團、社群當中進行生活。就像布柏（Maritn Buber 1878-1965）在其著作《人與人之間》（1936）所闡述的，人怎樣對待其他人、對待神明、對待世界，是一個嚴肅的哲學、或神學的課題。基本上他分辨「我與你」（I－Thou）、以及「我與它」（I－It）兩種關係，前者便是涉及人與人之間的關係（在更高的境界上則為人與神之關係），後者則涉及人與事物之關係。

布柏認為人的存在不是通過柏拉圖的理念實現的，也不是通過海德格顯耀人在存在物中的特殊地位而實現的。只有在相互遭遇中，即每個人在整個地與他面對的東西（人、神或物）相逢時，人才實現自己的存在。因此，人就是交往、就是關係、就是與相逢者的對話。

布柏這種主張建立人際親密關係的你我之間的共同體，就是反對馬克思主義者所企圖建立非人身、非人際的社會主義(impersonal socialism)。

哲學中討論人的部分，包括人的本質、人的地位和人的發展。人的本質是考察人在社會上和歷史上人的根本屬性，亦即人根本有異於動物的特性。人的屬性可以區別爲人的自然屬性、社會屬性。前者接近人的物質、生理屬性，後者則爲人在社會上的表現，包括精神方面的屬性。

人的地位指人在世界（自然）中的地位、在社會中的地位、和在人際關係中的地位。人在自然中的地位具有雙重性，第一，人爲自然的產物，依賴自然而存活；第二，人必須改造自然、利用自然才能營生，因之是自然的創造者或改造者。在社會中人的地位也具有雙重性，一方面人是構成社會的基本單元，沒有人就沒有社會；另一方面，社會是人得以成爲人的前提。沒有社會，也就沒有人。因之，人固然是社會的產物，人也創造社會。

在人際關係方面固然人人平等，卻因人有個性、才能之不同，造成人際關係中之不平等。哲學要探討的是怎樣來把人爲的不平等與天生的平等兩者之矛盾作一妥協。

人是不斷發展生成的動物，人的自由與全面的發展是自有哲學以來，思想家苦思焦慮的問題，尤其是標榜人的解放之馬克思所追求的理想。要達致人的自由與全面發展，首先要建立新的社會秩序與新的制度④。

### (3) 人與內心

人的內心生活，也就是其心靈活動、精神活動、文化活動的內涵，這包括與人的知識、信仰、情緒、意志有關的科學、宗教、文藝、教育等文化制度。哲學的第三個面向，就是討論個體與集體成員的人之內心世界。在這一意義下，哲學中牽涉的世界觀、歷史觀、眞理觀、認識論、價值論、方法論，固然是哲學的分枝（sub-fields），也是哲學重要的構成部分，但所謂的神學、人類學、心理學、語言哲學、宗教哲學、藝術哲學、美學、教育哲學，也成爲研究人的內心世界所不可或缺的輔助學問或專門性哲學。

人的內心世界包括人的心理、意識、感覺、知覺、思維、情感、情緒、意志、意向、個性、能力、符號、語言、理想、欲望等等。要之，可以視爲人類心靈（mind）的問題。哲學史上一個爭論不休的問題爲心靈與肉體的關係，俗稱「心體問題」(mind-body problem 或靈肉問題)。原因是心靈的活動與人體物理過程並非完全一致，因而引發了兩者關係之討論。

柏拉圖主張心靈與軀體兩元論，前者牽涉到不變（靈魂不朽）、後者則會變動（軀體生成變化或衰敗）。至於這兩者之間究竟存有互動（互動論者的說法）、或偶然有關聯（機緣論者的主張），也成爲不同學派爭論之所在。

笛卡兒也持心與體雙元論，認爲兩者處於適得其反的地位。

唯物主義者主張心與體的問題即爲心與物的關係之問題。所謂心乃是人類的腦。因之，心靈的活動事實上乃爲物質或物理過程，對唯物論者而言，並無事實上心與體的對立問題。與此相反的則是貝克萊 (George Berkeley 1685-1753) 等唯心主義者的主張，他們認爲只有心靈與心靈活動的內容之存在，去掉了物質，自然不用談心與體的問題。費希納（Gustav Th. Fechner 1801-

1887）提出「心理與物理並行論」（psychophysical parallelism），有一心理動作便有與其平行的物理過程出現。因之，每一事物就其外觀而言，是可以量化的物理現象，就其內部而言，則爲具有生命與靈魂的心理活動。

同「心理與物理並行論」持相反見解的爲「準現象論」（epiphenomenalism），指出心靈的差異不是數量的，而是質量（性質）的。不過，此說不認爲心靈具有獨特的力量，所有力量存在物理體系當中。

把心靈與軀體看成爲同一物，而有不同的表現之學說謂爲中立一元論（neutral monism），或稱爲「單元觀念論」（monistic idealism），主張心與體爲同一物對外與對內的面向。

梅樓·蓬第（Maurice Merleau-Ponty 1908-1961）反對笛卡兒心與體之雙元論，認爲心與體之分別是對人類行爲的物理現象在不同層面上概念所造成的認知差別。物質現象乃爲概念系統的先決條件，兩者不宜截然分開。

## 3. 哲學的問題與學科

哲學的基本問題是圍繞在實在、價值和認識這三項之上。

(1)物理學、宇宙論、本體論研究**實在的問題**（**Wirklichkeitsproblem**）。所謂的**實在**（Wirklichkeit; reality），是由拉丁文 *res*（事物）演變而成的名詞，是13世紀由史可圖（Duns Scotus 1266-1308）引進哲學的思辨中之名詞。他把實在等同爲「存有」（being）。實在與存有之間的關係正如同「實狀」（actuality）與「存在」（existence）的關係是不易區分的。當哲學家討論到「那個現存的某物」（that which is）之時，他便涉及「存有」與「實在」的檢討，可是當哲學家討論「存在」(exists) 與「自立存在」(subsists)（或譯爲可能存在）之分別時，則「實狀」或「存在」指涉的是前者（存在），而存有與實在則指涉到兩者（存在與自立存在）。

康德認爲凡是符合於我們經驗的物質條件之事物都具有實在性。費希特（Johann Gottlieb Fichte 1762-1814）則認爲凡是自我（ego）所設定的事物，即爲實在的、眞實的事物。

皮爾士（Charles S. Peirce 1839-1914）主張所謂實在，不過是詢問者的群體在經過冗長的詢問過程後得到的同一結論，也是群體所信以爲眞的事物。

與實在有關聯的是客觀的實在（objektive Realität），則是指客體世界業已實現之物，以別於主觀認知的實在。此外實在與可能性（Möglichkeit; possibility）也宜分別，後者是指事物發展爲實在的可能性、潛在性，而非爲眞實的存在、或現狀。

⑵倫理學、人生哲學、人性論研究**價值的問題**（**Wertproblem**）。**價值**（**Wert; value**），源自於拉丁文*valere*（強而有力，亦即可珍貴之意），價值常與事實（fact）作一對照。人們對事實只需承認即足，但對價值則必須選擇。不管是任何的事物，包括態度、理想、目的、目標等等之具有價值，一定是該事物能夠引起人們對它產生了偏好、評價、或認爲有重要性。

在哲學史中對價值的區分、分類曾提出各種各樣的主張：

柏拉圖分辨了工具的、中間的和內在的價值，前者爲手段的價值，後者爲目的之價值，夾在兩者之間爲中間性的價值。

杜威則主張手段和目的乃爲一連續體、首尾銜接（means-end continuum）。因之，所有的價值都是中間性的價值，具有外在與內在的性質。

皮里 (Ralph B. Perrey 1876-1957) 把價值分成八種：道德的、美學的、科學的、宗教的、經濟的、政治的、法律的和習俗的價值。寇恩 (Alejandro Korn 1860-1936) 則分辨九種的價值：經濟的、本性的、情慾的、生命的、社會的、宗教的、倫理的、邏輯的和美學的價值。每一種價值都有其兩個極端，譬如經濟的價值包含 (有用性與無用性)，本性的價值包括 (爽快的與不爽的)。每種價值皆有其體系，譬如經濟的價值涉及功利主義、本性的價值涉及享樂主義等等。

謝勒 (Max Scheler 1874-1928) 發現在價值系統中可以按其大小做上下高低的垂直分佈，譬如感覺的、生命的、精神的、宗教的價值由下而上的提昇。

路易士 (Clarence I. Lewis 1883-1964) 把價值五分化：功利、工具、生成的、內在和外鑠的價值。

賴特 (George H. von Wright 1916-) 認爲價值具有善 (goodness) 的特質，因之可分爲工具性、技術性、功利性、享樂性和福利性五種價值。

在討論終極的價值時，東西方哲學家的主張也非常分歧，例如亞里士多德認爲快樂 (*eudaemonia*) 爲所有人類都追求的價值，孔子則以仁與禮作爲人修身之始，老莊追求的是道，佩脫拉克以自我修養爲人追求的價值，斯賓諾莎 (Baruch Spinoza 1632-1697) 則以智慧爲值得追求之目標，馬克思則以人的自我實現和全人類的解放爲人活在世上的最高目標。對尼采而言，權力意志的兌現是人最大的驅力，史懷哲 (Albert Schweizer 1875-1965) 則以尊重生命，沙特 (Jean-Paul Sartre 1905-1980) 以尋找眞實的存在，卡繆 (Albert Camus 1913-1960) 以達成人類之團結爲吾人最終之理想。這都是涉及不同的哲人對不同的終極價值之追求。

(3)邏輯學、科學的哲學、認識論研究**認知的問題**（Erkenntnis-problem）。**認知**（Erkenntnis; cognition），來自於拉丁文*cognitio*（認識、承認），涉及到認知的過程和認知的結果——知識。對認知的系統研究便是認識論（epistemology），它牽涉到感知（perception）、記憶、直觀和判斷的問題。

認知問題牽涉到知識的根源，知識根源是在判斷中圓滿實現的、眞實而確切的認識之由來，一般分爲外在與內在的知識根源。別人的見證屬於前者，由自己的經驗、概念、判斷、推論而得的思維活動則屬於後者。

知識論是對思想內容的客觀有效性提出決定的問題，如果客觀有效的思想才可稱爲知識的話，則知識論首先在質問：知識是否可能？其次討論人的理性有無能力達到眞理？知識有無局限？

古代與中古不乏對知識論個別問題的探究，但對知識論的全部問題作系統性檢討，卻要等到近代哲學出現之後，尤其是笛卡兒之後。17與18世紀時，這類探究以理性主義及經驗主義兩種相反的論調爲主，康德的批判哲學嘗試把這兩種對立思想統一起來，但局部放棄知識的實在論之說法。從此以後，知識論遂以研討實在論與唯心論爲主流。20世紀的現象學、生命哲學及存在哲學帶來思考的新動力。邏輯實證主義及分析哲學則以純粹的語言理論來替代知識論⑤。

## 4. 哲學的影響

眞正的哲學不外於人的生活，反而產生自人生的各種活動之間，並企圖使人生豐富絢爛。不僅學者爲澄清思維和概念而去進行哲學思考，就是世事的無常、禍福的互見、人生的苦樂，也使人們反省、冥思。特別是涉及個人所追求的理想（自由、平等、歡樂、安逸等）與生死輪迴的問題時，哲學的省思，將伴隨宗教的信仰、政治的行動來影響我們的作爲。

## 二、倫理學

### 1. 倫理的詞源

在中國「倫」、「理」二字，早在西元前8世紀前後的《尚書》、《詩經》、《易經》等著作中已分別出現。「倫」有類、輩份、順序、秩序等涵意，可以被引伸爲不同輩份之間應有的關係。「理」則具有治玉、分別、條理、治理等意義。

西元前4世紀的孟軻在《孟子》一書中說，遠古之時，人們「逸居而無教」，近於禽獸，早期的統治者很擔心這種狀況，於是「使契爲司徒，教以人倫」。孟子所說的「人倫」，就是指「父子有親，君臣有義，夫婦有別，長幼有序，朋友有信」。他認爲，父子、君臣、夫婦、長幼和朋友之間的親、義、別、序、信是最重要的五種人倫關係或道德關係。

倫理二字合用，最早見於秦漢之際成書的《禮記》：「凡音者，生於人心者也；樂者，通倫理者也」。大約西漢初年，人們開始廣泛使用「倫理」一詞，以概括人與人之間的道德原則和規範。

由於中國古代哲學，始終把自然觀、認識論、人生觀和倫理觀融爲一體，因而未能形成獨立的倫理學學科。先秦時期的《論語》、《孟子》和秦漢之際的《大學》、《中庸》、《孝經》等，在一定意義上都可以被看作是具有中國特色的倫理學著作。宋明時期所謂的「義理之學」，也可以說是研究道德的倫理之學。但「倫理學」這個名稱，卻是19世紀以後才開始在中國廣泛使用的。

在西方，「倫理學」一詞出於希臘文*ethikos*，含有風俗、習慣、氣質和性格等意義。荷馬史詩中的*ethos*，原是一個表示駐地、駐所的名詞。古希臘哲學家亞里士多德從氣質、性格的意義上，首先使它成爲一個形容詞，賦予其「倫理的」、「德行的」意義。後來，他又構造了*ethikos*一詞，即倫理學。西方最早以倫理學命名的書爲亞氏所著《尼克馬可倫理學》，據說這本書是他紀念其父尼克馬可的講稿和談話整理而成的。

對人的道德行爲加以描述、反思、批判的學科，便叫倫理學，簡稱倫理。倫理包括倫理價值觀、倫理規律、倫理標準、德性行爲、良心現象等等。這是廣義的倫理。

狹義的倫理僅指道德哲學，爲哲學的一個分枝，也是形上學的一部分，研究道德理想最深的基礎，探查道德標準等事實屬於何種的存有及有何種的意義。道德哲學主要在解釋道德的善、義務、良知等問題。

道德 (morality) 一詞是由西塞羅引進的，拉丁文爲*moralis*，他認爲*moralis*相當於希臘文*ethikos*。這兩個名詞都和人實踐的活動有關。一般而言，道德是涉及個人的操守品行而言，倫理則爲人際關係的規範。進一步而言，倫理爲道德行爲的反思，爲道德的哲學⑥。

## 2. 倫理學的分類

⑴倫理學可以大致分爲規範倫理學 (normative ethics) 和後

設倫理學 (meta-ethics)。前者爲建立善惡分別的標準，俾爲人們行事的指引。後者則爲「善」、「惡」、「對」、「錯」的用法之邏輯思考。西方傳統的倫理學都把規範的與後設的倫理學合併討論。可是近代的哲學家，大多只關心後設倫理學的問題。

(2)「善」既然成爲道德行爲的核心，則「善」成爲一種人們追求的價值。爲獲取這種價值，人們必須盡了一連串的義務，這便是價值性的 (axiological) 倫理學。與價值性倫理學相對照的是選定一個人生最終的目標，作爲人道德行爲的取向，這便叫做目的性的 (teleological) 倫理學。

(3)既然「正確」、「對」成爲倫理所要實現的目標，則倫理學的取向在於盡職 (obligation) 與義務 (duty)。由是把重點擺在盡職與完成義務的行爲之上，而不是強調行爲的結果，這種理論便稱爲義務論 (deontology)。如果所強調的是道德原則，則稱爲形式主義的 (formalistic) 倫理學。

(4)「善」、「對」可能存於個人之上，也可能存於人之外的天地之中，由此引發出倫理的主體論與倫理的客體論之分。認爲「善」、「對」存於自然之中，而可被人們看出，甚至加以身體力行的說法就是倫理的自然論。反之，不認爲「善」、「對」容易認知，而卻由少數人直覺認識的，這派主張叫做倫理直觀論。

(5)有人主張倫理名詞背後並沒有客體可供參照，而只是人們情緒、態度、建議、力薦的行爲之表現，這派學說稱爲倫理的非認知論 (non-cognitivism)。非認知論者又分爲以情緒爲主的情緒論 (emotionism) 和以文化爲人類道德行爲影響因素的文化相對論 (cultural relativism)，又稱爲

倫理相對論 (ethical relativism)。

## 3. 西方傳統的倫理學

在倫理思想史上，由於不同時代的經濟、政治、文化的變化和人類對於道德現象認識的不斷深化，道德作爲倫理學的研究對象，在不同時期的不同思想家那裡，有著不同的理解和規定。

### (1) 古代

在古希臘羅馬時期，蘇格拉底和柏拉圖都把至善作爲倫理學研究的主要內容，並強調四大品德之一的「智慧」。蘇氏尤其強調人應忍受痛苦而不該爲惡。道德行爲不以善果爲重，而重在內心的堅持原則。柏拉圖則以目的論的觀點來看待善，認爲善是永恆的形式，只有在人生中才能體現。

亞里士多德認爲，倫理學是研究人們的行爲及品性的科學，或者說是研究人的道德品性之科學。人生的目的在追求幸福 (*eudaimonia*)，只有在中庸之道裡人才會發現德性。伊壁鳩魯 (Epicurus 341-270 BC) 認爲，倫理學所研究的主要問題，是人生目的和生活方式，強調倫理學是研究幸福的科學。與伊壁鳩魯學派對立的斯多噶學派，認爲倫理的行爲在於符合理性 (rationality)，是把個人的意志屈從於普遍的理性之下，亦即從強調義務出發，認爲倫理學是研究義務和道德規律的科學。公元前一世紀的羅馬思想家西塞羅 (Marcus Tullius Cicero 106-43 BC)，把他的倫理學著作稱爲《義務論》，並將古希臘的倫理學稱爲道德哲學，賦予倫理學以新的意義。

### (2) 中古世紀

聖奧古斯丁 (Saint Augustine 354-430) 把快樂的原則擺在

人們從地上之城升入神聖之城，造成神的完善之上。奧康（William of Ockham 1290-1349）認爲所有的倫理都是建基於上主的旨意，也是用神意來判定人的行爲之善惡。夏夫特伯理（Earl of Shaftesbury 1671-1713）主張：人的內心道德感建立在天生的同情心之上，也是導致人群和諧的基礎。

柯拉克（Samuel Clark 1675-1729）認爲倫理的觀念立基於適合（fitness）之上，亦即所有符合倫理的行動都必須大家「彼此適應一致」(mutual consistency)。

巴特勒主教（Bishop Joseph Butler 1692-1752）認爲對與錯的標準是個人良心的呼喊聲。良心則爲個人內心中理性的與反思的原則。只要良知未泯都會直覺善之存在，而作出相應的善行。

⑶ **近代**

休姆 (David Hume 1711-1776) 企圖把人的同情心和享樂、功利等聯繫在一起。由於人有追求快樂的趨向，也有同情的趨向，所以兩者的結合便是善意的源泉，也是個人的利益與社會團體利益發生關聯。因之，好處、益處、功利變成了道德的判準，功利的判準與社會的贊同結合，不利的判準則與社會的排斥結合。於是休姆爲倫理學導入功利的概念（對社會有利的行爲就是符合道德的行爲；反之，對社會不利之行爲則爲違反道德的行爲)。

亞丹•斯密（Adam Smith 1723-1790）繼續發揮同情是倫理的基礎之說法。他說：「透過同情，我們進入別人的情境中，並與他人共享由於該情勢所引發的激情」。德性與適得其份 (propriety）和應該獲得（merit）緊密聯繫，也是同一體。德性就表現在謹愼和善意之上。

康德的倫理學是從法律的理念衍生出來的原則，倫理是人實踐的範疇與絕對命令。他分辨了自主（autonomous）意志和他主

(heteronomous) 意志。前者是由人的內心之原則來驅使人去行動，後者則是外頭的勢力、或原則迫使個人採取行動。自主的意志反映了本體的自我，比較少受情緒、慾望的控制，我們對義務、職責的感受乃是來自這個源泉。因之，倫理乃涉及「義務」、「尊重」、「守法」的觀念，這種觀念就是範疇性的命令 (categorical imperatives)，這是有異於假設性的命令。要之，道德建立在善、意欲、自主的意志之信念上。

邊沁 (Jeremy Bentham 1748-1832) 是功利主義的奠立者，他認爲增進最大多數人的最大好處是吾人追求的目標。個人生活的目的是趨吉避凶、趨樂避苦。是故生活之目的爲「最大多數人的最大好處」。如何來獲取最大的好處呢？那就是在人的行爲中權衡利害得失。換言之，在苦樂的程度上、時間長短上、確定性之上、遠近關係上、滋生變化上、純度上、範圍上等七個估計權衡裡頭去決定快樂與痛苦的大小久暫。

穆勒 (John Stuart Mill 1806-1873) 修改了邊沁重量不重質的功利觀點，亦即快樂不只是大量的，也是高質的快樂，才值得人們去追求、去增進。

**⑷ 現代**

現代人們對倫理學的對象更有不同的理解。他們分別認爲：是研究人生目的的學問；是研究善和惡的學科；是研究人的行爲、道德判斷和評價標準，研究道德價値的科學；是研究理性原則和規律的科學；是關於情感意志的科學；是研究道德語言的科學等等。所有這些關於倫理學研究對象的看法，都是圍繞著道德問題提出的。除了把倫理學看作是純理論抽象的道德哲學的觀點外，大多數倫理學家都承認研究的目的是爲尋找和建立一種調整人與人之間的關係、維護社會秩序和培養有道德的人的理論。他們或多或少地涉及到倫理學的對象和任務問題，但都沒有作出科學的界說。

## 4. 馬克思主義的倫理觀

馬克思主義倫理學把道德作爲社會的、歷史的現象進行研究，但不是簡單地描述這些現象，而是在馬克思主義的世界觀、方法論指導下，研究道德現象中帶有普遍性和根本性的問題，揭示道德的社會實質和發展規律。

馬克思主義倫理學認爲，人們在社會生活中必然形成複雜的社會關係，其中包括道德關係；它受著社會關係中最基本的關係即生產關係或經濟關係的制約。道德是在一定的經濟關係基礎上形成的社會意識形式之一；在階級社會裡，它主要受一定的階級關係的制約。

人類社會的道德現象包括道德活動現象、道德意識現象以及與這兩方面有密切關係的道德規範現象。

所謂道德活動現象，主要指人們的道德行爲、道德評價、道德教育、道德修養等個人和社會、民族、集體的道德活動。

道德意識現象指個人的道德情感、道德意志、道德信念，以及各種道德理論和整個社會的道德意識。

道德規範現象一般指人們在社會實踐中形成的應當怎樣、或不應當怎樣的行爲原則和規範，是調整人和人之間關係的倫理要求或道德準則。這種原則和規範體現於由經濟關係所決定的各種社會關係之中，並通過一定的傳統習俗和生活方式表現出來。它一旦經過倫理思想家們的概括，又成爲道德意識現象的一個部分。

馬克思主義倫理學強調全面研究道德現象，揭示道德現象的本質、作用和發展規律。它不像舊倫理學那樣，只研究道德現象的某一部分或某一方面，也不是只陳述某些「道德事實」和「行爲表現」，更不是單純分析某些道德語言的邏輯結構。馬克思主義倫理學的使命是從實際的道德現象出發，給這些現象以規律性和規範性的概括，從理論形態和行爲準則上再現道德，使倫理學成爲人實踐的指引。它既不是一種純粹的理論科學，也不是一種單純的應用科學⑦。

## 5. 道德所涉及的問題

### (1) 道德的產生

道德是怎樣產生的，是起源於現實社會人們的經濟利益，還是起源於上帝或者某種理念？道德的作用是什麼，它與人們的經濟利益和物質生活關係爲何？歷史上的倫理思想家們，由於對這些問題的不同回答，形成了不同的倫理學派別。

### (2) 道德的基礎

道德的最高原則，按其實質來說，究竟是以個人利益爲基礎，還是以社會整體利益爲基礎？道德的功能在於調整人們之間的相互關係，其中最主要的是個人和社會、個體和整體之間存在的各種利益關係。這是決定各種道德體系、道德規範和道德內容的最高原則，也是決定各種道德活動的依據以及道德理想的標準。

## 注釋：

①拉丁文 *apathia*，源之希臘文 *apatheia*，含有「不受苦」、「不忍受」的意思。斯多噶派哲學家把它看作一種極端冷靜、自制、不動心性、不爲人役、不爲物苦的德目，亦即求取內心的寧靜。

②在這一意義下，斯賓塞同達爾文的進化論有其相似之處。前者鼓吹的爲哲學的進化論，後者則爲生物學的進化論。恩格斯則把馬克思捧作社會的進化論之創立者。

③布魯格編著，項退結編譯 1988《西洋哲學辭典》，台北：國立編譯館，第二版，第一版1976，第415至416頁。

④黃楠森、夏甄陶、陳志尚（主編） 1990《人學辭典》，北京：中國國際廣播出版社，第8至10頁。

⑤布魯格，前揭書，第300至302頁。

⑥參考洪鎌德 1996〈馬克思倫理觀的析評〉，刊《中山學術論叢》，第14期，台北：台大三研所，第54至55頁。

⑦馬克思的倫理觀和馬克思主義的倫理觀，稍有不同。前者是馬克思本人的倫理觀，後者則是涉及馬克思的戰友恩格斯，以及馬克思的信徒的倫理觀點。可參考洪鎌德，前揭文，第27至61頁，以及洪鎌德1995《馬克思倫理觀的析評》，台北：國科會專題研究計畫報告，第11頁以下。

# 第六章　歷史與史觀

## 一、歷史

### 1.　歷史和史學

歷史是指人類過去的經驗，或發生於以往的事務。但歷史也涉及將過去發生的事情和以往的經驗以文字、記號、聲音記錄保存下來的記憶，包括對過去發生的事故有系統地加以理解之學問。

一般而言，歷史是歷史家將史事的原委以文字記錄，或將史料加以整理、詮釋、解析。這點與史學（historiography）相同。蓋所謂的史學是以修辭學的方式對歷史加以撰寫的本事（craft）。有時稱爲「歷史的修辭學」(the rhetoric of history)、有時稱爲「歷史撰述」(history writing)。史學並不等同爲歷史資訊的收集、歷史資料的彙編、歷史觀念或想像之激發、歷史撰述之批判，亦即不同於史觀或歷史哲學，但卻與上面這些名詞有關，也有一部分的重疊。這一分辨是有必要的，原因是近年間有些西方學者把史學當成爲歷史撰述的析述來看待，這是隸屬於知識社會學的一個分支，屬於以知識社會學的觀點與方法來理解人類如何撰述歷史。

以講究精密的科學方法，謹愼考察歷史的證據，而對過去發生的事故，做高度求眞（maximum verisimilitude）的研究，是過去190年來歐美學界所追求的目標。換言之，眞正的史學差不多在兩個世紀之前才開始①。

另一方面，史學也可以說是歷史撰述的藝術，是在歷史撰述中產生的有關方法學的問題及其解決。

## 2. 歷史的主題與範圍

最廣泛意義下的歷史是指地球上、或宇宙間發生的任何一樁事件而言，這是包括自然界依其生成變化的定律而產生的必然事件。但狹義的歷史則限於懂得自由選擇的人之事件。人的歷史展開於空間與時間內，世代相繼、各族並存，受到時空、精神、物質的影響。因之，歷史是人特有的活動方式，是人生活的場域和生活的過程。人所做的一切，均以歷史存有者或載體的身分去做②。

歷史的主題在有意義的過去，亦即指能影響整個社會經驗和發展的制度與個人行爲。傳統上，歷史的重心是集中於政府及其領導人的動作，以及它們之間的衝突。換言之，即是政治史和外交史。到了最近一百年間，歷史研究的範圍，已經擴展到思想史和涉及影響整個社會或社會特性的經濟及社會生活史。

一般而言，歷史是以記錄個別文明或單獨國家爲基礎。因而所謂的「世界歷史」，即主要指開始於近東地區，其後，進入南歐、西歐、北美，歷經近代而成爲支配世界的西方或歐洲的文明而言。歐洲在20世紀中葉衰微後，北美、東亞繼起稱霸，加上亞洲和非洲產生了一些新興國家，因而引起西方人注意其他地區文明的歷史背景。然而西方傳統的歷史研究，不論是研究一個文明或一個國家，甚至一個區域，皆將之劃分為以下幾個時代：古代（ancient）、中古（medieval）、近代早期（early modern）、近代（modern）、當代（contemporary）等，以及幾項專門主題：如政治、外交、經濟、社會、文化、思想等等之歷史。

## 3. 歷史研究的歸屬

歷史研究現在已被同時視為「人文學科」、或「社會科學」的一支。實際上，在研究方法和主題方面，歷史是分別隸屬於以上兩門學問的支派。如將歷史研究視為社會科學，其處理的為各種人類的經驗，包含政治學、社會學、人類學、和經濟學等所處理的內容。然而歷史研究與這些學科的區分有以下三項：⑴歷史研究強調年代時間；⑵注重各種社會經驗之間的互相關係和多方面因素的解釋；⑶以及強調曾經在社會上扮演重要性的特殊事件、人物和群體。

研究歷史必須遵守社會科學的準則，以求建立有關人與社會的客觀史實。同時，歷史家的綜合和解釋工作，與藝術工作相近，包含想像和直覺能力。歷史敘述也是一種文學。更進一步地說，許多歷史研究的內容，都是有關人類思想與文化活動的經驗。

## 4. 歷史研究的目的

歷史研究的目的很多：自好奇以至於科學眞理的追求。但有人把歷史假設為尋求「教訓」，當作「鑑往知來」的工具，即應用過去的經驗於當今新事物的理解和掌控之上，不過這種企圖並非如此簡單。幾乎舉世公認教導學童以歷史，目的在為公民灌輸道德和愛國心。然而在獨裁政權下，歷史被用作宣傳工具，故意曲解過去，打擊異己，而達到政權維持或壯大的目的。

至於對待歷史的態度，如榮譽、羞辱或仇恨等，在政治上或國際關係上，常成為各國爭霸的手段，也不足取。「修正主義」的歷史學者，常在戰爭或革命的暴力事件後，嘗試以更客觀的態度，重新評價這些事件，但其努力並不一定奏效。

歷史也是個人教育經驗的重要部分，可藉以透視人類的不同經驗與文化本質。此外，經由探究的工作，訓練人們處理複雜問題的能力。對一個決策者而言，歷史與其他社會科學的學科做比較，前者很明顯能提供更廣泛的觀點、資料和經驗，作為當下決策的參考。

對歷史功能有一個普遍的錯誤看法，認為研究歷史在發現歷史演變的「法則」，人們只要按照所設想的歷史「法則」去行事，則未來的走向將趨明朗，這不啻未來完全為過去所決定，也就是其錯誤之所在。然而根據歷史本身的顯示，利用人類過去的經驗對未來做預測，明顯地受到太多的偶發事件的影響與限制。不過歷史的確可以解釋現在問題的起源，提示決策者可能產生的結果。

正當現代人面對全社會（世界、時代、國家、地區的社會之綜合）愈來愈趨功能化，亦即功能化的世界（fuuktionalisierte Welt）之際，人已由世界自我異化（Selfstentfremdung）出來，這表示人與其所寄生的世界、所居住的全社會之疏離：人有機械化、物化、原子化、雞零狗碎化之虞。在這種情況下，對歷史產生興趣，肯反身回顧人類以往成長的路途，檢討人類過去的利害得失，也不失為當代人類心靈更新的一條捷徑。這是歷史研讀的好處之一。

## 5. 歷史研究的起點與評斷

歷史研究是以「第一手史料」（直接史料）爲開端，如檔案和文件、親眼目睹的記載和回憶、私人日記和書信，以及報紙或其他當時出版物。歷史家必須將這些大量出現的資料加以篩選，尋找出問題與分類的架構，而在心中建立歷史事件的型態及其意義。以上均構成歷史敍述的基礎。

研究「直接史料」的產物則成爲「第二手史料」，通常以學術論文、專論或專書的形式呈現。最後，歷史資訊也可以被讀者重新採用，寫成「第三手史料」，以教科書、百科全書，或普及本形式出現。

歷史家在從事歷史研究的過程中，必須運用批評和客觀判斷，以期能從所蒐集的史料中獲得關於過去最精確的史實，而且必須防止錯誤及避免資料上的殘缺。同時，也必須免除民族或黨派的偏見。

歷史家終究是不可能完全客觀的，因爲他（她）不可能完全拋棄其出身背景、階級地位、文化觀點與道德價值。對於過去的研究，他（她）的問題與假設也不可避免反映他（她）自己所處的時代。而每個時代都有新的問題和著手的方法，所以歷史的研究永遠不能產生最終的歷史。每一時代產生該時代對前代的歷史，亦即對以往的瞭解。

## 二、史觀

### 1. 史觀與歷史哲學

視歷史為一有意義的整體概念，是西方思想所特有的。這種西方歷史概念與《聖經》產生前近東的循環論、或非西方的思想、以及許多古代希臘思想是有區別的。《舊約聖經》的先知著述裏，視歷史為最終走向彌賽亞的運動。中世紀基督徒的觀點，最具體的代表為聖奧古斯丁的《上帝之城》，他確認歷史是人類救贖的戲劇。啓蒙運動雖然使基督教「天佑神助」的概念世俗化，但是這個時期仍然繼續論及歷史為引導人類得救的過程，使人類思想和社會生活日益理性化（這裡所認知的「理性化」，不僅是指科學和邏輯的推理，且視之為允許人類最充份發展人道條件、人本思想與人文精神）。

由是可知對歷史的走向、歸趨以及歷史有無目的、有無意義等所持特定看法可謂為史觀。與史觀關聯密切的則為歷史哲學。歷史哲學一方面在把宇宙史、人類史做哲學的思辨，他方面也是對歷史學家的活動提出批判性的問題。最重要的問題為「歷史的認知」（historische Erkenntnis）何以可能？因之，歷史哲學是對過去發生之事件所做哲學的意義詮釋，也是對過去歷史認知的分析。歷史當中理性之存在與可資認識是歷史哲學意義詮釋的首要條件③。

古希臘的哲學家把歷史的變化視為一種由好到壞的變化，是一種偏離原型（好）而墮落的過程。不過最終壞的事物又要轉回到好的一面，而形成了循環的演變。

基督教的誕生則爲古代人們的意識注入新的看法，那就是人與時間的新關係，人與發生的事故的新關係。基督教誕生在「時間的當中」(Mitte der Zeiten)，爲人類歷史上一重大的事件，它又爲人類此後的發展導入歷史的觀點（geschichtliche Perspektive）。聖奧古斯丁便以人類將由地上之城進入上天之城來解釋人類現世的活動，而以靈魂的救贖，作爲人類未來的歸宿。他可稱爲第一位歷史哲學家、或是歷史神學家，亦即打破古希臘循環論的思想家。

基督教視人人在上帝之前平等，大家都是兄弟姊妹的說法，對團結人心、消除種族歧視有助，也爲世界一體注入宗教博愛的精神，這有助於世界歷史（世界史）的出現。

受到基督教拯救理念的影響，中世紀歐洲哲學家便以神學的觀點、救贖的觀點來解釋世界發生的大小事故，另一方面也發展出各種烏托邦的空想，以逃避現世的災難貧苦。

法國神學家卜舍（Jacques B. Bousset 1627-1704）便企圖以聖神的攝理來解釋世界史，而遭到福爾泰（François M. A. de Voltaire 1694-1778）的批判。福氏便成爲「歷史哲學」這個詞彙的創造人。

隨著宗教改革運動所造成宗教歷史觀危機的爆發，人們的歷史觀有逐漸走向俗世的傾向。加上牛頓萬有引力的科學觀之散佈，歐洲出現了以理性和規律主宰世事的新史觀。從而人們進入近代的啓蒙與理性時代。

這裡可以將18和19世紀玄想性的歷史哲學區分爲三種不同類型：實證主義、德國的唯心主義和歷史主義。另外還有第四種型態，爲吸收實證主義和唯心主義思想的馬克思主義。

## 2. 實證主義的出現

實證主義深受到笛卡兒的理性主義和洛克的感官主義的影響，它假定歷史發展爲與自然科學的方法與法則相似的社會科學，所以有可能找出歷史發展的法則。這個理論由孔德所開發，他認爲人類所有領域的知識均由超自然的神學階段，經過玄想的形上學階段，進到實驗、「實證」、或科學的階段。

另外他並進一步認爲，知識的進步將啓示人類實體的發展是受到科學法則的支配，終將產生一種社會的科學。而知識的最後階段將成爲實證的，且其將會提供人類社會科學組織的基礎。這個人類歷史發展進步的說法其後爲擁有不同政治理念的思想家，如孔多塞 (Marquis de Condorcet, 1743-1794) 和斯賓塞所引伸闡發，他們都同意此一知識發展不僅將表現於物質和科技的進步，且同樣將表現於人類自無理性的歷史中解放，尤其是自戰爭中解放出來。

## 3. 唯心主義的史觀

與實證主義對立的爲德國唯心主義和歷史主義，認爲文化科學及歷史與自然科學有嚴格的差別。德國唯心主義的先驅代表人物有康德、費希特、謝林和黑格爾，皆視歷史爲一種過程，在此過程中人和社會制度日益符合理性的觀念。

黑格爾認爲歷史的發展過程等於邏輯，邏輯並不是一個思想的抽象過程，而是具體的歷史運動。藉由絕對觀念的「理性」，可將抽象思想轉變成具體的實體。此實體即表現於人類社會制度。

他同意康德的說法，這個思想具體化的過程不是透過人類有意識的具體計畫，而是透過社會的矛盾性。

黑格爾於眞實存在（實然）與理性上應該存在（應然）兩者之間安置了辯證關係，即不完全理性的存在事物將導致否定及產生新的存在事物，而這些新產生的事物將代表一更高度、但仍是不完全理性的階段，這就是俗稱的辯證「正」、「反」、「合」三個階段。但「合」仍舊是不完全的理性階段，仍會再招致新的否定。新的否定的作用，將使事物提升到更新的「合」，由是事物和理念無休止地在否定的否定中辯證地向前向上發展，一方面既保留有益的部分，他方面也揚棄無用的部分，這就是矛盾的揚棄與矛盾的調和，也是使事物與觀念辯證發展的道理。

黑格爾寫道：「世界歷史是自由意識的進步過程」。但是他堅持自由在抽象中並無意義，必須納入具體的歷史事物中。由此促成他這樣的保守結論：存在的事物，如歷史事物，是代表理性的最高階段，凡是存在的都是合理的。另一方面黑格爾也有其進步的另一面，因爲他又主張：凡是合理的才是實在的、眞實的④。

## 4. 馬克思主義的史觀

馬克思和恩格斯摒棄黑格爾的唯心主義，而賦予辯證概念一種革命性的意義，亦即把理念的辯證法改爲實在的辯證法。馬克思在他1840年代早期的著述裡，堅持人必須被視爲社會動物，不斷反映人的社會與自然環境。馬克思和黑格爾一樣，認爲歷史變化的關鍵乃由於人遠離了他的「本質」。只是馬克思有異於黑格爾之處爲疏離感的表現不在觀念領域，而在人類的實際行爲，尤其是經濟行爲。無產階級的產生是資本主義興起的結果，它使人失去了作爲「眞人」(eigentlicher Mensch)、「完人」(totaler Mensch) 的可能，異化或疏離過程產生了「人性復歸」的辯證條件。

馬克思和恩格斯後來的著述中不再堅持人性本質論，而使辯證唯物論變得接近實證論的科學理論。他們尋求以物質條件來解釋社會的進步是合理的改變，是由於社會的經濟基礎和社會上層建築間的矛盾，以及矛盾的衝突與解決，導致社會型態的改變。要之，社會的下層建築之經濟活動，亦即人之生產勞動及產品之佔有、流通、分配等，決定了社會的上層建築。所謂上層建築指財產所有權、政治及社會制度及意識形態等。藉由無產階級推翻資產階級的普勞革命之後，人將重建一個符合人性充滿公道的新社會，在那個無階級、無剝削、無異化的社會裡「每個人的自由發展將成爲全體自由發展的條件」⑤。

## 5. 歷史主義的史觀

與實證主義和德國唯心主義相反，歷史主義包含一個反玄想的色彩。赫爾德 (Johann Gottfried von Herder 1744-1803) 在其書《人類歷史哲學大綱》(*Ideen zur Philosophie der Geschichte der Menschheit* 1784-91) 中，否認歷史有一致的發展方向。因爲每個民族依其內在發展原則，表現其獨特精神於文學、宗教、藝術和社會制度。人類生活的目的是爲了達成其人性。此目的的進展並無極限，而歷史本身即爲每一民族潛在天賦的發展。此表示歷史是一有意義和理性的過程。

依據洪博德 (Wilhelm von Humboldt 1767-1835) 的說法，組成歷史的個體，不論個人或社群，都是一個獨特觀念的具體表現。藍克（Leopold von Ranke 1795-1886）是現代史學的創始者，他認爲每個國家即代表一個「精神實質」，一個「神的思想」。

關於歷史論的方法學，我們知道是19世紀和20世紀初期幾位德國歷史家和社會理論者所提出的問題。這些人，包括德羅伊森（Johann Gustav Droysen 1808-1884）、狄爾泰（Wilhelm Dilthey 1833-1911）、特洛爾奇（Ernst Troeltsch 1865-1923）、麥內克（Friedrich Meinecke 1862-1934）。他們認爲處理意志與意向的歷史與文化科學，基本上不同於自然科學方法：前者是爲追求對獨特現象的瞭解，後者是爲追求劃一行爲的總法則。任何意圖簡化歷史爲一模式，或以綜合概念來認識歷史，即違反了生命的實體。歷史家必須直覺地瞭解歷史的實體，重新活於過去、體驗過去。瞭解歷史主體的過程是主觀的，因觀察者除必須具備理性之外，還得擁有掌握歷史主體的性格與精神能力。因此，所有的認知與價值都帶著文化的包袱。

這種看法走向激進的認識論與倫理的主觀主義。然而，在這種看法下也產生了對古代歷史論的思索與註解。歷史的瞭解是可能的，因爲以往歷史家及其主題都是以「神意」爲基礎的過程，如今則易以生活或生命的理解，這便是狄爾泰所說，它是「生命脈動」的一部分。

## 三、今日台灣人應有的史觀

台灣政治已經民主化，經濟進入全球化的競爭網絡中，我們應該教給子弟——21世紀的主人——什麼樣的歷史，以使他們具備寬廣的世界觀和深刻的歷史觀，以提昇國際的競爭力？我們生存在台灣，台灣是一個國家，在政治上與現在中國大陸的中華人民共和國互不隸屬，但在民族、文化上，與該政權統治下的人民則有深厚的淵源。我們的子弟應該具備什麼樣的歷史知識才能面對「國家認同」與「文化認同」的糾葛？我們以外貿起家，三四十年的胼手胝足贏得現在的富裕；但經貿永續發展不能只靠勞力（何況便宜勞力已經過去），對世界各地的民俗、風情、民族、歷史、社會、文化要更廣泛瞭解才可能再發展。所以我們要學習周邊國家的歷史文化，並且用自己的觀點解釋世界秩序。總之，歷史教學的新構想希望我們的子弟能「立足台灣，關懷大陸，進入世界」。

新構想首先重視我們賴以生存發展的台灣，肯定其獨立存在的意義。台灣不是漢人來拓墾才有的土地，原住民並未因漢人的擴張而滅絕，他們直到今日還存在。而一百二十年前馬偕（G. L. Mackay）在台灣北部、中部所見，必麒麟（W. A. Pickering）在南部所見，到處都是平埔族。平埔族不是被漢人消滅了，他們是漢化了，融入漢人大海中。台灣史從古老的原住民講起，不只是對原住民的尊重，也是對很多台灣「漢人」的尊重。但建構原住民的歷史不能把台灣孤立起來，它可能與今日中國境內南方的古代民族和現在南洋群島及玻里尼西亞的南島語族有關，所以台灣史不能限於台灣，要以含中國南方、東南部的東南亞做基盤。爾後的歷史如荷蘭、明鄭，甚至清朝，也都應該抱持這樣的角度，才能接上我們現在的命運。希望大家關注這個歷史事實。這樣的藍圖並沒有排斥清朝統治台灣的事實。

新構想的第二部分是中國史。對中國史教材的規劃與過去比較不同，採取發展的觀點，應當還其當代「中國」之本來面目，是一種多元民族、多元文化在歷史上不斷分合的波動圖。

舉世研究中國上古史的人都承認中國古代文化的多元性，各地民族文化逐漸融合而形成「華夏文化」，成爲漢文化或中國文化的前身，有共同性但仍然保留特異性。各地中國人都應該從自己那一地區的歷史讀起才合理，譬如長江下游的人，如果只知上溯半坡、廟底溝，反而不知直追河姆渡文化，才是天大的笑話！至於東北、西北、西南等地更不必說，這在中國史學傳統也有它的根源，亦即地方誌的編纂。宏觀地看，當衆多古老文化逐漸摶成漢文化後，一波波往外擴張，改造各地的原住民（尤其在南方），也一波波吸納外來的民族文化（尤其在北方），但歷史的中國大抵以本部18省爲主。

然而對於歷史上非漢族入主中國統治漢人的時候，我們本諸實事求是的精神，以及古人所說「夷狄入中國則中國之」之義，放在「中國史」的討論之列。不過中國歷史還有另一半也不能忽略，那就是在當今中國行政疆域內的周邊少數民族，以及疆域外與中國民族文化長期交流影響的國家、或民族。過去的歷史教育對這一半不是故意抹殺，就是站在大漢沙文主義的立場輕蔑地曲解，以致造成很不健康的歷史觀與民族觀。

新構想有關歐美爲主體的世界史較少，課程標準的「總綱」既定爲「世界文化（歷史篇）」，教科書規劃當然應以人類歷史上產生過的重要文明爲主軸，雖偏於西亞、北非和歐洲，到近代才成爲全球性的歷史，但對中、南美和撒哈拉沙漠以南之非洲的古文明也應該知所取捨，對橫跨亞、歐、非三大洲的回教世界要適宜的剪裁，對近代歐洲文明也應有我們的取法與批判。

新構想的編撰精神，希望脫離過去以軍事政治爲主的窠臼，而多發掘不同時期不同地區所產生的文化對人類的貢獻。脫離過去中央一元統治的觀點而從各地多元族群、多元文化的眼光看歷史發展。脫離過去狹義民族主義和英雄主義的偏見而本諸人道精神、社會正義追求人間的愛樂與和平。同時也脫離過去對進步開發的盲目崇拜，而多關注人類與自然的和諧以及地球的永續發展。我們的目的只想藉此帶領子弟認識他身處的環境，瞭解他的文化來源，認識與他最有關係的國家——中國（不論未來兩岸關係如何），也幫助他能順利地走向世界，以免在21世紀落人之後⑥。

## 注釋：

①Hexter, J. H. 1968 “The Rhetoric of History”, in: David L. Sills (ed.) , *International Encyclopedia of the Social Sciences,* New York : Crowell Collier and Macmillan. vol.6, pp.368-369.

②布魯格（編著），項退結（編譯）1988《西洋哲學辭典》，台北：國立編譯館，第二版，第一版 1976，第251頁。

③Fetscher, Iring 1958 “Geschichtsphilosophie”,in: Diemer, Alwin und Ivo Frenzel (hrsg.) , *Philosophie, das Fischer Lexikon,* Frankfurt a.M. : Fischer-Verlag, Neuausgabe, 1964, S. 76-77.

④洪鎌德 1995《新馬克思主義和現代社會科學》，台北：森大圖書公司，第65至74頁。

⑤參考洪鎌德前揭書，第75至89頁，das Proletariat 前譯爲普羅階級，作者認爲不妥，現改譯爲普遍勞動的階級。其縮稱爲普勞階級。

⑥引自杜正勝〈我們要教給孩子什麼樣的歷史？〉，《聯合報》1997. 3. 28，第11版。

# 第七章　文化及其進展

## 一、文化與文化學

### 1. 文化

英文文化（culture）一詞在西方來源自拉丁文*cultura*，原指對土地的耕作與植物的栽培，以後引伸爲對人身體、精神兩方面的培養。在中國古籍中，意指文治與教化。廣義的文化包括人類物質與精神生產能力、生活方式及一切產品；狹義的文化則指人類精神層面的生產能力、方式及產品而言，因而包括一切社會意識形式以及相應的社會制度與組織機構。文化是人類活動及其產品總體的模式（total pattern），這些行爲與產品具體化在人的思云言行及人工製品中。文化是靠人類透過工具、語文和抽象思維的方式學習而得，經由歷史而傳承，以及經由傳播交流而擴散。黃文山以「文化的科學」底立場爲文化下達下列定義：「文化是人類爲生存的需求，在交互作用中，根據某種物質環境，由動作、思想、和創造產生出來的偉大的叢體或體系」①。

(1)　**生存需求**

人類爲生存而活動，也因活動而生存，生存之方式爲相互競爭與互助合作，競爭與合作所依靠的工具就是文化。人類以外非活動的事項，例如天象、地質等，屬於自然界的現象，都不是文化系的領域。反之，凡活動的事項爲人類由動作情感理智運作的產品，都是文化系的領域。文化系領域內的一切事物，無一不是人類爲著生存與發展的需要而產生的。

(2) 交互作用

群體不是一個生物有機體，而是人與人之間交互作用的形式；換句話說，群體是人類相互關聯的行動 (interconnected action)、或個人之間的行爲 (inter-individual behavior) 底結晶。文化就是群體存在的一種「功能」，設使沒有這種交互作用，不特一切文化發展絕無可能，就連個人的存在也成問題——儘管不是生理的毀滅，而是「個己」、「人格」，以及在群體中一切其他人類特徵之毀滅。孫本文說的好：「文化不是個人的產物，而是團體的產物。文化的繼續保存，決不是個人的事，總是一團體共同的事。在某團體中，具有某團體的文化基礎，而後產生某種文化。一個人的發明，必由於利用他所居住團體的先在或現存文化材料。他決不會毫無依傍地而獨自創造的」②。

(3) 物質環境

社會是由人群集合而成，人群的集合，達到相當的密度，便依著環境的情形，分居陸上或水上，或聚居於城內，或是散住於鄉間。某個社會佔據相當的領域，其土地之大小和外形 (物質環境) 爲文化生活中的重要條件，所以一切文化如沒有相當的根據，是斷然不會憑空產生的。

(4) 動作、思想和創造

文化一方面是人類動作所產生的總體，他方面又是思想創造的結晶，所以把文化看作只是心靈所開闢出來的事業，或只是人類集體勞動所創造的環境，都只看到文化的一個面向而已。德國文化史家佛立德爾（Egon Friedell 1878-1938）對於人類文化，曾作如下的表達：

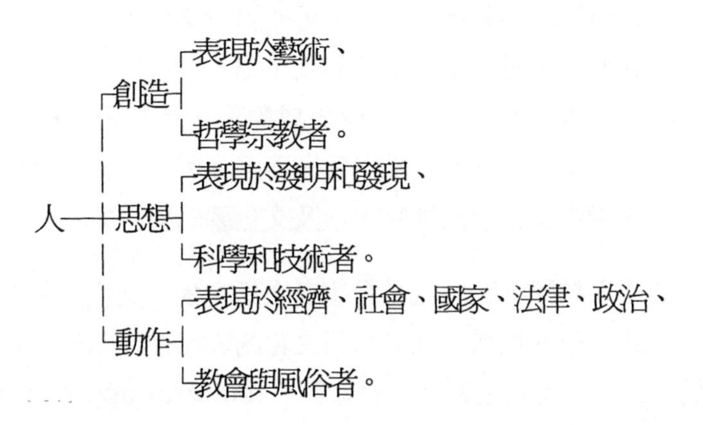


根據上表，我們最少可以感覺到文化就是人類過去和現在由動作、思想、和創造所產生的總業績。

⑸ **偉大的體系**

任何部族、種族、民族都有一種普遍的或共同的文化結構——他們具有交通和運輸的模式，家庭、住宅、衣食、產業的模式，乃至政府和戰爭的模式，以及藝術、神話、知識、宗教、娛樂和遊戲的模式——一切這些模式，便構成了偉大的叢體或體系③。

## 2. 文化學

什麼是文化學？「文化學是以文化現象或文化體系爲其研究的對象，而企圖發現其產生的原因，說明其演進的過程，求得其變動的因素，形成一般的法則，據以預測和統制其將來的趨勢與變遷之科學」④。爲了說明這個定義，須先注意兩個論點：

⑴文化學的對象，爲文化的生成演變，凡未經任何科學或文化科學，作系統的研究，可能屬於文化思辨、文化哲學的範圍，不是嚴格意義下的文化學。
⑵文化學所研究的文化現象或體系，及其研究所採取的觀點，不特在邏輯上爲一致，而且在科學上也很重要。現在先說明文化學的觀點，次及文化學的對象⑤。

文化人類學者和文化社會學者大抵主張：文化的研究，屬於概括化的科學的領域。前者採用文化的術語，標示研究社會現象的特殊方法，而名之爲「文化途徑」(cultural approach)。美國鮑亞士(Franz Boas 1858-1942)所領導的人類學派之重要著作，便以此種「途徑」和概念，爲研究社會生活之唯一路線，其研究的結果便形成「文化社會學」(Cultural Sociology) 和「文化人類學」(Cultural Anthropology) 的學門。

文化學的研究對象，既然就是文化現象或文化體系，但近來有頗多社會學者，總以爲社會學才是研究文化的科學。例如文化社會學者維里 (Gordon R. Willey 1913-) 不贊成把社會學當作綜合科學，因爲他覺得一種科學，討論到地理、生物、經濟、及其他因素，這樣的概念，終落於社會哲學的窠臼，所以他從新的方向進行研究，開展一種新概念，以爲社會學是「研究文化及人類適應這種歷程的科學」。他又根據泰勒 (Edward B. Tylor 1832-1917) 的文化定義，以「文化的始源、生長、分播、繼續的歷程」，構成了文化社會學的研究範疇。

## 二、文化學中重要的詞彙

### 1. 文化體系

文化體系乃文化內容與其形式的有機結合。

人類文化本身可以看成是一體系，但以次級體系 (sub-system) 形式出現的不同歷史階段或不同區域的人類文化，也可在相對獨立的意義下構成一個文化體系。

### 2. 文化結構

文化結構乃文化系統中諸要素的結合，其內部結構是指由文化質點、文化叢結、文化模式所構成的有機體；而外部結構則指因文化存在不同地域所形成的文化區域所共同組成。

文化結構同時可分成表層結構、深層結構。表層結構涉及文化內容及形式，可為人類感官所及；深層結構則指諸形式之間、諸內容之間、形式與內容之間的內在關係，此一內隱的文化只有通過抽象思維才得以掌握。

### 3. 文化模式

文化模式是在特定歷史條件下，受各種自然與社會因素的制約，以相對穩定的形式反映出人類生活的文化結構中的一個組成部分。

文化模式源起於文化人類學歷史批判學派對文化的系統研究，他們認爲文化結構中最基本的單位是有著特殊型態、功能和歷史的文化個體，稱文化質點；許多文化質點按一定方式聚合在一起稱文化叢結；文化模式是許多文化叢結有機地聯繫而構成的統一體。

美國人類學家克魯伯(A. L. Kroeber 1876-1960)曾說：「任何一種文化都是一個複合體，並且是內部各種成分混和長成，這些成分有些自古即有，也有自別的文化借入；其次，每個文化傾向於發展特有的組織，這種組織是自成一體、首尾一致的。每一文化都會吸納新的東西，依照自己的文化模式，將這些新的東西加以重新塑造」。

## 4. 文化類型

文化類型是歷史學和文化學在進行文化分類研究時使用的，一種以經過選擇並互相作用的各個特徵或各組特徵爲主要內容的結構。這是以研究對象的特殊問題爲根據，進行文化樣式上的分類。

在所有類型中，最具有區別性的是社會學或社會政治學的特徵，可以按照慣用的價值定向、整合原理或風俗習慣的複雜程度作爲類型學的探索。

## 三、文化的要素

### 1. 文化與社會

文化的存在與發展固然是人類互動的表現與結果，也有賴自然提供的物質基礎作爲文化展現的脈絡（context），但文化生成與發展的場域則爲社會。是社會的成員之個人與群體將文化內化於其本身（社會化），才會把文化的內容與形式代代傳承下來，或由一社會蔓延到另一社會，成爲文化的散播（cultural diffusion）。換言之，文化乃是社會組成分子代代相傳的生活方式，作爲社會方式的文化內容包括知識、信念、藝術、道德、法律、習俗和人類藉互動、學習而得的和本身創造的典章制度。

因之，文化包羅萬象，是人在社會中與別人直接或間接來往中學習、模仿、創造的事物。文化既然要靠社會來生成發展，文化也使社會的存續變遷成爲可能。因之，我們可以說文化創造社會，社會仰賴文化，兩者是處於相互依存的密切關係。

### 2. 文化主要的構成成分

**⑴ 社會規範（習俗、公序良俗和法律）**

習俗（conventions）是社會群體日常操作行爲的約定俗成，亦即建立的、簡單的慣習（customs）。這是一般人都視爲當然的作爲，一旦違犯，便被視爲奇怪與不協調。公序良俗（mores）則爲人類生存所必要的社會規範與文化繼續存在的必要手段。這包括良法美意、適當的禮儀和良心、道德的訓誡。譬如在公衆之前寬衣解帶，便是有違公序良俗的行爲（但在天體營內則自當別論），也受輿論、甚至法律的追究。

法律（laws）爲公家（立法機關、官署等）制訂與執行的規律，具有公共威權的效力，任何違犯都有被懲罰處置的可能。

⑵ 社會制度

這是建立起來的複雜的行爲模式，俾社會群體可以獲致其追求的利益。例如政治制度在爲社會的安全、秩序與變遷提供公共討論、決策的機構，以及其運作的方式和權限。經濟制度則爲社會貨物與勞務的生產、流通、分配、消費提供各種機制。孫末楠（William Graham Sumner 1840-1910）把社會制度分成四類：人員、設備、組織與儀式。人員爲涉及社會怎樣甄拔成員擔任適當職務的機制；設備則牽涉到群體擁有的物質的（學校設備）、或非物質的（校風、治校方針）東西，俾完成設定的目標（教育與學習）。組織的社會制度則牽連到人員與人員之間、人員與設備之間如何搭配、發揮功能的問題。儀式的社會制度則爲上述風俗習慣、道德、法律等規範人群社會行爲之禮儀。

⑶ 人造產品（artifacts）

嚴格而言，文化並不是物質，而是精神的表現，例如人的態度、思想、理解、人際關係等等。不過每一社會都強調如何製造器具，來便利人群生活的知識及其傳承，是故文化產品乃爲人類製成的人造產品，亦即將人的經驗、技術、創意加在自然之上，進而改變自然的製成品。在現代先進社會中，人如果不懂使用或利用電腦、雷射、手控電話、超級市場、快速食品，他便無法生存，或是無法生存得愉快。

⑷ 語言

這是一套由詞彙（字）、詞義、語法結構而成的符號體系，俾作爲社會成員彼此之間或與其他社會成員之間溝通的工具。語言是內生於社會與文化的人類之特殊工具。霍夫（Benjamin Lee Whorf）認爲每一種語文或方言都具體而微地體現該使用族群的世界觀，同時也把他們特殊的世界觀保持與擴大。使用同一語言的族群也就在同樣的文化中相互溝通。文化的接受與遵守也被鎖定在該社群的語言中。反之，懂得其他外地方言與外語的人常穿越或超脫文化的區隔，而增大其視野和識見。

⑸ **社會價值**

社會價值是促成社會制度操作而發生功效的動力，也是該社會與文化進步或變化的驅力。在西方文化中，誠實、勇敢、公正、守法、尊重別人的權利成爲一類的社會價值，同樣追求成功、成名、健康、財富、開明也是另一類的價值。

個人對價值的熱望與追求每每反映該社會嚮往的理想。西方，特別是英美社會，是一個重視個人與物質利益的社會，因之，鼓勵個人冒險犯難、拓展擴張的精神成爲該社會追求的價值。但其所造成的結果，可能一方面是個人權利與福祉的增大，但另一方面則爲家庭、社團、國家等團體精神（和睦團結的精神）的趨於淡薄⑥。

## 四、文化的統合與變遷

### 1. 文化的統合

全世界各種文化有其共通的部分，也有其相異的部分。共通或相似的部分稱之爲「文化的普全」(cultural universal);相異的部分，亦即彼此不同，但可有不同選擇項或替代項，則稱爲「文化的替代」(cultural alternatives)。前者如對超自然、最高精神事物的膜拜，也就是宗教，都存在古往今來東西各種文化之中，謂文化的普全之一。後者如中華文化對老人的敬重，歐美文化重視青春的形象，都可以說隨社會與文化之不同，年紀的增長被看重或看輕的不同情形。

所謂文化的統合是指某一文化內在的融貫一致與同質程度很高的情形而言。一般來說，顯示同質性高的文化或爲古代的文化、或爲初民未受現代文明染污的文化。而一向有世界人種大熔爐之稱的美國之文化，則表現爲多種的、異質的、複雜的結合，是多元主義的表率。自1960年代以來，美國因爲社會價值觀的變化，於是「每人做自己想做的事」(自掃門前雪、自求多福 “Do- your-own- thing”) 成爲社會主導性的價值。此風固然造成社會統合的威脅，但社會學家、或政府是否該揷手干涉，倒是引發爭議。

社會的統合固然有助於社會認同體、或社會單元的繼續存在，但古今東西的社會都無一不在轉變 (transition) 中，是故社會學家、文化學家更注重的仍是社會變遷和文化變動。

## 2. 文化的變遷

每一社會的文化經常在演變，爲的是適應新的情勢。人類向來視變遷爲事物發展的必然途徑，至於變化的大小每隨時空、事件等因素而異。例如刺激變化最大者莫若國與國之間、族群與族群之間的戰爭。戰爭的勝負造成的結果就是劇烈的變化。因之，儘管和平主義者、利他主義者、人道主義者努力防阻戰爭的爆發，人類歷史上大小的戰爭數量之多、次數之頻繁、結果之慘痛可說是罄竹難書。

除了戰爭之外，革命、暴亂、叛變、天災、人禍，無一不造成社會的動盪與文化的震撼。自古至今，這些變遷的速率有愈來愈快的感受，而其衝擊也有愈來愈大的趨勢。譬如農耕發達之後，米糧除現吃之外還可儲存、運送，於是市鎮繼鄉村之後出現，人口大為膨脹。為了滿足嗷嗷待哺的人口之增多，改善糧食生產的知識、科技、肥料逐一發明。隨著而產生的實業革命，改變了人類生活與生產方式（工作場所與家庭之分開）。人的生活物質條件大為改善，其知識水平也因印刷術、學校等的利用而提高，科技應用尤其改變人類生活之面目。要之，造成文化變遷最主要的因素厥為⑦：

⑴**科技的發展**：科技的發展是隨著大發明和大發現以俱來。不只新大陸、新航線的發現，或是蒸汽機、引擎動力系統的發明，使近世人類的文化視野擴大，文化內容豐富加深，就是非物質性的發明發現，像疾病健康保險、老年保險、城市發展計畫，皆有助於人類生活品質的提昇。而所有的發明無過於文字、數字的發明，以及知識傳授、擴大的機制（學校、傳媒、傳訊管道等）之建立與運用。

⑵**文化散播**：這是把文化的特質、內容與形式由一社群傳達與擴散至另一社群的過程。因為每一社群無法始終只使用本身所創造與發明的文化，而是經常要輸入和借用其他社群業已使用有效的文化，文化的交流、傳播、散開才有可能。一個社會如閉關自鎖不與其他社會來往，則其社會的發展不是陷於停滯便是靜態的。反之，接觸愈多，愈能回

應別個社會的挑戰，則該社會之發展愈趨快速，而成爲一個動態的、具生命韌力的社會。

⑶**理念和意識形態**：每一社群都會因爲特殊時空、人事的因素而發展獨特的文化來，其中所包含對新事象（價值、規範、方式等）之看法與想法，便形成爲新理念。把理念加以系統化，當成信仰遵守的規範，或是有待實現之理想目標，便是意識形態。儘管意識形態被拿破崙和馬克思所排斥，或視爲徒託空言脫離實踐，或爲虛幻扭曲的事實錯覺，人群向來自覺地、或不自覺地生活在這種意識形態（世界觀、人生觀、價值觀）當中。由是文化的變遷與個人或社群採取何種理念、何種意識形態，或是改變何種理念、何種意識形態攸關。

⑷**集體行動**：大部分人類的文化變遷是在較長的時間中逐漸緩慢地進行，也多半不受著什麼特定的機關或人物的左右。但當前各社會文化變遷速度變得加快，範圍變得加大，都是由一小撮「有心人」，或「有力者」主催發動的。在當今的世界，群體的行動一般指國家的行動。狹義的國家爲政府，則集體行動最有力者莫過於政府的行動。例如日本明治維新，便是由明治天皇及其領導之政府削藩廢除封建，而躋入工業化、軍事化的現代強國之行列中。而20世紀最大的變化爲前蘇聯與中國採用馬列主義作立國精神（黨政與社會的意識形態），把以農爲主的、落後的、非工業化的國家轉變爲現代化社會主義的國家，儘管前蘇聯的社會主義在1989年後徹底崩潰，而中國在倡言改革開放之後，並沒有因爲鄧小平這位改革總工程師之退隱與逝世，而放棄建設其帶有中國特色的社會主義，但這一切都說明

一個擁有槍桿子權力的政權，其集體行動對社會與文化之改變，扮演何種重要的角色。

(5)**地理與氣候**：當人們在地球某一地區住久了，便要設法適應該地區之氣候、地理位置、自然資源等等的物質條件。以新加坡為例，為南洋蕞爾島國，全島面積不過640平方公里，卻已住了三百萬的人口。由於位在熱帶赤道線上，因之，這個島國大部分居民生活在濕熱的氣候下，無論住房、學校、辦公廳幾乎都裝有冷氣機。是以能夠在裝有冷氣機之清涼的辦公廳中工作，成為新加坡人在職業選擇時的第一項優先考慮的因素。這與寒冷的北歐人尋求陽光，喜作陽光浴的渡假方式截然不同。新加坡因為地狹人衆，加上一黨（人民行動黨）獨大，因之，政府對百姓的監控頗嚴，打擊反對黨的手段也十分凌厲，所以群衆政治參與的文化，與台灣不可同日而語。這表面上雖然與地理氣候無涉，而是政治制度或集體行動或意識形態在背後操控。但以李光耀為首的新加坡領袖卻強調有力的政府之領導，才不致與鄰國發生齟齬磨擦。這就說明地理仍舊是決定新加坡人民政治參與文化低落的一個原因⑧。

## 注釋：

①黃文山1968《文化學體系》，台北：台灣中華書局，第10頁。

②孫本文《文化與社會》第5頁，引自黃文山前揭書，第10至11頁。

③黃文山，前揭書，第10至12頁。

④黃文山，前揭書，第28頁。

⑤黃文山，前揭書，第28至31頁。

⑥以上參考 Hunt, Elgin F. & David C. Colander 1996 *Social Science : An Introduction to the Study of Society*, New York : Macmillan, 9th ed., pp.106-111.

⑦Hunt & Colander *op. cit.*, pp.114-117.

⑧洪鎌德1997《新加坡學》，台北：揚智出版社，第三版，第33頁以下，首版1994。

# 第八章　文明的發展與衝突

## 一、文明的意涵與概念之演變

文明（civilization）是人類改造自然與社會的物質和精神成果的總和，是社會進步和社會發展狀況的標誌。這是一個涵義非常廣闊，界線非常不明顯的詞彙。在英、美、法等國有時當作文化的同義詞，有時則把它與文化分開。德國的學者一般視文明爲有異於文化的事物，它可能指涉無數代前人傳承下來、保存下來提供日常生活之所需的知識和技藝而言，也指涉技術面、物質面人類生活的利益，以別於精神的、文化的事物；有時又視爲外表的、膚淺的秩序或習俗之表現等等，不一而足①。

文明一詞在中國古籍中早已出現。《周易》＜乾卦＞、＜文言＞中就有「天下文明」之說，用以表述社會的開發狀況和指稱美好的事物等。在西方，「文明」一辭源於拉丁文*civilitas*，意即公民的、有組織的，指公民所處的實際之情境，其生活品質與社會生活的規則等，其使用即相對於無政府無法則的野蠻狀態（barbarism）而言。

18世紀法國的百科全書派認爲，文明是指人類社會將要達到的那種有教養、有秩序、公平合理的高級發展階段，而這個階段的具體情形仍是朦朧的。他們使用文明一詞，表示他們對人類歷史發展之進步趨向的信心與樂觀情懷。

19世紀初，由於人種誌學、考古學和傳教士以及旅行家的發現，人們看到了一個又一個光輝燦爛的古代文明，由此改變了法國啓蒙思想家對於文明的看法。新的觀點認爲，文明不僅存在於未來，也存在於過去；不僅存在於西方，也存在於東方、或其他尙未開發的地區。文明作爲一個複數概念已被接受。在這個意義上，文明是與蒙昧、野蠻相對的概念，是指人類的開化狀態。

19世紀下半葉，摩爾根（Lewis Henry Morgan 1818-1881）把人類社會的發展分爲蒙昧時代、野蠻時代、文明時代。他的著作《古代社會》（1877），認爲只有使用藉著音標而形成的語文（或象形、楔形文字）之社會才算達致文明的階段。他對文明的理解事實上牽涉到社會體系和社會組織：由血緣親族社群發展到地緣功能性的政治組織是走向文明的里程碑。在區分人類由蒙昧、野蠻而進入文明的演化階段時，他也留意生產方式，包括水利灌溉對農耕社會之重要性。

這些觀念曾激發馬克思對古代社會與人類學研究的興趣，可惜閱讀這些資料的1880-1881年已是馬克思健康狀態惡化與家庭成員病重之際，馬克思遂無法對摩爾根的學說提出評論。對此恩格斯在《家庭、私有制和國家的起源》（1884）中予以發揮：在人類文明史上，奴隸社會、封建社會、資本主義社會都曾產生與之相適應、相搭配的文明。社會主義社會實行生產資料公有制，民衆成爲國家的主人，因而能夠創造有史以來最高類型的文明。

恩格斯還提出分工的加強、不同商人群體對貨品的交易、私有制的發展、財富的集中，以及社會之分裂爲階級等等都是促成文明產生的主因。其中士紳（gentile）階級的崛起，轉化成擁有公權力與課稅權力的官員，促使領土國家的出現。由是可知社會階級與國家的出現是文明過程重大的標誌。至於城鄉的分離及其不同文化的發展，恩格斯則未曾觸及。

與摩爾根和恩格斯一樣靠歷史資料的發掘與人種誌、人類學知識的援用，而提出文明的理論的是泰勒 (Edward Burnett Tylor 1832-1917)。泰勒利用考古人類學的資料去探尋早期的社會及其文明。

進入20世紀，特別是第二次世界大戰以後，由於文化人類學與社會人類學的發展，文明一詞逐漸從學者的專業術語變為社會大衆通用的名詞，它的意涵也不再僅限於指稱人類脫離野蠻的那種高級開化狀態，而是指迄今為止人類社會發展所取得的最先進成就。如城市化、工業化、高度的科學技術、高度的職業分化。社會階級、階層分化，完善的政治、法律制度，良好的社會風尚，人的精神文化素質的提高等，都是一個文明社會不可缺少的要素。

出生於澳洲而執教於愛丁堡大學的考古學家查爾德 (Vere Gordon Childe 1892-1957) 強調以經濟、社會、文化等要素來理解文明，而不只是在人造器具中尋找文明的蹤跡。對他而言，文明的焦點便是城市。城市是新的社會秩序之一個典型，是故對他而言，在文明中城市的出現即代表著「市集的革命」(urban revolution)。他這個觀念刺激了雷斐德 (Robert Redfield 1897-1958) 對城鄉關係的歷史考察。他發現由族群 (folk community) 演變成文明社會為人類文明演進之途。對他而言，道德秩序的制度化、大傳統與小傳統的相倚存，以及農村社會所代表的文明基礎都是文明的發展特徵。

出生於德國而在納粹當權時到英國避難，後來成為曼徹斯特大學社會學教授的艾利亞士 (Norbert Elias 1897-1990) 曾經撰有《文明化過程》(*The Civilising Process*) (1939) 一書，初為德文，後譯為英文 (1982)，而獲得世人的矚目。在該書中艾氏認為文明的發展過程在於把向來對人類外部行為規範的機制，轉變為人類內部的、道德的規矩。其次他批評功能主義與結構主義把這種文明化的過程、亦即社會的過程加以「物化」。因之他主張取代這些結構與功能的社會解說為一種過程的社會解說。這種過程的或稱為樣態的社會學(figurational sociology)，在於把社會的過程視為變動不居的、沒有終止的人際關係之總和及其流動。在此情形下，不該談「文明」(civilisation)，而應談「文明化過程」(civilising processes) ②。

## 二、文明之建立與判準

凡文明的社會必定是階層化 (stratified)、也是部門化 (segmented) 的社會，其文化也相搭配、相適應地呈現為各種各樣的不同 (diversified)。這樣的社會必然呈現出有機的異質性 (organic heterogeneity)，這是意指文化涵蓋、或可區分為種種次級文化，而次級文化的功能之分歧是在一個文明總體的文化架構上呈現出來的。以演化論的觀點來說明，文明的成就是指一個社會與文化發展的某一階段之表現而言。

文明的成就首先表現在有效的食物生產，因為文明的經濟基礎為農業生產力。其次是技術的發展，再其次為社會倫理秩序的建立。要之，衡量文明與野蠻之尺度為社會的、道德的和知識的發展程度。

在社會方面，又因社會分工、統治階級對生產資料之控制、交易的管道，以及政治結構、包括發號施令的權力中心之設置而成爲建立文明之首務。

在道德倫理方面，人生觀、世界觀的形塑，道德規範、上下統轄制度、不同位階宗教信仰制度的出現，人與神關係的重新釐清等等。

在知識的領域，文明之產生是與思辨、時間意識的擴大、科學之誕生、文字之傳播、時空座標之確定等知識以及科學活動有關。

在人類即將脫離野蠻進入文明之前，兩個群體的崛起對推動文明的誕生扮演重要的角色：其一爲行政人員，其二爲把知識、經驗加以記錄整理的祭司、僧侶與學者。仰望天空的星辰與觀察四季變化固然爲農耕之方便，也激發人類探索宇宙神祕，而增加其探測、計算、術數的能力，加上文字的發明流傳而便於智識的累積與傳播。文明一旦產生，人類也增加了美感經驗，於是複雜、精緻的藝術不斷發展，高雅藝術與民俗藝術相互交融，使人類美的創造與欣賞能力也水漲船高，逐步提昇③。

## 三、物質文明與精神文明

文明既包括物質技術方面的先進成就，也包括精神方面的先進成就，即物質文明和精神文明。物質文明和精神文明並沒有嚴格區隔的界線，是不可分割的。物質文明是精神文明的基礎，而精神文明給物質文明提供智慧、力量和秩序。

### 1. 物質文明

物質文明是與精神文明相對而言，是人類物質生產積極成果的總和。它表現爲兩個方面：一是指社會物質生產的進步，包括生產工具，生產規模的擴大，社會財富的積累。二是指人們物質生活的改善，包括人們衣、食、住、行等物質生活水平的提高和物質生活方式的進步。

在人類文明的集合體中，物質文明是基礎。物質文明是物質生產力發展的現實表現，是人類在實踐過程中不斷改造自然界的結果。人類文明的發展主要取決於社會經濟基礎的變化，特別是物質生產的狀況。物質文明的發展水平決定於物質生產力的水平。同時，精神文明對物質文明也具有制約、推動作用，它保證物質文明建設的正確發展方向，精神文明中的「文化」部分可直接轉化爲物質生產力。

### 2. 精神文明

精神文明是與物質文明相對而言，是社會精神生活積極成果的總和，表示著人類社會精神生產、精神生活的進步狀態。它表現爲兩個方面：一是指文化方面，包括社會文化、知識、智慧的狀況、科學、教育、文學、藝術、衛生、體育、休閒等事業的發展水平以及與此相適應的物質設施、機構的建設。二是指思想方面，包括社會的政治思想、道德面貌、社會風尙和人們的世界觀、人生觀、理想、情操、思維方式以及組織、紀律的狀況。

上述兩者相互影響、相互滲透，其中的思想方面即意識形態方面是決定性的因素，它決定一定社會歷史條件下精神文明的性質和水平。在人類文明集合體中，精神文明有著很重要的作用，它是物質文明的靈魂，爲社會物質文明建設提供思想指導，保證物質文明建設沿著社會發展客觀要求的方向前進。通過協調和處理經濟、社會、政治思想領域各種矛盾，精神文明也為物質文明建設提供了良好的社會環境④。

## 四、文明與文化

在德國，對文明一詞的用法和法國不同，19世紀的德國學者習慣於把文明和文化對稱使用，他們把人類社會的精神成就稱作文化，而把物質成就稱為文明。這種用法有時不易區分。早期歐洲學者一般不做嚴格的區分，把文明和文化當作同義詞使用。例如，英國文化人類學家泰勒在1871年出版的《原始文化》一書中說：「文化或文明，在人種誌學中是一個複雜的整體」。他認為文化與文明所稱的對象是相同的。

然而使用兩個概念指稱同一對象必然會含混不清。英國人類學家馬立諾夫斯基 (Bronislaw Malinowski 1884-1942) 主張把它們區分開來。他在《文化論》一書中指出：「『文化』一詞有時和『文明』一詞相混用，但是我們既有這兩個名詞，最好把它們分別一下。『文明』一詞不妨用來專指較進展的文化中的一個特殊方面」。在他看來，文化是一個總概念，指人類所創造的一切物質和非物質成就；文明是一個分概念，指文化發展中的進步方面。任何時代和地域的民族、部族或人群都有自己的文化，但不一定都有文明，或說文明發展的程度不一。

史賓格勒 (Oswald Spengler 1880-1936) 分別文明與文化，他認為不存在全人類的文化，而是有各地區各國度自行發展的文化，每個文化的週期大約1000年，因之，可視為文化相對主義的主張者，他以四季的發展來說明每一文化經歷了春夏秋冬的發展階段，這是一種生機的譬喻 (organic metaphor)。每一社會的生命週期中呈現了文化與文明的區隔。最先充滿盎然生機、多采多姿的是文化發展期，後來出現的則爲文明發展期。文明期是社會生命週期臨終的表現，各種文化創造活力與性質逐漸落實僵化而呈現於外表，不像文化發展期那樣內斂。文明期的社會已發展爲國家的形式，國家藉科技的掌握及強大的意志而造成數量上的優勢，從而取代文化發展期質量的優勢。

阿爾弗烈特・韋伯（Alfred Weber 1868-1958 瑪克士・韋伯之弟）則分辨文明過程與文化過程之不同，他認爲前者爲累積性與繼續性，後者則爲跳躍性與不可測性。文化無法藉因果律來分析，它是產自人們「內在的揚棄與超越」(immanent transcendence)。

## 五、人類文明的發展

人類文明（物質文明和精神文明）的產生與社會發展到一定階段就會出現物質生產與精神生產相對分離的現象。人類活動的早期，物質生產與精神生產渾然一體，這是蒙昧時代和野蠻時代。當時由於物質生產力極其低下，人們的思維水平也很低，不存在嚴格意義上的精神生產，也不存在嚴格意義上的人類文明。只有到了原始社會末期，物質生產力發展到一定的水平，產生了體力勞動和腦力勞動的分工，物質生產與精神生產開始分化相對獨立出來，人們不僅要求獲得物質財富，也追求精神的財富，於是數學、各門自然科學技術及政治、法律、道德、藝術、宗教、哲學等社會意識形態領域也廣泛地發展起來，人類從此進入文明時期。

任何一種文明都是對以往文明的繼承與發展。人們創造文明的活動，離不開既定的現實條件，這些條件即以往人類文明的積累，它在很大的程度上制約著新一代文明發展的性質和規模。新文明對舊文明的取代並不是對舊文明的全部否定而重新開始的文明建設，而是揚棄、清除以往文明中陳舊落後的消極因素，保存和發揮積極的有價值的因素。文明的交流是文明發展的必要條件。各民族、各地區在發展文明的過程中，都累積了具有各地區和民族特色的文明成果，形成不同的文明傳統。他們各有千秋，只有進行交流，才能截長補短，互相充實。

文明既然是指文化的進步方面，就和某種價值觀相聯繫，文明是一種價值判斷。由於研究者或觀察者的價值觀和出發點不同，對於什麼是進步、什麼是文明的判定就不一致。法國學者傅立葉（Charles Fourier 1772-1837）把人類社會歷史的全部歷程分為四個發展階段：蒙昧階段、宗法階段、野蠻階段和文明階段。文明階段就是從16世紀發展起來的資本主義制度。法國社會學家孔德（Auguste Comte 1798-1857）則認為，任何文明都必須經過神學階段、形而上學階段，最後進入實證階段才能達到完善的地步。與此相應的社會發展所經歷的三個時期是：軍事時期、過渡時期、工業時期，這也是文明所經歷的不同階段。美國人類學家摩爾根於19世紀中葉依據他對北美印地安人的研究成果，將人類社會進入文明的時間向上推移了幾千年。他認為，人類歷史的發展經歷了七個階段，即低、中、高級蒙昧階段，低、中、高級野蠻階段，以及文明階段。文明階段從標音字母的發明和文字的使用開始，就是說人類社會自原始制度的後期、或奴隸制度的初期便進入了文明階段，因此才有古希臘羅馬文明、古印度文明和古代中國的文明。

馬克思和恩格斯曾在多種意義上使用文明一詞。有時，他們對文明的界定和傅立葉是一致的，文明就是指資本主義制度產生以來創造的一切。例如馬克思說，城市和鄉村的分離，也可以看作是資本和土地的分離。城鄉對立是隨著野蠻向文明的過渡開始的，它貫穿著全部文明的歷史並一直延續到今天。恩格斯也認爲，產業革命發生於18世紀下半葉的英國，後來相繼發生於世界各文明國家。馬克思和恩格斯有時也把古希臘羅馬文化和東方古代文化稱作文明，這時文明並非專指資本主義。綜觀他們對文化的理解，可以把人類歷史上出現的文明概括爲原始文明、封建文明、資本主義文明和社會主義文明四種形態。

## 六、文明的衝突

國際知名的哈佛大學政治學者杭廷頓教授(Samuel P. Huntington)於1993年初夏發表了＜文明的衝突＞(The Clash of Civilizations?)長文，引起了文化界及國際關係研究圈的極大震撼。他指出，文明衝突將取代政治、經濟衝突，成爲國際事務的核心，而且非西方文明即將與西方文明對決。他鄭重表示，現代化不必然代表西方化，日本就是例子。他斷言不會出現一個全球性的文明，因而大家必須學習在這個文明歧異的世界裡和平共存。他還提醒西方，要準備去適應一個權力均勢快要落入他人手中的新世界。

根據杭氏的說法，文明衝突是現代世界衝突演進史的最新階段。隨著韋斯法利亞和平條約的簽訂 (1648)，現代國家體系乃告誕生，此時出現在西方的衝突爲王侯與王侯的爭權奪利，亦即民族國家之間的爭執。其情勢一直發展到第一次世界大戰結束之後，才轉變爲意識形態的抗爭，首先是共產主義、法西斯主義、納粹主義和自由民主思想的大混戰，後來在第二次世界大戰後，只剩下共產主義和自由民主體制的大對決，其具體表現爲冷戰時代東西陣營的對峙。但以上的衝突不過是西方文明之內的對抗，可稱爲「西方的內戰」(William Lind語)。

隨著冷戰的結束，國際政治走出了西方內戰的階段，西方文明與非西方文明之間的互動，成爲新的焦點。在文明相爭的政治中，非西方文明的民族與政府，不會再是歷史的客體，而是變成歷史的主體，與西方一樣來驅動與塑造歷史。

除了人類與人種兩詞之外，把人分門別類的最廣泛的標準就是文明。文明是以客觀的共通要素——語言、歷史、宗教、習俗、典章制度——以及主觀因素——人民的自我認同、命運共同的覺識——來界定的。文明是動態的，有興衰也有分合。文明的認同問題在未來會愈顯重要，而世局的走向將依照七個或八個主要文明的互動而定。

這些文明包括西方文明、儒家文明、日本文明、回教文明、印度文明、斯拉夫族東正教文明、拉丁美洲文明，並且可能再加上非洲文明。未來的最重大衝突，會在分隔各個文明的斷層線爆發。爲何會如此呢？

第一，文明與文明之間的歧異不僅是實存的，也是最根本的。歷史、語言、傳統，還有最具關鍵的宗教，使得各個文明彼此分殊。不同文明體系下的人民，對於神與個人、個人與社會、人民與政府、父母與子女和丈夫與妻子的關係，看法都不相同，而且對於權利與義務、自由與權威和平等與尊卑觀念的輕重之分，也都不一樣。這些歧異比政治意識形態及政權類型之間的歧異，還要根深柢固。人類歷史上最持久而且最暴戾的衝突皆因文明歧異而生。

第二，這個世界變得愈來愈小，不同文明體系的人民互動正日益頻繁，這些增多的互動強化了文明意識，讓大家更清楚文明歧異及共通性。不同文明體系的人民互動，會提昇各自的文明意識，而把潛藏在歷史深處的文明歧異與敵意再度引發出來。

第三，全球經濟現代化與社會變遷的過程，正在使人們脫離經年累月的地域認同，原本是人民認同對象的民族國家，地位已經削減了。在很多地區，宗教已經以「基本教義派」運動的形貌，取代民族國家，成爲人民新的認同對象。

第四，由於西方文明到達頂峰，而使各種文明意識大爲增強，非西方文明正大舉出現尋根的浪潮。在許多非西方的社會，菁英階層正日益本土化及反西方化，而平民大衆卻日益擁抱西方的文化與生活方式。

第五，文明特徵與歧異若和政經特徵與歧異相比較，則前者的恆常性比較強，因而比較難以用妥協的方式解決衝突。在意識形態的衝突中，主要的問題是「你站在哪一邊？」，但是在文明衝突中，問題卻是：「你是什麼人？」我們是什麼人多半是先天已決定好，無法加以改變。

第六，經濟地域主義正日漸昂揚。地域性的經濟集團在國際事務的重要性在未來可能會持續增強。經濟地域主義如果成功，會強化文明意識，然而，經濟地域主義也唯有以共同的文明做根基，才有可能成功。歐洲共同體有歐洲文明及西方基督教作爲共同基礎。隨著冷戰結束，文明共通性已漸漸克服了意識形態的歧異而逐步拉近中國大陸與台灣的距離。中國、香港、台灣、新加坡，以及其他亞洲國家華人地區經貿關係正在迅速拓展，這明顯是共同文明促成的。

人們一旦以族群和宗教觀念來界定自己的身分與認同的對

象，他們極有可能把自己和其他族群及宗教的關係，看成爲一種「我們」與「他們」對抗的關係。因此，文明的衝突會在兩個層次發生。在微觀層次，沿著文明斷層線相鄰卻相爭的族群，通常會爲了控制領土及主宰對方，而爆發暴力衝突。在宏觀層次，則隸屬不同文明體系的國家組合，會在經濟和軍事力量上競爭，爲了控制國際機構及弱小的第三者而鬥爭，而且會拼命倡導他們各自獨特的政治與宗教的價值觀念。

文明與文明之間的斷層線，正在取代冷戰時代的政治與意識形態的界線，成爲危機與流血衝突的引爆點。雖然歐洲已經沒有意識形態上的分裂，但是西方的基督教與東方基督教（東正教）及回教，在歐洲的文明分裂已經重現了。尤其是西方與回教世界之間的衝突加劇，移民問題增添政治的敏感性。在此情形下，宗教強化了族群認同，使對峙氣氛益趨濃烈。歐亞大陸的文明大斷層，如今再度處處烽火，回教國家集團的勢力外圍尤其如此，在巴爾幹半島與東正教開打，在以色列與猶太教火拼，在印度與興都教鬥爭，在菲律賓與天主教爭執。回教文明的邊界確實一片血腥。

隨著後冷戰時代的到來，「文明共通性」(H. D. S. Greenway語）類同國家的組合正取代政治意識形態和傳統的權力平衡考量，成爲國際合作與結盟的基礎。一個文明衝突的世界必定是一個持雙重標準的世界。

超強蘇聯垮台後，西方控制了國際政治，並和日本一起主宰國際經濟。全球性的政治與安全議題，可以說是由美、英、法三國在主控，至於經濟議題，則唯美、德、日三國馬首是瞻。這幾個國家關係緊密，把非西方文明體系的國家排除在國際議題的決策圈外。聯合國安理會和國際貨幣基金會的決策，反映的是西方的利益。但是呈現給各國時，卻當成是在反映全球的需要。事實上，西方正運用國際機構、軍事力量與經濟資源掌控世界，以便維持西方的優勢，保護西方的利益，並倡導西方的政經理念與價值觀。

權力差距是西方與非西方衝突的來源之一。與基本價值理念及思想信仰有關的文明差異，則是另一個衝突的來源。「西方世界認爲最重要的理念，在其他地區根本就微不足道」(Harry C. Triandis語)，例如民主與人權的觀念，在非西方人眼中，是西方殖民帝國的殘留產品，也是被強迫推行給發展中地區的理念。非西方對抗西方文明的作法，或是閉關自鎖，防止「腐化」；或是加入西方行列，接受其理念與制度；或是非西方聯手發展軍事與經濟力量，同時保有本土的價值觀，亦即採取現代化而非西方的途徑，去「抗衡」西方⑤。

## 七、對杭廷頓文明衝突的批評

在1993年夏《外交事務》季刊發表的〈文明的衝突？〉一文之後，杭廷頓又於1996年出版《文明衝突與世界秩序的重建》一書⑥，本書爲前文的延伸與擴張，同時也包括該文發表後三年間所引發的爭論與批評之回應。作者在〈自序〉上強調〈文明的衝突？〉之標題有一個問號，但卻爲大部分的讀者所忽視，以致誤解，「好奇、憤怒、恐懼和困惑」成爲一般讀者的反應。平心而論該文卻是全球剛進入後冷戰初期一篇震撼人心，驚世之作。以閱讀該文的心情在展讀其後杭氏的大作，則震撼力大減，這大概是冗長繁瑣的教科書（儘管作者大力撇清，指出「本書無意作爲社會科學教材」）與簡明精悍的文章相較大爲不同之處。

其實不只是文明的衝突值得我們深思啓疑，就是何謂文明，也是令人一時不易理解。我們不禁要問：取代意識形態與國族的爭執，眞的是文明的衝突嗎？文明的客觀因素包括語言、歷史、宗教、習俗、典章制度；文明的主觀因素包括自我認同、國族認同、文明認同等，以此要素的結合，杭廷頓區分全球爲西方文明、儒家文明、日本文明、回教文明、印度文明、斯拉夫東正教文明、拉美文明、非洲文明共七、八種之多。這種分類基本上並沒有脫離區域，或地緣的觀念，雖然背後藏有宗教、種族、語言、文化的影子。事實上，我們質問的起點，便是不認爲當代中國的文明可用儒家文明來含蓋，特別是北京政權還在熱烈擁抱馬列主義、鼓吹四大堅持之時。再說像一度強調儒家思想的新加坡，事實上是西方文明的狂熱追求者。另以繼承中國古代道統自居的台灣，與其指認它是儒家文明的香火傳承人，倒不如說是中國、日本、歐美和本土文明的混雜者。要之，當今世界不少地區與國度（特別是非洲），絕大部分受西方帝國主義與殖民主義科技文明的洗禮與衝擊，他們模仿西化尙嫌來不及，還談什麼保持與發揮本土文明？特別是整個非洲能夠看成是一種文明嗎？

因之，杭廷頓這本著作的第一個子題已是充滿疑問。第二個子題「世界秩序的重建」，尤其必須加上問號。而什麼是世界秩序？難道是英國米字旗不落日的「大英帝國和平」（*Pax Britannica*）？還是美國帝國主義維持監督下的「美國和平」（*Pax Americana*），才算是世界秩序？換言之，不提早期與中世紀，單單自梅特涅（Klemens von Metternich *1773-1859*）以來，兩百年間西方霸權者所企圖建立的秩序，也不過是列強多極、三極、兩極的稱霸所造成的全球暫時性的權力平衡。視世界大戰的排除或暫時性火拼的抑制爲和平、爲秩序，都是西方大國主政者的妄想。以研究國際政治知名的杭廷頓，應當比我們更理解「世界秩序」的眞諦。既然世界秩序只是一種希冀的、暫時性、區域性，而非事實的、永恆性、寰宇性的人類諸價值之一，則不談也罷。不過吾人如果一定要談權力平衡，或均勢的話，也許應該退而求其次，談談區域的秩序，或21世紀的秩序，這才是務實的作法。

## 注釋：

①Hartfiel, Günter 1972 *Wörterbuch der Soziologie*, Stuttgart: Alfred Kröner Verlag, S. 694.

②Marshall, Gordon 1994 *Oxford Concise Dictionary of Sociology*, Oxford and New York: Oxford University Press, p. 145.

③Armillas, Pedro 1968 "The Concept of Civilization", in: David L. Sills (ed.), *International Encyclopedia of the Social Sciences*, New York: The Free Press, Vol. 16, pp. 218-219.

④黃楠森、夏甄陶、陳志尚（主編） 1990 《人學辭典》，北京：中國國際廣播出版社，第411至412頁。

⑤杭廷頓：<全球文化衝突的時代來臨了？>，原載《中國時報》，1993年6月22日、23日、24日，丁連財譯。原爲「文明」衝突，譯者卻譯爲「文化」衝突，此係一誤譯。

⑥杭廷頓1997《文明衝突與世界秩序的重建》，黃裕美譯，台北：聯經出版事業公司。

# 第九章　社會、社會學說與社會科學

## 一、魯賓遜的離群索居

自從人類出現在這個地球之後，爲了維持本身的生存，也爲了促進種族的繁衍，人們必須從事謀生的種種活動。很自然地，人類乃成爲群居的動物。除了人類之外，其他的動物，像蜜蜂、黃蜂、螞蟻等也經營群居的生活。在諸種群居動物中，人類因爲具有靈智的關係，所以出類拔萃，而成爲萬物之靈。換句話說，人們既然成群結黨，也就變成組織社會的一分子。

我們曾經讀過英國小說家狄福 (Daniel Defoe 1660-1731) 所著的魯賓遜漂流記，而幻想與羨慕小說中主角人物魯賓遜那種重返自然，過著無拘無束逍遙自在的單獨生活。不過在魯賓遜未漂流到孤島之前，以及他有一天碰見一個土人——後來他將其命名爲「星期五」——之後，他並未與人群脫離關係，更何況他最終被拯救而返回文明社會，重享人間的溫暖。這雖然是一樁虛構的故事，不過，仍然顯示了人類不能離群索居的普遍現象。像魯賓遜這樣傳奇性的故事，當代也曾經有一類似的事實發生過：一位名叫李光輝的台灣原住民，在二次世界大戰中，被日軍徵召前往南洋作戰，後來日軍節節失敗，於是他潛逃到摩奈泰島叢林中，孤獨地渡過了29年原始生活，直到1972年，才被印尼巡邏隊發現，而遣返台灣的故里。

像李光輝這樣的奇事，在人類發展至今的漫長歷史上，畢竟是罕見的。我們可以說絕大部分的人類，從呱呱墜地，直到一命嗚呼，幾乎都是生活在人群裡頭。他的周遭如果不是父母、兄弟、姊妹及其他親戚，便是環繞著鄰居、友儕、同僚、陌生人等等。而家庭的成員、鄰人、友儕、同僚及無數的陌生人都是社會的一環，也是構成社會的基本單位。

## 二、社會是什麼？

然則，什麼是社會呢？就字源學來說，古代的人將「社」看成爲土地的神明，也是祭祀地神之意。「會」的意思是集合、或會合。「社會」兩個字的聯用，始見於《舊唐書》〈玄宗本紀〉：「村閭社會」。現在華文中「社會」兩字，卻是採用日本人從英文society一詞翻譯而來的。英文的society係由拉丁文*societas*轉變而成。*Societas*意爲群體、參與、陪伴、連結、團體、幫會等意思。由此可知社會一詞是指涉二人或二人以上組成的群體而言。通常我們一般人心目中的社會，卻是指家庭與學校外的人群現象。因此，我們常聽到人們提起：「離開家庭，投進社會的大熔爐中」，或是「畢業後離開校門，踏入社會」。這裡所指的社會，幾乎是形形色色的職業團體及其總和。因此社會幾乎是家庭與學校之外工作、管理、消費、公共服務、交遊、休閒、娛樂、醫療……等場所的總稱了。這是一般人對社會一詞的用法。

由於人群的活動離不開時間與空間組成的範疇，因此在時間上，我們不妨分別和指稱：原始社會或初民社會、古代社會、近代社會、現代社會、未來社會等等。至於空間方面，我們也可以廣泛地指稱：東方社會、西方社會、中國社會、台灣社會、法國社會……等等。不過，這種說法與指稱稍嫌籠統，而缺乏學術的精確。

社會雖然是人群的結合，但不是所有人群的集合都可以稱做社會。例如馬路上熙熙攘攘的行人、電影院中鴉雀無聲專心欣賞的觀衆、巴士車上高談闊論的乘客等，雖然是人群的的聚合，但都不構成社會。反之，像新婚夫婦兩人組成的小家庭、補習教師與學生之間的師生關係，卻是小規模的社會，或說是社會的雛型。不過一般所指的社會，卻是指多數人群所造成的團體而言，亦即所謂的社會群體，簡稱社群。那麼構成社會主要的因素究竟是什麼？到底用什麼標準來分別人群的結合，是屬於社會，還是屬於群衆？

正如柏格（Peter Berger）所說，社會滲透到我們中間，也把我們包圍起來，我們同社會的疆界，與其說是由於我們的征服它，倒不如說是由於和它發生衝突而界定的，我們是受到人類的社會性格所藩籬、所拘束。我們成爲社會的階下囚，乃是由於心甘情願和社會合作的結果①。

原來社會不僅僅是多數人的結合，而更重要的是這些人群彼此之間有一定的關係，有交互的作用，而且在動作的過程中，行爲者賦予該動作以主觀上的意思。換句話說，社會乃是由一群彼此發生互動（interaction）的人們所組成的關聯體系。路人的匆匆行蹤，顯示彼此陌生而不發生關係；電影院中的觀衆，除了同爲觀賞影片而湊集一起之外，彼此心靈既不溝通，也沒有什麼交往(雖然影片的情節有時會激起群衆的共鳴或同感)；乘客之間的關係，也是由於一時運輸的方便而結合，除非該巴士爲一旅行團體所包辦或專車性質，否則車上乘客的聚集，不能構成一個社會。

至於夫婦之間組成的家庭，或師生關係而形成的教育制度，卻與前述的人群集合不同，都是成員間彼此對待，而且各扮演某一角色，由之，產生較為持久的關聯與組合。因之，他們所組成的團體，就是社會。是以家庭是一個社會，補習班或學校是一個社會；擴而大之，鄰里、鄉村、市鎮、國家、區域，乃至整個世界都是社會。

總之，社會乃是追求自存與繁衍，因而共享文化與制度的人群。可見社會中最重要的因素除了人群之外，就是文化與制度了。何謂文化？文化就是人類在社會範圍中，經之、營之，世代傳襲累積下來的複雜整體，包括統治、交易、科技、信仰、文藝、倫常，習俗等等。何謂制度？制度則是保存人類以往文化及活動業績的機構，也可以說是系統化、具體化的設施。因此每個社會不但有其特殊的文化，也有其特殊的制度。其中特別是涉及使社會發生劇變，而使人類脫離原始生活，跟著邁入現代門檻的科學與技藝文明；人類發展史上各地區、各民族的特殊文化；此等文化之間的變遷、交流、擴散等等，都成為學者研究社會型態與分類的依據所在。此外，使整個社會得以欣欣向榮、使整個社會避免分崩離析的政治制度；使社會的成員之物質與精神需要獲得滿足的經濟制度；使社會組成分子的心靈得以安慰的宗教制度等等，都成為研究與分析社會的焦點②。

## 三、對社會的認知與猜測

從上面的敘述，我們約略地理解：社會是一個極端複雜、極度難懂的人群現象。因此有史以來，世世代代、形形色色的人們都不斷地注視和尋求有關人群活動的祕密。古代的東西聖哲，無論是釋迦牟尼或孔子，還是蘇格拉底或耶穌，都對人群的現象、社會中人際的行爲、現世與來世等等，有或多或少的論述。雖然他們的觀點不同，持論有異，但都是人們對揭開人群生活之謎的努力底範例。至於一般芸芸衆生，對大自然或人類社會現象，多半持著約定俗成不求甚解的態度，因此僅單靠常識與信仰來加以認識。這種認識，如非走火入魔，或含有濃厚的神祕色彩，便是妄自猜測，而充滿歪曲的偏見。

社會現象既是這樣繁難複雜，自然不是人云亦云的常識，或是缺乏事實根據的神話，或是教條獨斷的信仰所能解釋清楚的。於是一部數千年來的人類文明史，就是人類企圖解開宇宙與人生之謎的奮鬥記錄。撇開常識、神話、教條的解釋不談，自古以來的哲人也曾經努力用科學與哲學來探究天人的關係，思索理想社會的建立。像這樣窮思冥想，雖然能夠建立莊嚴完美的神學體系，或撰成不朽的哲學傑作，但對社會人群的現象，仍無法洞燭瞭然③。

因之，對社會的理解，除了猜測、思辨、幻想之外，最可靠的方式莫如知識。所有的知識都是涉及人類的知識，這包括人類的文化、文明及其產品有關之知識，以及關於人類生存的自然環境之知識。爲了更爲精確地理解社會，人類乃發展了科學的知識，所謂科學的知識乃是有系統地收集、分類、比對和詮釋的知識，它是涉及對概念的學習和把概念應用到特殊情況之上④。

由於近世歐洲文明特重科學知識的追求，因之在對自然的天象、海洋、生物、生命、物理、礦植物探測之餘，也對人類所組成的社會之起源與流變發生深厚的考察興趣。尤其是工業革命爆發後，鄉村人口流入城市，城鄉對照明顯，普通人的操作由土地轉向工作坊（工廠制度興起），再加上人口的膨脹、城市擁擠與貧民窟的產生，私人創業致富，亟需政府立法保障其私產，於是形成有產與無產階級的對立。美國獨立戰爭與法國大革命對王權的挑戰，天賦人權的宣佈，造成政治、經濟、社會秩序的震盪與重建。海外殖民與初期帝國主義的商貿、軍事、傳教活動，在在都是造成歐洲人世界觀、人生觀的遽變。換言之，封建社會的解體換來工業社會的驟起，造成人們必須對這嶄新的歷史現象作一徹底的理解與詮釋，這便是社會科學興起的因由。

## 四、西方社會思潮起源的哲學背景

### 1. 理性與觀察

18世紀歐洲的思想界充滿了樂觀的情緒與理性的呼聲，這便是改變近世人類歷史面貌的啓蒙時代（Enlightenment）。處在啓蒙時代的學者，莫不懷抱人定勝天的信念，相信人類的心靈與智慧，不但可以解釋世界，還可以進一步改變世界。「理性」成爲當時哲學家歌功頌德、頂禮膜拜的神明。人們之所以崇尚理性，乃是由於17世紀理性創造了自然科學輝煌的業績，自然科學獲得豐碩的成果。於是自然科學的成就引導人們進入一個嶄新的境域，並由之認識一項新穎的宇宙觀。依照這項新的宇宙觀，世界是根據自然法則，有秩序、有組織地建構起來。人們只要肯利用自然科學（特別是物理學）的概念與技術，不難創造一個符合理性與眞實的新世界。於是在這個時代中，追求眞理，遂成爲思想家、學者的中心目標。不過這個眞理，不再是依賴上天的啓示或訴諸權威、或訴諸傳統的眞理，而是立足於理性與觀察而獲致的眞理

⑤。

既然科學揭示了物理中自然法則運作的情形，人們遂進一步地發問：是不是在社會界與文化界中，同樣地也可以找到類似物理界的規則呢？這一疑問，促使啓蒙時代的哲學家，著手考察人類社會生活的諸面向。他們開始研究與分析有關政治的、社會的、宗教的、文化的與道德的典章制度，並以理性的眼光，一一予以批評，於是凡屬不合理或違反理性的典章制度都在攻擊批判之列。在這種批判精神的嚴格要求下，幾乎絕大多數的傳統事物，都被目爲戕害人性妨礙人類成長的非理性事物。傳統的風俗習慣中，凡屬迷信、專橫、怪誕不經者，固然難逃批判，就是窒礙思想自由的審查制度、妨害工商階級發達的苛捐雜稅，乃至封建社會中的種種不公平的法規命令，也成爲人們摧陷廓淸的對象。要之，啓蒙時代的思想家一方面肯定了當代發現與累積的知識之成就，他方面卻以懷疑的、批判的、世俗的眼光，來重新估計一切事物。因此，基本上他們對理性與科學的信仰是鼓舞他們認眞工作的動力。同時，這種信仰也使他們重新重視人道、對人類懷抱樂觀，而充滿自信。

## 2.　啓蒙思想的特質

上述有關18世紀歐洲思想界的現狀，可說是一般學者的共同看法。當然也有人獨持異議，像康乃爾大學的貝克爾（Carl Becker 1873-1945）氏，便指出：啓蒙時代的哲學家之心態，更接近閉鎖式的中古時代，他們很難從中古基督教思想的桎梏中解放出來。他們如有所成就，絕非正面的肯定某些價値，而是反面的撕毀某些價値、重估某些價値。他們甚至「摧毀聖奧古斯丁的神聖之城，而以當時流行的看法代之，重建神學的內容」⑥。這種觀點也受到德國新康德學派的哲學家卡西勒 (Ernst Cassirer 1874-1945) 的支持。卡氏說：18世紀的哲學家雖然很少意識到他們的思想係繼承自前代，但事實上，他們的學說卻是前代學說的踵事增華。「他們把早前的文化遺產加以整理、改變、發展、澄清，而不是汰舊換新，有所創見」。儘管內容上，18世紀的哲學家，未能推陳出新，但卡西勒至少也承認他們對形式方面的翻新不無貢獻⑦。因爲他們的思維工作，是立基於17世紀大思想家笛卡兒、斯賓諾莎、萊布尼茲、培根 (Francis Bacon 1561-1626)、霍布士 (Thomas Hobbes 1588-1679) 與洛克等體大思精的學說之上。顯然地，啓蒙運動大師的思想，便由重新詮釋前代學者之思想體系，而獲得新穎的意義與嶄新的觀點，於是哲學思考變成與前代完全不同的思維操作。

18世紀的思想家，對於前一個世紀所流行之閉鎖的、自足的、玄妙神祕的思想體系，缺乏信心，他們也不耐於將哲學工作，視爲偉大體系的定律、公準之架構或引申。此際，人們認爲哲學乃是發現的活動，亦即從事有關自然現象或精神現象的發現工作。卡氏說：「哲學不再與科學、歷史、法哲學、政治學分家。反之，只有在哲學的氣氛之下科學、歷史、法哲學、政治學才能存在與發揮」。⑧這時所強調者乃是考察與研究，而不是窮思與冥想。啓蒙思想所思維的是創造性的功能與批判性的功能，目的在於給予思想以一種塑造生活的權力與塑造生活的使命。這時哲學思考不再是靜態的思辨活動，不再是抽象的思維，而是積極的、動態的世俗批判。它要批判各種典章制度的缺陷，特別是典章制度違反理性與自然的那部分。哲學思考要求把這類古舊的典章制度更換成合乎理性、順乎自然，而又能滿足人們需求的新秩序、新制度。新秩序的建立無異為眞理的顯露。從上面這一敘述，吾人不難獲知：啓蒙思想既有其負面的與批判的功能，也有其正面的與積極的貢獻。因此，構成啓蒙運動的哲學思想，不僅是某些思想體系、原理、理論等，還包括化腐朽為神奇的批判力量。這種建構與批判兩種力量的合致，是啓蒙思想的特徵。可是法國大革命之後，這兩種力量卻儼然分開，而各自演成勢如水火互不相容的哲學原則。

對於啓蒙運動的思想家而言，人們生活與勞動的各方面都應受到嚴格的檢驗，是以不同的科學、宗教、玄學與美學，也必須一一予以徹底的考察。這時代的思想家感受到來自各方面的壓力，這種壓力驅迫他們對一切事物重新估計。他們不但考察本身的思云行為，也考察其所處的社會與時代，甚至思想的功能等。由於他們能夠瞭解、認識與掌握他們所處的時代脈動，因而能夠運用這種力量去控制其方向。於是透過科學與理性，人們乃能獲致更大程度的自由與完善。理智的進步也成為推動人類各方面進步的動力。

## 3. 牛頓的科學觀

在思想界中最明顯的事實，是18世紀的哲學家，已不再使用前代嚴密、而又系統性的「演繹法」(deduction) 來獲取新知。反之，卻運用當時自然科學的進步概念來分析社會與人文現象。總之，笛卡兒抽象綿密的演繹體系，已被牛頓重視檢驗事實與觀察現狀的歸納 (induction) 分析方法所取代。牛頓所注重的是「事實」，是經驗的資料。他研究的原則是構築在經驗與觀察之上，亦即是經驗基礎之上。牛頓研究的假設，是物質世界中萬有的秩序與律則。經驗的事實並非毫無關聯的、分離的元素之凌亂拼湊；反之，事實乃是元素之間組合的模式，他們展示了特定的形式、規則與關係。宇宙本身是含有秩序的，而秩序是可以藉觀察與資料的歸納處理而被發現的。牛頓這項概念，便成爲18世紀方法論中之特徵，而使那個時代的想法與17世紀的想法，有了根本上的區別。

牛頓的萬有引力定律，並不是空思冥想的產品，也不是無計畫的觀察或任意的實驗所可獲致。萬有引力定律之發現乃是科學方法嚴密應用的典則。牛頓總結了早先偉大的科學家，如克卜勒、伽利略等人有關天體現象的勘查探究，而予以解析與綜合。

伽利略發現天空中的落物，其下墜的過程是以加速度在進行的，而克卜勒則證實行星和太陽的距離與行星繞日的速度（日期長短）之間有一定的關係。綜合伽利略與克卜勒的發現，牛頓遂發現了一條定律：太陽對於行星的引力是與該行星的質量成正比，而與其距離的平方成反比。終於牛頓發現了宇宙間的物體，藉著萬有引力的作用，皆有其位置與運動。使星球在天體中移轉的力量，也會使地球上的物體下墜。此一引力定律遂在宇宙間運作不歇。有限的宇宙變成了無限的機器，靠著本身的力量與機能，而永恆轉動。造成宇宙轉動的外在動因，明顯的是不含任何的目的性，也不含任何的意義。空間、時間、質量、運動、力量等乃是組成機械式宇宙之基本因素。人們只需應用科學的律則與數學，便可以領悟這個宇宙的全體了。這種看法對啓蒙時代的知識分子，產生了無可估量的影響。顯然這種新的觀點無異是理性與觀察的一大勝利，它揭示一種嶄新的方法，亦即使用觀察方法做合理的解釋。解釋如屬正確，則會引導觀察者進一步去發現新的事實⑨。

啓蒙時代中若有任何新奇與獨創的見解之處，便是全心全意地接受牛頓物理學的方法模式。不僅對牛頓的說法加以誠意接受，還進一步把這種科學方法在物理學界與數學界的應用，擴大到人文與社會的領域來。是以在任何的現象觀察中，都可以應用這種科學方法。

## 4. 理性哲學與經驗哲學

對於人類理性的看法，18世紀的學者也與17世紀的思想家不同。後者認爲理性源之於人類的本質，是先於經驗的、先天的「天賦的理念」。前者視理性爲人類認知活動中獲取知識的能力，而不是得之於前代的遺傳。理性僅由其擁有者的種種表現中顯露出來。

理性既不向粗糙的現實低頭，不向簡單的經驗資料低頭，更不向啓示、傳統、權威的「證據」低頭。反之，18世紀的理性是與觀察法聯用，來尋求眞理。就是著名的法國「百科全書」的學者，也認爲他們的職責，不只在提供人們知識與消息，而是主要在改變人們傳統的思想方式。從分析現象到綜合見解，理性應可發揮它的活力，而不失爲人們認識周遭事物的利器。

我們可以說，「18世紀的哲學家都體會了早一個世紀中，兩股哲學思潮的分別存在。其一爲理性的哲學，其二爲經驗的哲學」。前者爲笛卡兒所創，後者則由洛克啓其端。這兩派不同的思想體系，終於在18世紀中獲得合致的機會。因此我們把融合這兩種思潮的功勞，歸之於啓蒙運動的大師，是有其道理的。

笛卡兒認爲對於一個命題效力的懷疑（當效力無法證實時）是哲學思考的起點。不過，儘管哲學家不停地懷疑，但有一事實是不容懷疑的，那就是自我的存在，因為「我思故我在」。笛氏強調清楚與明白的思想之重要，且以理性作為評斷眞理的標準。

洛克在「人類理解論」中，一反當代的看法，而主張人無與生俱來的理性。人誕生之時，心靈如一張白紙，只有耳濡目染，在生活經驗中吸取理念、見解、常識、知識之屬。心靈的功能在於把五官輸送而來的資料加以收集、整理。因此心靈的功能是消極的，而無原創或組織的能力。即便是有原創力、組織力，也屬有限。

其後洛克支持科學家的研究方法，集中注意力於可資計量的事物之研究上，而忽視被考察的事物之其他面向。因此，他主張事物具有兩種不同的屬性，其一為本原屬性，其二為附麗屬性。凡事物可資直接經驗到的那類屬性，諸如其外延、數目、移動等是該事物之本原屬性；反之，事物的顏色、聲音等，除了存在於觀察者的心靈之外，不復存在他處，是為事物的附麗屬性。洛克的認識論，導致了英國的唯心論與懷疑論，也促發了法國的唯物論⑩。

## 5. 洛克學說的影響

在英國的貝克萊 (George Berkeley 1685-1753) 主教便認為洛克有關事物本原與附麗屬性之分別，似嫌模糊與脆弱。這兩類屬性除了存在於觀察者的心靈中，別無他處可存。這即說明物質不存在，或物質的存在還找不到證明。貝克萊認為只有精神是存在的，而此一精神無他，乃上帝之謂。於是宗教的主題之一的精神 (spiritual) 便用來作為反對科學的主題之物質。到了休姆 (David Hume 1711-1776)，他更主張心靈除了認識其自身之外，不識他物，這可說是唯心主義的極致。人的認識只限於感覺、知覺的範圍內，在感覺、知覺的界限之外，是否有客觀實在，那是吾人所不知道的，也是無法知道的。

在法國，洛克的觀點則被轉變成爲科學的唯物論。此一發展與法國嚴密的、但又反覆無常的專制政體與教會有關。唯物論成爲對抗教會之有效的精神武器。康第拉（Etinne B. de Condillac 1715-1780）闡明與發揮了洛克有關人類知識源起的理論。

歐爾巴（Paul H. Holbach 1723-1789）拒絕一切精神動因的說詞，而把意識與思想還原爲物體分子的運動。康第拉修正其他唯物論者的過激說詞，而賦予心靈以創造與積極的角色。一旦人們心中的思想與推理能力被喚醒，人便不再是消極、不再是被動地適應環境，或便利生存。思想甚至能夠對抗社會實在，能夠考究社會實在。在〈論感覺〉一文中，康氏甚至認爲社會學應成爲一種科學，其方法在於教導吾人認識社會中「虛擬的事體」，這類虛擬的事體係由彼此相互影響的部分構成。因此，即便是在最簡單的知覺動作中，判斷與理性也具有不容忽視的力量。換言之，人不管是在觀察自然現象，還是社會現象，都要借助於判斷與理性。單靠五官，我們無法產生吾人意識中認識的世界。因此，五官與心靈的配合，對於認識事物是絕對有其必要的。康第拉的這種綜合性的看法，後來經過德國康德的補充修正，而成爲理性與經驗兩種主義的折衷合致，也成爲集其大成的哲學體系。

## 6. 啓蒙思想與社會學思潮的源起

我們把啓蒙思想當成社會思潮起源的出發點，是有其道理的。因爲啓蒙時代爲科學方法出現之時，單靠理性既無法掌握實在，只訴諸於實驗與觀察，也不能認識實在。因此，有關社會的、以及自然的實在底知識之獲致，遂仰賴科學方法中理性與觀察的合致並用。啓蒙時代的思想家，對社會、歷史與自然都感同等的興趣，而社會、歷史與自然遂被視爲一體。在研究自然——包括人性在內——時，人們不但發現到自然是什麼？還發現自然發展的可能性。同樣地，在考察社會與歷史的過程中，人們不但發現既存事實的秩序之操作，並且也發現到存在於社會與歷史當中的發展潛能。瞭解這些現存的秩序，俾助益人群的生存與繁榮。這些基本的假設，亦即這些思想的出發點，在其後社會學的思潮中，或被接受而繼承發展下去，或受修正而改弦更張，或遭揚棄而乏人問津。總之，西方兩百多年來的社會學思想，實無異爲對啓蒙運動思潮的一種反動或反響。

## 五、社會科學的誕生

具有現代科學實証與批判精神的社會科學，要遲至17世紀乃至18世紀中葉，也就是正當歐洲自然科學蓬勃發展之際，才醞釀而成。和自然科學的成就相比，社會科學誕生較遲，而成就也顯得遜色不少。不過這段社會科學醞釀時期當中，也有幾位傑出的思想家爲現代的政治、法律、社會等科學，奠下基礎。例如英國霍布士（Thomas Hobbes 1588-1679）以嚴密的邏輯與心理分析，來闡明統治者與人民之間的關係，而倡說社會契約論。洛克（John Locke 1632-1704）主張人類享有自然權利（可稱天賦人權），認爲政府係受人民委託，以謀公共福利，國家最後及最高的主權應屬人民。在法國18世紀上葉，出現了社會與政治思想家孟德斯鳩(Charles Louis Montesquieu 1689-1755)，他倡導立法、行政、司法三權分立說，而成為當今民主國家憲法的張本。他在有關政府與法律的論述中，常留意到社會的、地理的與人文的因素，是一位以多角度與多面向來治學的博學者。比孟氏稍後而產生強烈的啓蒙作用的法國學者盧梭（Jean-Jacques Rousseau 1712-1778），他倡說天賦民權與公共意志論。總之，屆至18世紀中葉為止，歐洲哲人所討論的社會思想，仍脫離不了臆測與玄思的哲學味道。因此他們的學說，可說是社會哲學，而不是近世嚴格意義下的社會科學。

不過，社會科學經過了這段醞釀之後，開始發生基本上的變化。過去那種專事演繹推論的玄想，逐漸為新的思想方法所取代。也就是藉歸納方法與經驗事實的檢驗，來印證社會理論與社會現實之間是否符合。於是注重實証、注重經驗、注重證據的社會科學，方才由醞釀而發酵。此一發展與法國大革命以及產業革命後，歐洲各國政治、社會、經濟發生劇變有關。特別是大革命後舊秩序為新秩序所替代，整個社會發生空前的改變，加上城市化帶來的政治、經濟、社會問題，特別是工業化的影響，例如人口激增、工作條件惡劣、貧富差距益形懸殊、市鎮人口膨脹、擁擠、貧民窟形成、投票權分配不公平等等——在在都需要學者針對社會突發的種種弊端，提出救治之方，或是對新興資產階級的崛起，提出解釋或辯護的說詞。換言之，18世紀末葉在法國與英國發生了兩次革命（大革命與產業革命）的浪潮，在19世紀便瀰漫了整個歐洲與北美。而在20世紀則泛濫到亞、非、大洋洲及世界其他地區，大大地改變整個人類歷史的面貌。這種人類歷史上政治經濟的大變化，不啻為社會科學的誕生與茁長，提供助產與催生的作用⑪。

於是福爾泰（François Marie Voltaire 1694-1778）的社會

進步觀念；亞丹•斯密（Adam Smith 1723-1790）的國富論；馬爾薩斯（Thomas Robert Malthus 1766-1834）對人口問題之檢討；李嘉圖 (David Ricardo 1772-1823) 的勞動說；康德以理性的觀念來闡述政治公平與永久和平；黑格爾的歷史哲學；穆勒（John Stuart Mill 1806-1873）的邏輯學；邊沁（Jeremy Bentham 1748-1832）的最大多數人最大快樂論；孔德的實證論；斯賓塞的社會演化說；馬克思的歷史唯物論與資本論等等，都是這個社會與思想激盪的時代底產品。

在這段時期中，社會科學業已奠立，並與自然科學以及人文學科，鼎足而三，分庭抗禮。原來自從社會事實變成一種客觀的現象，供人們研究之後，加上方法學上統計、數據之被應用於社會現象之分析，使這些有關社會各項事實之研究，更富有科學性質，從而使社會科學擺脫哲學與其他人文學科的羈絆脫穎而出。不但社會科學的成長能夠獨立自主，更重要的是社會科學範圍內的各個分支與學科，像經濟學、社會學、人口學、政治學、心理學等皆逐次脫離母體，自立門戶⑫。

## 注釋：

①Berger, Peter 1966 *Invitation to Sociology,* Harmondsworth: Penguin, p.140-141.

②「社會」一詞的英文爲society，德文爲*Gesellschaft*，法文爲*société*，俄文爲（拉丁化拼音）*obschestvo*。在日常使用時，「社會」一詞含有多種的用法，最常用的意義爲：1.建立在共同生活上人們的結合與關係，是具有一般與抽象的性質；2.包含家族與國家在內的廣泛意義下之社會集團；3.以地域爲單位的領域團體；4.人類社會史上特定發展階段中的社會制度，例如封建社會、近代社會等；5.近代市民社會興起所造成的意識。日人初譯社會學爲世態學，明治維新之後逐漸改用社會學一詞。中國滿清後期，翻譯西書，有關society一詞都譯爲「群」，因此有嚴復（1854-1921）譯Herbert Spencer的*The Study of Sociology*爲《群學肄言》(1903)。以上參考福武直「社會」一詞的解釋，刊，福武直、日高六郎、高橋徹編：《社會學辭典》，東京：有斐閣，1974，第324至327頁。

③參考：魏鏞：〈社會科學的性質及發展趨勢〉一文，刊：《雲五社會科學大辭典》，第一冊社會學，台北：台灣商務印書館，1970，第11至13頁。

④Hunt, Elgin F. and David C. Colander 1990 *Social Science: An Introduction to the Study of Society,* New York: Macmillan, 7th edition, pp. 3-4.

⑤以上主要參考 Zeitlin, Irving M. 1968 *Ideology and the Development of Sociological Theory,* Englewood Cliffs, N. J. : Prentice-Hall, Inc., pp. 3-10.

⑥Becker,Carl 1932 *The Heavenly City of the Eighteenth Century Philosophers,* New Haven: Yale University Press, pp. 29-31.

⑦Cassirer,Ernst 1951 *The Philosophy of Englightenment,* Princeton, N.

J. : Princeton University Press, p.viff.

⑧*ibid.*, p. vii.

⑨Zeitlin, *ibid.*, pp. 6-7.

⑩*ibid.*, p.8.

⑪Nisbet, Robert A. 1974 "History of Social Sciences" in: *Encyclopedia Britannica,* Vol.16,pp.980-990; 同作者 1967 *Sociological Tradition,* London:Heinemann.

⑫以上參考孫本文 1968《社會思想》，台北：台灣商務印書館，台第二版，第十一章以後，第71頁以下。

# 第十章　社會科學的範圍、對象、性質與分類

## 一、社會科學與自然科學

在前面，我們曾經討論了人類爲社會動物的事實；有史以來人們一直經營群居共處的生活，在集體生活中自然而然地組成了社會。我們發現人類對於和人事距離較爲遙遠的天然景觀，像日、月、星球的運轉，與閃電疾風的現象，最先發生驚奇與興趣，因而加以猜測、探究，並且藉由神話、哲學而科學逐步予以描寫與解釋。至於對與我們本身反而有密切關係的人事與社會現象，雖然很久以前便加以留意，並有種種常識或猜測的說法，但有秩序、有系統而又符合邏輯與經驗事實的科學研究，卻遲到17、18世紀自然科學發達之後方才出現。因此，我們可以說社會科學的成立，比起自然科學來得較遲，而其發展的步伐也較爲緩慢。

社會科學的成立，無疑的是受到自然科學發達的影響。因此一開始，社會科學的創始者，都努力模仿自然科學的作法。不僅如此，就是在其後兩百多年的發展史上，社會科學也不斷地以模仿與接近自然科學的精確爲能事。原來自然科學最大的特徵，在於能夠描述、解釋和預測自然界發生的種種現象。無論是描述、解釋還是預測都力求做到精確、簡捷、直截了當的地步。人們甚至把科學理論應用到工藝技術的文明之上，而製造了各種現代人

類生活必須的利器。於是自然科學所造就的工藝文明，遂爲促成人類進步與幸福的大功臣。換句話說，自然科學所發現的學說、定理、規律，能夠與工藝技術緊密結合，也就是能夠應用到人類求生與繁榮是賴的器物製作之上，變成了科技（technology）。這是自然科學爲人們歌頌崇尚的原因，也是社會科學所以亦步亦趨，急欲仿效的理由。

社會科學與自然科學不同的所在，主要是研究對象與研究範圍之相異，而較少是由於本質或研究技巧方面的不同所引起的。粗略地說，自然科學研究的對象是不具理智、意志、情感的自然界事物，而社會科學研究的對象剛好是具有理智、意志、情感的人類與人類社會。這麼一說，有人便要問，人體的生理學、人類遺傳學、醫學等，牽涉到人類，是不是應該算作社會科學呢？我們認爲，凡把人類的身軀或心理活動，看成爲生物體的結構與功能，因而分析其底細的學問，都是屬於自然科學的範圍。在這個意義下，生理學、人體醫學、遺傳學、生理心理學、臨床心理學，都可以看成爲自然科學。不過，話又說回來，由於自然科學與社會科學之間的界限並非十分森嚴，因此，也有些學科是可被界定於社會科學與自然科學之間，譬如說，社會醫學、精神病學等等①。

換言之，與自然科學相對的是精神科學，也就是我們常說的人文科學。精神科學狹義的來說，可以說是歷史學，它研究的對象包括一個國家的歷史、文化史、美術史、文學史等。另外還有一些較抽象的學問，它們專門研究人類精神生活的特殊現象，如語言、法律、經濟、社會、美術、宗教等等之意義、分類、體系和法則，這些也都屬於精神科學的領域。有人則把精神科學分類爲社會科學與人文學（humanities）。人文學包括哲學、倫理學、美學、神學等。社會科學則涵蓋政治學、社會學、心理學、人類學、經濟學、法律學、歷史學、地理學、教育學、語文學、新聞學等。

上面我們所說的語言、法律、美學等學問，都是人類精神能力（理智與理念）的產物。德儒狄爾泰（Wilhelm Dilthey 1833-1911）氏把這類產物稱爲「客觀化的精神」（objecktiver Geist），這些產物把個人的、群體的，或是歷史上一定段落的特殊精神多少地顯露出來。因此，我們藉著它們也可以多少地接觸並體會那些精神實體的存在②。

研究自然的科學方法，是把大多數現象歸源到一些法則之上，因此有人稱它爲「律則科學」（nomological science）。精神的產物是由自由而具意識的人所產生的，因此不表現出自然規律、始終一致的規則性，而富於個體的特殊性質；再說，精神事物因爲具有獨特的個性，無法藉規律或法則來研究其行爲與狀態，只能用表現的方式，來描述其特異之點，所以又稱爲意識形態的科學（ideological science）。是故認識它們的方法與自然科學所運用者，大不相同。另外，又有把研究普遍現象的律則科學之自然科學，來與研究單一而無從反覆出現的歷史現象之特性科學（idiographic science）做對比，以顯示歷史學之獨特。以下我們要討論的就是有關社會科學研究不同學派的思想背景及其演進過程。

## 二、社會科學的哲學爭辯

### 1. 實證主義與反實證主義

實證主義與反實證主義兩者的對立，存在於對自然科學和社會科學研究方法底假設之思想模型所構成的原則之上。前者不認爲有所謂嚴格意義下的自然與社會現象之分別，從而反對科學分成自然科學與精神科學，又認爲研究自然科學的方法與研究社會科學的方法是相同的。既云科學方法，則只有一種而已，亦即科學的邏輯（scientific logic）、科學哲學、或稱爲科學的方法論（methodology），以奧地利的維也納學派爲代表。至於後者，反實證主義卻認爲這兩種科學的研究方法是有所不同的。實證主義者認爲用於分析自然世界的方法，也可以用之於分析社會現象。這些方法在說明自然科學和社會科學的邏輯是相似的。反實證主義者則認爲「瞭悟」（Verstehen）與「認識」（Wissen）之間是可劃出一條界線出來的。他們堅持研究自然科學的方法，即使經過修正，其實質對於社會科學的研究，也是不適宜的；因爲自然科學的知識是永恆的、經驗的、計量的，而社會科學獲得的認知都是短暫的、推理的、質的描述，而非量的計算。

反實證主義者把經驗的和非經驗的世界劃分開來，經驗界的事物底現象是經由人的感官去認識，亦即客觀事物的外在世界，係由經驗以識得；反之，在非經驗的世界裡，特別是人群活動的精神表現，則由直覺與內省（introspection）去理解、去瞭悟。總之，觀察與實驗（experiment），是研究自然事物的途徑，而直覺與內省卻是把握人文現象的路數。

反實證主義者認為「概括」用在自然科學和社會科學時，也呈現不同的特徵。自然科學家相信通過不斷的觀察與實驗，可以得到可資計量的資料，例如一些統計規則或數據。一般而言數學方程式在自然科學的應用方面是最為廣泛而深入。社會科學者則必須費盡心思，在一個謹慎的內省底基礎上，建立他本身的假設或理論。也就是說通過別人的經驗，再靠本身的直覺與反省，兩者融會貫通後產生出來的理念。所以，理解對社會科學來說，是素質（qualitative）甚於度量的（quantitative）。

實證主義者根本上就反對上述的區別。他們認為這些差別是不存在的。如果勉強認為有所分別的話，那種分別只是程度上的差異罷了。他們堅持在社會科學的研究裡，觀察、實驗、計量與數據的知識，即使不是決定性的因素，也是相當重要的先決條件③。

## 2. 唯心與唯物之爭論

在西方思想裡，實證主義與反實證主義兩者的矛盾是很深的。與這項矛盾關係極為密切，甚至或可視為其根源之一的則是對於心靈與物質（mind-matter）的辯論。在古希臘時代，就有了這些辯論。柏拉圖和他的追隨者認為理念的事物（ideal object，或稱理型世界）底知識比起自然界事物（或稱感官世界）的知識更富有完美性。

中古時代神學家們也把物質與心靈對立起來。如靈魂是屬於精神的，肉體是屬於物質的；神聖是屬於性靈的，世俗是屬於物慾的等等。

近代西方的哲學，從笛卡兒開始，也沒有解除唯心與唯物的難題。笛卡兒把人類的思想理性結合在幾個主要的範疇裏：

⑴純經驗的（empirical）
⑵神學的（theological）
⑶倫理的（ethical）

他的名言「我思故我在」（*cogito ergo sum*），是認定思維的個體（thinking individual）本身為毫無疑問的前提。原來人們儘管對外在事物的存在有所懷疑，但在懷疑的當中，必須使用思想，既然要思想，便須有思想的主體。於是由思想，而證實自我的存在，然後用邏輯性的演繹法及一些數學的演算去證實其他事物包括上帝的存在。是故所有的知識，包括實在，都存在於我們的心靈中。

笛卡兒也因為認定心靈與肉體在本質上有所不同而碰到困難。原來心靈與肉體是互相影響的，但它們彼此之間怎麼互相影響呢？笛卡兒認為這可能是腦中松果腺（pineal gland）的功能。在他的時代，松果腺的作用還沒有被當代的生理學家所發現。笛卡兒又指出可能是因為人類有著「野獸的精神」（animal spirits），而使心靈與肉體產生感應與對立④。

康德企圖用綜合法（synthesis）來解釋這個問題，他嘗試把理性主義（以理智為中心）與經驗主義（以感覺為中心）綜合起來，而鎔鑄成現實主義。他把宇宙分為：感覺的世界（*mundus sensibilis,* 就是對於經驗事項的研究）、道德和事物本身的世界（*mundus intelligibils,* 此乃為超越時空的世界，只有憑藉形而上學的的純粹理性，予以認知），以及宗教的世界（*mundus religiosi*）。他認為理性的精華為對宇宙作出判斷的能力。他又認爲如果將判斷準則由一個範疇移至另一範疇時，會產生矛盾。經驗的世界的事物是由機械式的因果律所規範的；而道德的世界是由自由意志的原則規範著，不同的原則移到不同的範疇自然會產生矛盾。

其實，康德主義者的綜合法並不能眞正分析這些不同的範疇間之實際互動。康德主義者只是另一種「偶起論」(occasionalism)者。所謂偶起論者乃爲笛卡兒的追隨者，堅持心與物、靈與肉之間交通是由於上天偶然的刺激引起的，也即感覺產生於上帝隨意地觸動人們的神經，從而促成心靈與肉體的互動。

當哲學家們在處理心靈與肉體的問題上糾纏不淸時，其他的學者就跟隨著去探討、去研究。有些注重在「心靈」方面，有些注重在「物質」方面。如對於歷史、文化的研究，這是屬於「心靈」方面，也就是思想方面。而對於自然事物、化學物質、或地球表面物質的研究，則是屬於「物質」的。有時這兩種不同範疇的研究會相互混合，或找出一原則來溝通兩者；但通常兩者的界線是劃分得很淸楚的。

## 3. 新唯心主義和新康德主義

新唯心主義（包括黑格爾、舒萊業馬赫 Friedrick E. D. Schleiermacher 1768-1834等人）和新康德主義是兩派組織良好的反實證主義者。他們對於實證主義派依賴歷史與採用自然科學的研究方法來研究歷史資料表示極大的懷疑。這兩派的代表學者是狄爾泰與李克特（Heinrich Rickert 1863-1936）。狄爾泰是追隨柏林大學歷史教授德羅伊森（Johann Gustav Droysen 1808-1884），主張自然和人文科學之間的主題應嚴格劃分。他們所致力研究的重點爲人類經驗不斷改變的生存過程。生活的主要特徵在於它所持有的意義。前者可以說是對意義的追求。這些意義係存在於每個人的經驗當中，而可被別人同情地予以理解。但如要完全地瞭解，則要「重生」。當生命正步向明智的綜合時，其意義永遠不會完盡。所以，要通過理念的類型，來把捉生命的程序。這理念的類型就表示推向完美的邏輯活動途上的一站。

李克特就像康德及新康德學派，強調的是先天的形式與內容的對照，而與狄爾泰不斷改變過程的想法有很大的不同。他進一步反對狄爾泰在人文科學與自然科學之間劃分界限。他認爲不管是社會現象或自然現象，科學是一種現象的研究。實證主義者曾建議以歷史作爲內容，以自然科學當作方法來研究社會科學。關於此，李氏認爲是不恰當的。他以爲歷史學與科學是兩種不同的方法用以理解自然。科學是專門處理循環往復的因果關係，而歷史是處理特定的獨立現象。我們可以說屬於人文學範圍的歷史是一種「特性學科」(idiograghic discipline)，而自然科學則是一種「律則學科」(nomothetic discipline)。特性學科（如歷史學）所重視者，是事象的重大意義，以及每一事象獨一無二的個性。在判斷個別事象的特性之重要意義時，就得瞭解此一事象在整體的歷史或宇宙所佔的地位。反之，自然科學的法則要求，則是依賴概括的方法，去掉個別事件的特性，而求取相似事象的共相，以及這些共相的再現，從而發現其因果關係之規律性質。

顯然，新唯心主義和新康德主義者也都把重點放在心和物的二分法之上。他們都抗拒實證主義把心靈轉化成自然。他們都嘗試恢復心靈至其適當的地位之上，而成爲經驗性科學的研究對象。爲達此目的，新唯心主義是在尋覓有關其研究對象的分門別類，而新康德主義者是在找出方法學上的差異。在這一意義下「瞭悟」一詞對新唯心主義者與新康德主義者有不同的含意。對新唯心主義者而言，瞭悟乃思想的一環，由個人的經驗出發，以同情的心態，藉著概念的類型，理會他人的種種切切，從而掌握事象的意義。對新康德主義者而言，瞭悟包含價值的形成、範疇之隔離，而容許將歷史上個別事件以及重要變化，提昇到更複雜、更駁雜不純的整全之中⑤。

## 三、社會科學研究的對象

前面既然提到社會科學研究的對象是人，而不是物，那麼我們就要進一步追問，到底什麼樣的人，或人的哪些部分，人的哪些方面，是屬於社會科學研究的重點呢？「有關人的一切事項」，是對於這些問題的答案。在時間上「人」將不限於現代的人，也包括過去與未來的人類；在空間上，也不限於某些國度、某些地區的人，而是全球所有的人類。進一步說，不僅是張三李四，某些特定的、具體的個人，還包括人群，以及由人群組成的各種團體。此外，社會科學研究的對象，也包括人與其周遭的環境之間的關係，亦即包含人與物的關係。這麼一來，我們似乎得把社會科學研究的對象分成三類：

第一是研究人類的個體的行為；第二是研究個人與他人的關係，也即通稱的人際關係；第三是研究人與其生活環境的關係。我們且加以簡單說明如下。

第一，所謂的個人行為，主要的是研究個人的心理狀態（例如感受、記憶、學習、動機、人格等）、體質結構、與別人交往所表現的個性、個人在群體所扮演的角色等等。這主要是心理學（特別是體質人類學），以及社會學研究的中心課題。

第二，由於人們極少離群索居，反而成群結黨，營集體生活，因此考察個人的集合體，像社團、群體、社會組織、社會制度，也是社會科學關心留意之所在，特別是由於集體生活而產生的集體行爲，包括信仰、價值、規範、控制等文化問題，成爲文化人類學、社會心理學、社會學、政治學、經濟學、法律學、大衆傳播學的研究主題。

第三，人類要生存、要繁衍，不能不開物成務、利用厚生，所以人與物、或人與地的關係是非常的密切。這裡所說的物或地，也就是天然資源與自然環境的意思。是以研究人類及其生活環境的關係，也是社會科學所不容忽視的。生活環境，包括資源的分析與調配，動、植、礦物的勘察利用，水域與陸地的關聯，人類社區的形成，人口分布與流動，交通運輸的發展等，這些是地理學（特別是經濟地理學）、人口學、生態學所研究的對象⑥。

總結以上關於社會科學研究對象底論述，我們可以獲致一項結論，那就是說：社會學是圍繞著「人」這個對象，而尋求解答的問題。無論研究的對象或中心，是個人的行爲，是群體的行爲，還是人與環境的關係，都脫離不了「人」這個事實。在這一意義下，我們不妨爲社會科學提供一個簡單的界說，也就是下達一個定義：「社會科學是研究個人行爲、人際關係，以及人類與其生活環境的關係，而又符合邏輯推理與經驗事實的有系統底知識」。

## 四、社會科學的性質

從上面這個定義，我們似乎把科學看成爲「符合邏輯推理與經驗事實的有系統底知識」。根據韋伯斯特新國際字典的定義，科學是「任何累積與被接受的知識。這種知識係牽涉一般眞理之發現或涉及普遍定律之應用。是以科學爲被系統化與列舉出來的知識」。至於科學所以是一種被公認、被接受的知識，其主要原因，是由於科學研究的對象是我們藉感官與經驗可以認知的事物，而不是超驗的「怪力亂神」之類。更何況科學知識的獲得必須遵循一定的步驟與方法，由觀察、實驗、推理、檢證等研究過程，循序以進。任何科學知識的綜合、列舉、展示，都必須符合邏輯的原理與定律。是故科學爲符合邏輯理則與經驗事實而又有系統、有創建的知識。

如果我們用這個科學的定義與標準來衡量社會科學，那麼人們也許會覺得有點失望。原來社會科學裡頭的分支，並不都樣樣符合這個嚴格的要求。有些分支，像經濟學、心理學，的確頗爲接近自然科學的精確程度而又無愧科學的美譽。有些分支像政治學、社會學，則離嚴格意義下的科學，還有一段距離。如果我們把歷史學也看成社會科學，而不視爲人文學的話，那麼它所包含的科學性質似乎更少。不過一個學科所包含科學的性質少，並不等於該學科是不科學，乃至反科學。再說，社會科學仍在不斷發展中，一度成爲社會科學主流之行爲主義或行爲科學，就致力於把社會科學建構成像自然科學那樣地嚴密、精確，縱使不能達致百分之百的準確。因此，目前不夠科學、或含科學性質低的那些社會科學的分支，有朝一日，由於研究技巧的進步，新學理學說的發現，或將向前躍進也說不定。

一般人對社會科學的科學性質，有所懷疑，有所批評，主要的原因，在於社會科學研究的成果，不能像自然科學那樣地簡括爲數學等式，或物理、化學之公式，也不能夠立竿見影馬上把知識運用到實務上去。要之，認爲社會科學難以用精確的數理符號，表達研究的成果，以及缺乏實用性。這種看法未免有點機械論與功利主義的味道。殊不知，社會科學研究的重心是人，而人是有情感、有意志、有好惡、有判斷，而且具有學習能力的動物。

人一旦被當成研究的對象，而本身又意識到這項研究正在進行時，其行爲的表現，便大異其趣。這絕對與天上星球或其他生物之被觀察、而毫不介意者完全不同。不僅觀察上兩者殊異，就是實驗上也大有分別。我們可用天然事物或生物做化學分析、或生理解剖的對象，並且藉增減某些變項，而觀察其變化，這也就是所謂的實驗——製造人爲的環境，俾與天然環境下，事物原來的樣子、或行爲做一比較。在適用到人以外的事物，包括其他當作實驗對象的生物，我們較少發現有多大的困難。可是應用到人群時，便會發現困難重重。也許個人或很小單位的群體，勉強還可以做心理學、社會學的實驗對象。大一點的團體，例如某個村落的居民、或整個大工廠的工人，要做爲實驗的對象，就不太容易。

這就是說明社會科學研究的對象，難加以操縱與控制。反之，化學家可以把各種化學藥品任意調配混合，而觀察其變化，生物學家也可以盡情把老鼠、兎子加以擺佈，以觀其反應。但社會學家卻不能隨便操縱與控制人群，使他們俯首聽命，爲所欲爲。

再說，從事社會研究的學者，本身也是人；以人研究人，則研究者的心態也難保客觀公平。研究者不僅受其個人人格的結構、教育的水平、社會的背景、階級的利益、價值的觀念——總之，受其宇宙觀、人生觀、認識觀等等的影響，也常受科學界 (scientific community)、甚至政界的觀感所左右。在這一意義下，社會科學比起自然科學來，更容易受到非學術性事物的干擾，也容易沾染學科以外的色彩。

當代法國著名的社會學家卜地峨 (Pierre Bourdieu 1930—)

認爲社會學的任務在於發現深藏在不同的社會界下面的結構。社會界具有「雙重生命」，也即包含「第一級的客體」和「第二級的客體」，前者爲物質財貨、權力及其分配；後者則爲社會行動者分門別類的感覺。簡言之，社會是由兩個體系構成的：其一爲權力體系；其二爲意義關係體系。要瞭解社會這雙重生命，就要運用反思社會學（reflexive sociology）的方法，讓社會學者自我反思、不斷反省，才能夠接近眞理⑦。

又英國一位著名的社會思想家紀登士（Anthony Giddens 1938—），在檢討了社會學的傳統之後，發現社會學既非自然科學，也不是哲學，而是一門對其研究的對象進行反思的特種科學，他稱之爲反思社會學。社會科學碰到雙重詮釋的問題，亦即遭遇「意義的雙重架構」。一方面是普通行動者所建構的有意義的世界；另一方面是社會學家、或社會理論家對社會的理解與解釋。換言之，在社會現象方面，理論家必須既要解釋常人對世界的看法，也應該解釋專家的說詞，這也是反思社會學的職責⑧。

近年來，有些學者（像Alfred Schutz⑨ 1899-1959）強調社會科學的特質，反對實證主義、行爲主義與語言分析等學派，硬把社會科學當成自然科學來看待。這些學者雖然也同意把人當成社會科學研究的對象，但反對把人只當作一個生物體看待。人是有意識的，因此除了表面上可被觀察的行爲之外，還具有內在的意識。正因爲人的行動是有意向（意識與動機）的性質，人的每一行動，對行動者而言，皆有其主觀的意義，或至少行動者本人賦予每一行動以意義。人的行動或行爲既有這種特性，社會科學考察研究的對象，便不該只局限於外在可被觀察的行爲。實證主義與行爲主義所稱的感官經驗，只是吾人整體經驗的一部份。另一重大部份的意識之被忽略，使社會科學的研究不夠完整。因此理想的社會科學應該同時考察人們內在的意識與外在的行動。

再者，社會現象研究的關鍵所在，不是像自然科學在尋找因果關係、建立因果法則，而是要去掌握身邊以外動態的社會過程中之人類行動底意義。此外，社會現象雖然可用實驗、計量、統計、公式，甚至電腦程式來表達，但許多有意義的行動因素是不易或不能用這些數據來處理的。因此任何過度高估計量與實驗價值的看法，是犯了「泛科學主義」、或「唯科學主義」（scientism）的弊病，這不是社會科學所應盲目效法的。以上數點也可以說是社會科學最近的發展中所強調的特質⑩。

## 五、社會科學的分類

截至目前爲止，我們所討論的社會科學，好像是單獨一個學科（field of studies），其實它乃是包括許多學科合成的知識之總稱。在英文中 social science（單數）與 social sciences（複數）是同時並用的。與社會科學相對的，除了前面所敍述的自然科學（又分成物理科學與生物科學）之外，尙有所謂人文科學（human science）。有人認爲人文科學的主題爲宗教、倫理、哲學、藝術、文學等等涉及主觀與評價性質的學問。這與追求客觀、互爲主觀的自然科學與社會科學，完全不同，所以應稱之爲人文學科（humanities）才對。又有人把人文學與社會科學，合併成人文社會科學或精神科學（Geisteswissenschaft）來看待。我們認爲把人類的知識分成自然科學、社會科學與人文學，應是比較妥善的分類法。

至於這三大種人類知識中，各自又包含了很多更爲精細的分科（disciplines）或稱之爲分支。社會科學每隨學者見解的不同，而有不同的分科。一般而言，作爲社會科學核心科目的有：社會學、人類學（特別是社會人類學或文化人類學）、心理學（特別是社會心理學）、政治學、經濟學。此外尚有：社會地理學與經濟地理學（或合稱人文地理學）、社會統計學、法律學、歷史學、教育學、工商管理學、大衆傳播學、社會工作、精神治療學、生態學（ethology）、語言學與區位學（ecology）等等，也可以併入社會科學的範疇中，而各別成爲其分科之一。

在這麼多不同的分支中，有些科目，自稱爲社會科學最重要、或發展最進步的旁系，例如經濟學稱爲社會科學的皇后，而政治科學又稱爲主科（the master science）。不過，一般來說，社會科學最重要的分支，仍舊爲社會學、文化人類學、社會心理學、政治學與經濟學。其中前面三科（社會學、人類學與心理學）又自行構成行爲科學的核心。美國學者一度傾向於把行爲科學與社會科學合併看待。例如1966年，美國國家科學院（National Academy of Science）與社會科學研究會（Social Science Research Council），聯合設置一個行爲與社會科學調查委員會（The Behavioral and Social Sciences Survey Committee），便將行爲科學與社會科學當成一大學科來處理。在該委員會的報告中列舉九項分支，按英文字母排列，計爲人類學、經濟學、地理學、歷史學、政治學、精神治療學、心理學、社會學，以及行爲與社會科學中使用的統計學、數學與電腦學⑪。

對於社會科學而言，歷史可以說是社會歷史。儘管他們常常把它細別爲政治史、經濟史、宗教史等等。歷史學是對過去發生的事故之描述與解釋之學問。早期史學的任務，在於忠實地記錄與描述獨一無二、且又無法重複演出的（idiosyncratic）歷史事件，而非在許多歷史事實中求取一般性的客觀規律。在這一意義下，歷史學可以說是接近人文學，而與社會科學較少關聯。不過自19世紀以來，以德國藍克（Leopold von Ranke 1795-1886）爲主的史學家，力倡用科學方法來重整、分析、記載與說明歷史事實。自此以後，歷史學便具有科學的性質，而成爲社會科學的一個分支了⑫。

總之，社會科學的分支，所以未能確定，固然與學者分類的主張各各不同有關，也與社會科學不斷的進步與研究範圍的擴大有關。例如區位學、人口學是由社會學分離出來，而生態學則爲社會心理學與生理學衍生而來的。這些例子在說明隨著人類社會的工業化、都市化、現代化的到來，社會科學也不斷地蛻變與進展，這是現時我們研究社會與行爲科學所應加留意的。

## 注釋：

①關於社會科學與自然科學的不同，一度爲英哲穆勒 (John Stuart Mill) 以及新康德學派諸家（狄爾泰,溫德爾班,李克特等）討論的重點。這些19世紀乃至20世紀初英、德的哲學家，強調與自然科學相對的科學，不是社會科學，而是所謂精神科學 (moral sciences, Geisteswissenschaften)，或稱人文科學 (human sciences)、人文學 (humanities)、或稱文化科學 (Kulturwissenschaften)。後來有人（像韋伯）始將社會科學列爲與自然科學相對的「實在科學」(Wirklichkeitswissenschaften)。關於此，請參考洪鎌德＜社會科學與理念類型＞，載同作者 1977《思想及方法》，台北：牧童出版社，第278頁。

②Dilthey, Wilhelm 1923 "Einleitung in die Geisteswissenschaften : Der Aufbau der geschichtlichen Welt", *Gesammelte Schriften,* Vols.I and IX, Leipzig: Tübner.

③參考 Martindale, Don 1968 "Verstehen", in : David L.Sills (ed.) *International Encyclopedia of the Social Sciences,* N.Y. : The Macmillan Co. & The Free Press, Vol.16, p.308 ff.

④*Ibid.*,p.309.

⑤Martindale, *ibid.*, p.311.

⑥參考：魏鏞1971〈社會科學的性質及發展趨勢〉，刊：《雲五社會科學大辭典》，第一冊社會學，台北：台灣商務印書館，第3至6頁。

⑦洪鎌德 1995〈卜地峨社會學理論之析評〉，《台大社會學刊》，24：22-25.

⑧洪鎌德 1996〈紀登士社會學理論之述評〉，《台灣社會學刊》，20：199-200.

⑨請參考洪鎌德 1997《社會科學與政治理論——當代尖端思想之介紹》，台北：揚智出版社，第一章。

⑩高承恕：〈社會科學之特性〉，刊：《哲學與文化》，第14期，1975年4月1日，第27至33頁，特別是第28至29頁。

⑪關於美國社會科學與行爲科學發展的情形，可參閱高希均主編，旅美中國學者所執筆的《現代美國行爲及社會科學論文集》，台北：學生書局，1973，該文集收有地理學、歷史學、法律學、語言學、大衆傳播學、哲學、精神醫學、心理學、社會學、都市計畫學、經濟學與政治學計十二學門。其中哲學與歷史學被目爲行爲與社會科學，與傳統分類不合，法律學與都市計畫學似屬於應用社會科學之範圍。此書爲集體寫作性質，故各科的體制與份量、形式與內容、程度與水準，都未齊一，作爲初淺介紹讀物則可，作爲深入研究的工具書或 handbook，則離理想尚遠。魏鏞氏對該書評價未免過高，評語見〈評介《當代美國行爲及社會科學論文集》〉，《中副》，1974年2月24與25日。

⑫藍克重要的著作爲《拉丁與條頓民族史》(*Geschichte der romanischen und germanischen Völker von 1494 bis 1514*) 出版於1824年，其餘著作共錄爲五十四卷，包括教皇史、德意志宗教改革史、英國史與普魯士史等。其著作爲現代史提供科學基礎。

# 第十一章　現代社會科學的發展情況及其趨向

## 一、20世紀的時代

20世紀是人類文明最發達的一個世紀，也是有史以來人類經歷最大變化的一個世紀。在這個世紀中民主革命與工業革命像洪水似地，氾濫世界每個角落。這種革命勢力震撼著向來的文化價值，也改變了傳統的生活方式，它不僅使西方社會幡然改貌，更使非西方的地區面目全非。過去一向習慣於閉關自守、安貧樂道、與世無爭的農業社會，如今面臨著工業、科學技藝、世俗思想與個人主義的衝擊，於是在西方，民族主義、資本主義跟著抬頭，而在東方，反殖民主義的種族革命，也是如火如荼地展開。反封建與反帝國主義的鬥爭與民族解放戰爭交錯產生，此外新殖民主義的崛起，再加上不只個別國家社會變遷迅速激烈，連寰球的政治、商貿和經濟也有重大的變化而形成擴張主義①。擴張主義的結果，造成了本世紀人類兩次空前的大浩劫——世界大戰。

戰後國際新秩序的重建，新國家的獨立，極權體制的誕生，加上各國內政的更新，經濟的安排，科技的應用，促成大衆社會的產生。在大衆社會中，人們不但生活有所改善，教育與知識程度相對提高，更重要的是由於大衆傳播媒介與交通電訊器具的發達，促成廣大地區間群衆的心智交流。於是人際關係不僅是量的增加，更是質的加深，因此也就日趨複雜化②。

隨著人們生活程度的提高，新的慾望與期待也跟著升高。於是20世紀中寰球性政治、經濟、社會、文化等方面的變動與紛擾，便是由於人們節節升高的願望、需求、期待等所促成的。正如美國史學家兼社會學者，倪士弼（Robert A. Nisbet）所稱：「在所有的革命勢力當中，影響最爲重大的，當推節節升高的期待之革命(revolution of rising expectation)」③。因爲一旦這種期待的革命爆發，進而獲致勝利，於是勝利的成果，像權利、自由、安全的獲取，便會鼓舞人們得寸進尺，冒險去贏取更多更高的價值與可欲之物。因此心智的革命是導致人們拋頭顱、灑熱血爭取其他革命成果的原動力。至此，我們發現在20世紀中，人的本身已發生心智上的變化，進而促成人與人之間關係的變化，乃至人與其所處環境的變化。

## 二、人類心智的變化

毫無疑問地，人類由於本身心智的變化，而企圖改善其環境，改善人與人之間的關係。反過來說，當人們所處的環境與人際關係有所變化，也會影響個人心態的改變。所謂「衣食足而後知榮辱」，當人們初步或基本的需要獲得滿足之後，自然會進一步去詢問人生的意義與目的。這種說法，可以用當代歷史哲學家史賓格勒（Oswald Spengler 1880-1936）及湯恩比（Arnold Toynbee 1899-1975）有關歷史的意義與目的之考察，而取得答案④。

20世紀中，原本主宰人類行爲的進步思想——啓蒙運動所鼓吹的說法——雖然尚未消失，但卻遭遇了另外一種相反的悲觀論調之挑戰。上述歷史哲學家有人主張西方文化是趨向沒落的，也有人主張人類歷史是循環演變的，而非直線上升的。因此反映當代人類思潮的看法，便是錯綜複雜。一方面我們看到頌揚人類地位的抬高，物質生活的改善，精神生活的加深，合群性的發揮等；他方面我們聽到現代人孤獨無依、失序 (anomie)、疏離 (alienation)、社會的解體(disintegration)、群體生活的麻木不仁等等。要之，現代人是矛盾而又相互衝突的人性底產品。

近數十年來，由於全世界戰火連綿，擾攘不安，而使有心人士懷疑理性在人事處理上所扮演的角色。這一懷疑，剛好與二百年前社會科學萌芽時人們所鼓吹的理性主義，成一絕大的對比。換句話說，當代的思想家，已看出人不單單是一個理性的動物。人的非理性部分，唯我獨尊的思想，主觀的色彩，在在都影響人們的言行。因此個人的寂寞，自由的落空，憂懼的瀰漫，靈智的淹沒 生存的意義，抉擇的重要等等都成爲當代哲學思想——特別是存在主義——的主題⑤。

乍看起來，人類心智的恐懼以及人生的意義，與社會科學的研究是風馬牛不相及。但是我們如果仔細去考察，便會發現這些現代人的心態，是當代社會科學發展的境遇 (contexts and ambiences)。蓋「失落的個我」不僅是當代哲學或文學關心的對象，也是20世紀社會科學不容忽視的主題。特別是疏離、異化、失序、認同危機⑥、違規 (estrangement from norms) 等概念，都是當今文化人類學家、社會學家、社會心理學家、政治學者津津樂道，而又致力尋求解答的謎題 (puzzle)。

顯然有關文化與社會現象的研究，都離不開對人類文化的考察，而考察文化的途徑，除了社會科學之外，應輔以哲學、文學、神學、美學、倫理學等人文學科。社會科學是研究人與人關係的科學，是研究人與其棲息的環境之間的科學，是研究個人思言云爲的科學。既然當代人際的關係，人與自然的關係，人與人的行爲都發生了劇烈的變化，且趨向複雜，那麼有關這類對象的研究，也自然水漲船高跟著產生變化。因此，我們可以說，20世紀的社會科學是社會科學發展過程兩百多年當中，質與量變化最劇烈的時期。

社會科學產生在歐洲，卻在美國開花結果。美國對社會科學的研究有後來居上的趨勢。這固然由於20世紀以來美國國力的壯大，成爲西洋諸列強的龍頭，也是由於第二次世界大戰前後，歐洲優秀的社會科學家紛紛走避納粹的迫害，而赴新大陸謀生與發展的結果。不過第二次世界大戰結束後，歐洲大陸的社會科學也在戰火餘燼上重新興建，其研究結果直追19世紀，而有更輝煌的成就⑦。

## 三、馬克思學說與凱恩斯革命

根據倪士弼的說法，20世紀的社會科學受到兩個人的影響最爲深遠。一個是馬克思，另一個是佛洛依德，兩人都是猶太人的後裔。馬克思雖然是19世紀的人物，但他的學說，在20世紀由於俄國革命的成功，加上列寧的鼓吹，而成爲共產主義的教條，並支配著東方陣營的意識形態，直至1990年代才趨向式微。其間也因爲毛澤東、胡志明、金日成的宣揚，遂把馬克思主義應用於東方落後的社會。

在西方，或所謂的自由世界，馬克思的學說，對社會科學並沒有直接的影響，而只有間接塑造了一些與社會研究有所牽連的心態，例如一度活躍於歐、美的極端性政治運動，或新左派思潮⑧、學潮與新社會運動等。

撇開馬克思過激思想的觀點——例如階級鬥爭、無產階級革命等——不談，那麼他的學說中，比較可取的是有關社會建設的指引，亦即社會計畫。這類有關中央政府出面干涉人們和私人活動，進而改造社會的念頭，強烈地影響了英國經濟學家凱恩斯（John Maynard Keynes 1883-1946）的學說。凱氏的學說通稱凱恩斯主義，係就資本主義一般危機時代，明確指摘市場經濟與個別經濟的合理性之矛盾，並欲在修正的資本主義下，消除這種矛盾。蓋若個別經濟始終爲追求最大利潤而行動，則必然會導致不充分就業。凱氏認爲，由於生產力過剩，使社會陷入窒息狀態。此即個人經濟的合理性，未必爲社會經濟的合理性，然而個人主義的資本主義之根本矛盾，如何才能消除？據凱氏的想法，惟有國家出面干涉，運用金融政策，始能拯救資本主義的危機。凱氏這種國家干涉的觀點，也就是俗稱的凱恩斯革命，對當代西方的民主政治有深遠的影響。從此之後，西方國家的中央政府（或中央銀行）等國家機器開始過問向來屬於人民私人的自由的經濟活動，而使經濟體制更能發揮其功能，因此，凱恩斯之名與民主的計畫經濟相牽連，實無異馬克思之名與共產經濟政策相聯繫⑨。

## 四、佛洛依德對當代社會科學的影響

就心態與性格而言，佛洛依德對當代文化與思想的影響，絕對不在馬克思之下，他有關潛意識、孩童性心理、本能、衝動等理論，對心理分析與精神治療而言，不僅爲金科玉律，其影響還遠超於此一範圍，而及於當代社會科學各學科的領域。

根據佛洛依德的看法，社會行爲與人們的態度，並非僅爲外界環境刺激的反應，而常是滿足孩童時代的需求——例如承認的需求、權威的需求、自我表現的需求等。這些需求與慾望在幼童時代不爲社會所接受，因而被驅出意識層，而潛入下意識之中，但在那裡仍活動不輟。此種下意識的活動，採取種種方式，尋求出路。因此，夢、失言、無意識的活動，乃至於文藝、科學活動等，都是表現的方式。心理分析即在專家指導下，任由觀念的自由聯想，並藉由語言以表達下意識慾望，從而醫治心靈創傷的一種療法。這種醫療法後來遂演展爲醫學的一個分支，亦即精神醫療學。

關於心理分析與社會科學的關係，佛洛依德在其所著《非專業者的分析》(*Die Frage der Laienanalyse*) 一書中，曾經說：「我們不認爲把心理分析交給醫學去包辦是妥善的。……當作深度心理學 (Tiefenpsychologie)，潛意識學說對於涉及人類文化及各種制度，諸如藝術、宗教、社會秩序等底產生有關之科學，是有極大的助力」⑩。的確，佛氏的眞知灼見對當代社會科學的發展，有不可磨滅的貢獻。例如，人類學家即曾應用佛氏的概念去考察原始的文化，而估量潛意識是否普遍存在於人心之中。政治學者利用佛氏的觀點，去闡明權威的性質，特別是剖析極權主義的大權獨攬，源於對絕對安全之渴求。

自從二次世界大戰結束之後，許多學者對人類的侵犯性、核子戰爭的陰霾、國際政治行爲與外交政策決斷過程等問題，都採用心理分析或精神醫療學的觀點，來加以解析研究。因此我們可以說，20世紀的社會科學的確受到佛洛依德重大的影響。

## 五、現代社會科學趨向

在討論過20世紀社會科學的思想潮流，特別是社會科學所受馬克思與佛洛依德的影響之後，我們打算在本節考察一下現代社會科學發展的基本動向。

20世紀社會科學發展的趨向，大約可以歸納成以下數點：社會科學發展質與量的劇增、各種社會科學分支的專門化 (specialization)、社會科學工作者的專業化 (professionalization)、經驗主義 (empiricism) 的抬頭、社會科學方法的刷新、科際交融 (cross-disciplinary approaches) 與統合，以及社會科學新理論的建構等。

## 1. 社會科學質與量的劇增

社會科學雖然是西歐18、19世紀民主革命與產業革命所激發的文化與思想底產物，但隨著這兩大革命潮流的氾濫，社會科學運動不旋踵遠播至北美，乃至東方的日本與中國。在20世紀中我們尚且目擊西方社會思潮在亞洲其他地區、中東、非洲、大洋洲、拉丁美洲等地澎湃激越，而成爲這些廣大地區的民衆追求國家肇造、經濟發達、社會進步與文化興盛的動力。

固然在西歐、北美、大洋洲等西洋文化凝聚中心地帶，社會科學得以蓬勃發展，而蔚爲壯觀。就是極力講求工業化、現代化、城市化的日本與前蘇聯也急起直追，而使社會科學的質量產生激增的現象。新興國家或所謂的第三世界，爲了拋棄落伍的恥辱，迎頭趕上西方先進國家，因此在立國之初，除了大力提倡自然科學與工藝教育之外，也逐漸重視社會科學的發展。這些地區有關社會科學推進的努力，雖然尚無石破天驚的成就，但其發展的潛能，卻不容低估。

總之，20世紀的世界是社會科學發達的溫床。我們不僅發現各國高等教育的極度擴展，因而促成從事社會科學研究人員激增與素質提高，更欣見國際的機構（例如聯合國教科文組織 UNESCO 所屬社會科學部⑪），或國內工商私人企業對社會問題與學術思想研究團體之研究的資助、鼓勵。詳言之，各國當局不但大力擴展大專學校社會科學研究的設備與規模，並與私人機構合力提供各種獎助金，獎勵社會科學的研究，於是不但社會科學研究者人數激增，其撰寫的專文，編印的雜誌、期刊、研究報告也水漲船高，聲勢浩大。事實極為明顯，20世紀以來，人類有關其本身個人的行為，有關人際之間的關係，以及有關人類與其生息活動的環境之關係，所獲致的知識之豐富與精確，絕非18與19世紀兩百年累積的知識所可以比擬。

## 2. 社會科學各分支的專門化

20世紀的社會科學界，其研究與教學的內容，不僅擴展至日趨複雜的社會之各方面，並深入社會的各階段，俾做徹底無遺的現代社會之探究。此外，社會科學的分工愈細密，各種專門性質的分支也愈益形成。例如人文與社會地理學之細分為政治地理學、經濟地理學、都市地理學。而政治地理學本身又因研究對象之不同，可細分為國別的政治地理學、區域的政治地理學或寰球性的政治地理學，或是分為政治區域與政治事件（政治現象的地理分佈或地緣因素）等。又如社會學一學科，也因研究重點之不同，而分別考察社會組織、文化、社會化、社群、社會階層化、人口及各種社會制度。其中涉及人口方面又可專門地敍及有關人口數量的研究，是即為人口學（或人口計量學，人口描述學demography）。

這種科學專門化的產生，大部分歸因於學者對某一部門專精的分析、解釋所導致。但也有些部門是由於新的研究方法而產生。例如以前擔任哈佛大學國際關係科目的教授竇意志（Karl W. Deutsch）氏研究政治的情報與訊息之交通，也即研究政府當作全國神經中樞（nerves of government）之功能，而提出政治溝通（political communication）的理論，更將這種理論與方法論中的控導學（cybernetics）聯繫在一起，於是形成了政治控導學（political cybernetics）一門學問⑫。再如，藉數學推算而預言從事賭博或遊戲者之策略及行爲的博奕論（game theory），即可被應用於經濟學之上，也可以作爲研究外交政策中決策者行爲的理論基礎，這些都是社會科學研究日趨專精的顯例。

## 3. 社會科學工作者的專業化

現代社會科學發展的一個特質，是指從事社會科學研究人數的衆多，與研究者的專業化。所謂的專業化是指社會科學研究工作者心無旁騖，完全以社會科學的研究、教學爲其專門職業。例如在學術機關從事教育、講學、研究爲主旨的學術人員，或在政府及私人機關擔任分析、設計、計畫、諮議、顧問等的研究人員，都是社會科學專業工作者。

專業化之產生與社會分工愈趨細密有關，也與社會科學各分支專門化、分殊化有關。更重要的是社會科學不但是人類理論性的思維活動，它還具有相當程度的實用性。是故大廠商、大公司行號聘請經濟學家、市場學家、品質分析專家，從事有關生產、銷售之規劃以改善產能；雇用律師、法學者研究與產銷有關的法令規章問題；聘用社會學家、社會心理學家，研究員工勞動心態與效率等問題，這些實例都是吾人熟知的。至於政府引用學者專家擔任政策顧問，形成智囊團（Brains Trust），也屢見不鮮。

隨著第二次世界大戰結束後，大批學者專家之擁有專職，並參與公衆事務，使社會科學所造成的形象（image），有了極大的改變。一向被視爲空中樓閣、或畫餅充飢的社會科學，一躍而成爲牽涉政策制訂（policy-making）的實用科學。特別是全世界一度處於核子戰爭陰霾下，人間到處各種各類的衝突（人際、群際、國家、地域、乃至集團的爭衡對抗）層出不窮時，亟需社會科學家加以分析，提出解決途徑，俾供當權者抉擇時參考。在此一意味下，近三、四十年來，社會科學的研究，幾乎凌駕於其教學之上，這也是其近年來發展最明顯的趨勢之一。

## 4. 經驗主義的抬頭

西方社會科學的發展中，本來就有所謂經驗性科學（empirical science）與規範性科學（normative science）之分。前者重視感知與推理，強調社會科學研究的成果，既須符合經驗的事實，又須不違邏輯的理則。此一論調，比較接近自然科學的觀點。後者則認爲社會現象不僅是客觀或稱互爲主觀（intersubjective）的描述、分析、尋找因果關係而已，更重要的是評估其價值，判定其是非，規定（perscribe）人們應有某些行爲，指陳此一科學發現與國計民生之關聯（relevance）、或重大意味（significance）等。此外，社會科學又因東西集團之對峙，而分爲共產陣營的馬列社會科學與西方民主國家的市民階級的社會科學，直到蘇東波變天（蘇聯、東歐與波蘭政局改變），這種東西兩陣營的對抗與意識形態的對立，才逐漸消失。近年來由於寰球性的經濟危機，導致世界南、北兩極的對抗，亦即貧窮國家與富裕國家之間的對立。在此情形下，貧窮國家所發展的一套社會科學（例如早先Fanon 1925-1961及「新左派」的論調，以及解放神學、綠色運動，少數民族運動，便是替第三世界國家或第四世界國家撐腰），勢必與富裕國家的社會科學大不相同。

不管當今社會科學的派別如何分殊，凡直接承受西方文化衝擊的地區，率以經驗性的社會科學爲主流，因此在社會科學中，經驗主義特受重視，其地位也較崇高。經驗性科學受重視的結果，便是大量資料（data）、證據（evidence）的收集、整理、分類、排比、解釋。於是科學研究遂成爲牽涉到事實（fact）的資據（資料與證據）之處理程序。其目的在於建立科學無徵不信、無驗不靈的客觀標準。不過因爲太重視資據的關係，終於造成資料的氾濫（inundation of data），以及學者之過分瑣碎（triviality）、或零碎(fragmentation)，這是極端的經驗主義所造成的流弊⑬。

## 5. 社會科學方法的刷新

正因爲20世紀的社會科學重視經驗主義，因此資料的收集、證據的求取、事實知識（factual knowledge）的獲致，都成爲科學工作者競相獵致的目標。爲此調查、訪問、問答、對話等方法遂成爲社會科學的主要研究方法、手段與途徑。有關調查、訪問等技巧的改善、刷新、精緻，也獲致相當的進展。

在科學方法的改善中，以數學、統計學、電腦、計算機、網際網路等計量方法之引用，最爲卓著。我們也可以說，自從第二次世界大戰結束以來，社會科學之所以突飛猛進，實在拜受資料標準化、規格化、數量化、精確化之賜。號稱社會科學的皇后之經濟學，因大量使用數學符號、公式與統計資料，而有非凡的表現。數理經濟學與計量經濟學（econometrics）便成爲這門科學尖端發展的標誌。當今社會心理學、社會學、人類學與政治學也紛起效尤，企圖藉數理、統計的資料來奠立各門學科的科學基礎，但東施效顰，成效不彰。

過去三、四十年時間中，社會科學的研究更借用電腦的操作，俾進行高速而複雜的計算，並利用電腦來處理資料（包括打孔、歸類、分析、製作圖表）、儲存資料、利用資料（透過電腦與網際網路使儲存的資料重新提供訊息〔information retrieval〕）。此外利用代數的或然率、行列式、解析幾何、向量分析及微分方程式，乃至集合論、矩陣（matrix）、線形規劃（linear programming）、馬可夫鏈（Marchov chains）、時序（time series）等來分析社會事象。如今這方面的努力也獲得重大的成就。社會科學此一量化的發展與20世紀的行爲科學（behavioral science）所懸宗旨不謀而合，因此也可以說是社會科學中行爲學派的抬頭，或稱社會科學的行爲運動（behavioral movement），也無不可。

## 6. 科際的交融與統合

今日科學的研究最忌閉門造車，自以爲是。不僅某一專科研究的結果應公諸同一學界的實證檢驗，亦即與其他同科系的學者交換研究心得，尚且應與其他不同科學部門的學者討論與溝通。原來學問的分類與界限都是便利研究者專精而設的暫時性措施。社會現象，既是百般複雜，而又瞬息萬變，更是總體表現，則研究者勢必不能畫地自限，亦即不可把任何社會現象勉強劃分爲屬於社會學的範圍，還是經濟學的範圍。相反的，很多社會現象應以多種的角度，多種的面向，多種的層次，來深入考察，並將來自不同學科的考察予以綜合活用，甚至強調理論與實踐的合一，才能獲窺研究現象之全貌，也就是獲取對總體社會實在完整的知識。

基於上述的事實，現代社會科學最重要的一個特徵，便是它屬下各分支之間科際的交融與統合。我們不僅應採取多種學科的（multi-disciplinary）方法，也重視學科之間科際統合的（inter-disciplinary）方法。在此意味下，我們發現了許多學科的混血兒，像政治人類學、消費心理學、工業社會學、地緣政治學，是由兩種或三種以上不同的社會科學所構成的。此外，我們還發現由地理學、社會學、生物學等衍生的環境學（或譯生態學、區位學ecology），由神經生理學、神經學、社會學、人類學與心理學等衍生的精神醫學（psychiatry）等。這些學科不僅介於社會科學各分支科際之間，甚而還包括了自然科學的某些部門，由是足證科際交融與統合在現代社會科學發展上所扮演角色的重大。

## 7. 社會科學新理論的建構

科學的活動，包括對所考察的現象加以客觀的描述（description），對其因果關係加以合理的解釋（explanation），同時也對該現象未來可能的演變，提出可靠的預測（prediction）。不管科學活動涉及的是描述、解釋抑或預測，都需要持之有故，言之成理。因爲科學活動的目的，在於提出一項有關現象的通則來。至於如何才能提出適當的通則，又通則是否可靠、有效，能否經得起事實與邏輯的考驗，這便涉及到所謂「理論建構」（theory formulation）的問題了。

社會現象因爲變項（variable）較多，而變項難被駕馭、難被控制，因此，社會科學所建構的理論也就缺乏放諸四海而皆準，俟諸百世而不惑的可信度。

現代社會科學逐漸放棄大而無當的「偉大理論」（grand theory）⑭，也不用頭痛醫頭、脚痛醫脚的「權宜理論」（ad-hoc-theory），而多半採用美國社會學家梅爾頓（Robert Merton）所稱的「中程理論」（theory of middle range）⑮。所謂中程理論即介於偉大理論或稱一般理論（general theory）與權宜理論之間的特殊理論（specific theory）。這種特殊理論只討論到某些學科中的某些部門。例如經濟學中的廠商理論（theory of firm），社會學中的乖異（deviance）理論，政治學中的溝通（communication）理論，社會心理學中的態度形成（attitude formation）的理論，文化人類學中的不同發展（divergent development）的理論。在所有的這些個別而又特殊的理論中，能夠牽涉到全部學科的理論，除了經濟學外，尙不多見。

不管如何，社會科學中程或特殊理論的建構，也可以說是這門科學在20世紀中發展的一種趨勢，這是值得我們留意的。

## 六、當代社會科學研究的主要問題

在過去三、四十年間由於新的社會科學的哲學之產生，以及由於對以往研究途徑、方法論、理論觀點之爭議，而形成新的典範（paradigm）。每一研究法和理論觀點自成一個傳統，而每一傳統總有其創立者、支持者與批評者，於是形成百花齊放、百家爭鳴的局勢。在此情形下，學者欲瞭解現代社會科學的發展情勢，或採取某一典範或理論觀點，而討論它與其他典範、其他理論之異同，以比較和尋源的方式去瞭解該典範或理論之特質；或是採取折衷、綜合的方式，把各家之言加以採擇、去蕪存菁。但這兩種方法的採行，卻愈來愈困難。特別是在各種選擇可能性中作一俯瞰式的綜合概覽，也因為理論與典範之衆多、範圍之廣大，而發生掌握的困難。這不僅對新手是件難題，就是老練的社會研究熟手也未必能夠掌握全局，對社會全貌繪出客觀眞實的圖像。

基本上，學者們的討論仍離不開對社會科學作為科學的學術地位（status）之質疑與反思。這包括(1)社會科學究竟是什麼樣的科學？(2)自然科學的方法可以應用到社會科學嗎？(3)自然科學中以何種研究途徑為適宜？(4)社會科學要討論的實在（reality）具有何種的本質呢？(5)什麼樣的研究問題可以提出？(6)研究由何處出發？(7)理論該具有何種形式？如何建構？(8)常人的語言與專技語言的關係如何？(9)研究者與研究對象有何關係？(10)如何使研究的結果客觀化、無偏見而又有效？

## 1. 社會科學的性質

至今仍無直截了當的答案來回答社會科學是怎樣的一門科學。反之，過去一百年來哲學家與社會學家便一直在爭論社會科學的性質。首先主張社會科學是科學的人（如孔德、斯密、馬克思等人）只關心用什麼方法來研究社會實在，可以使社會科學變成「眞實的科學」。

## 2. 自然科學的方法之應用

一些社會學者強調社會科學研究對象之特殊（研究人的精

神、文化之特色、歷史的一次出現和獨特性、研究人的心向、瞭悟）所以不認為使用自然科學方法可以理解社會實在。特別是認為社會現象是人的意志、決斷、行動所造成，是具有「自由意志」的人群交互行動之產品，與自然現象之必然演變有異。但有人則認為社會現象仍舊可以被觀察、測量、計算、解釋，這是無法從科學方法中逸脫的社會事實。界於上述兩種觀點之間的是主張自然科學與社會科學雖然由於研究對象的不同，而採取不同的研究方法，但何謂方法？自然科學的觀察和實驗方法在運作上未必能夠完全令人滿意，在科學方法論的層面也未必能放諸四海而皆準，俟諸百世而不惑。換言之，就算是嚴格的科學理論，其方法也是科學界暫時公認可取的典範，在過一段時期後，可能會發生改變，是故這批人主張社會科學同自然科學一樣並沒有方法上的差異。

### 3. 自然科學適當的方法

事實上，迄今仍無法為唯一可取的科學方法做一個人人都可接受的「規定」(prescription)。所謂適當的方法可分成三類：其一，科學方法始於純粹的觀察、終於概括化和理論的塑造；其二，科學方法始於暫時的假設，它被觀察所檢驗為符合事實，抑違離事實；其三，觀察的對象所呈現的規律性是由於隱藏的機制所產生，因之有必要建立機制的模型，俾為機制之存在找出證據。嚴格而言，不少自然科學家在接受訓練與教育時，毫無自我意識地採取某一研究方法，有時連選擇方式也是在無意間進行的。由是社會學界也對採用何種自然科學的研究法爭議不斷。

## 4. 社會實在的本質

社會現象的複雜，正說明造成社會現象的社會實在（reality）是經常脫逸人們思想、理論、典範、方法的掌握，正因爲社會實在的本質難以掌握，則號稱對此實在的理解之知識，便令人啓疑。一個普通的假設是認爲實在獨立存在於研究者活動之外，因之，可由觀察者五官的感知而掌握。另一假設則認爲實在不過是概念和理論來描述、解釋的東西，亦即由理論家、觀察員的理念所建構的。因之，要理解實在，必須先理解該類概念、理論、觀點。這便是涉及本體論與知識論的問題。與此相關的是檢討研究過程，也就是研究的程序是如何展開，這便涉及社會實在的知識如何取得的問題。

## 5. 研究問題的提出

社會研究是涉及社會世界各種面向的探討、描寫、理解、解釋、預測、評價、改變等。研究者便可以基於研究的旨趣，而提出下列三個主要問題：「何物」（what）、「爲何」（why）與「如何」（how）。「何物」的問題，涉及研究對象是什麼，亦即對現象的探討和描述。「爲何」的問題涉及現象的因果變化關係之因由的解釋和理解。「如何」的問題則涉及實際的結果，也就是改變現象（或稱社會問題）的方式與作法。

## 6. 研究工作的開始

首先解決「什麼」現象、什麼問題有待吾人去發掘、去探討？一旦決定研究的對象，才進一步採取有關的資料，蒐集相關的情報，並去尋覓藏在研究對象背後的機制。接著必須對我們所觀察與描述的現象進行分析，蓋描述中滲有觀察者參與觀察的主觀意見，因之在研究過程中，必須弄清楚才會知道人們在研究「什麼」？但要回答現象演變因由的「爲何」卻是非常不易，這便涉及假設與理論提出的問題，只有當這些問題一一克服之後，最終才能考察與解決「如何」的問題。

## 7. 理論的建構問題

理論外觀上呈現出甚麼樣子？好的理論來自何處？有無必要建立新的理論以取代舊的理論？理論要怎樣檢驗與證明有效？這類問題一向牽連到科學方法的邏輯。對社會世界的研究途徑與研究策略之不同，也就對上述諸問題提供不同的答案。與此相關的爲研究者對世界（社會界）的看法與普通人的看法之不同，而使理論及其研究途徑呈現歧異。

## 8. 俗人語言與專家語言的關係

對社會生活的描述是否只依賴俗人一般使用的日常語言、概念，還是只有專家學者的技術語言、概念才算數？有些研究者喜歡採用由上而下，以專家學者的語言來建構理論，因爲他們擔心常人的語言不夠嚴謹，或無關聯。但有些學者卻認爲應反其道而行，主張由下而上，認爲所有涉及社會生活的日常用語，正反映社會實在的本質，爲了捕捉社會實在，日常生活及其普通的語言，正是建構社會理論殿堂的磚石。

## 9. 研究者與被研究者之間的關係

社會研究者本身爲人，而社會研究的對象也是人，因之有人認爲社會研究是人對人的研究。研究者爲了人的目的，也是與人相處，而對人進行研究。不過研究的結果主要在使研究的人得到知識，得到好處，被研究者所得的好處可能有限。第二種情況是研究者受到某一群落（政黨、基金會、政府）之委託而進行某項社會研究，研究者可能與委託者同屬一群，也可能互不隸屬。第三種的情況爲被研究者要求研究者進行考察探討，俾改善其社會生活，或提高其生活素質。在上述諸情況下，研究者究竟要介入，還是保持中立不倚、不下價值判斷，而追求客觀眞理？這是研究者的基本態度，也是涉及其專業倫理的問題。

## 10. 研究成果的客觀、不偏不倚、有效

社會研究可否獲致客觀的結果，一直是爭議不休的問題。一般的說法是認爲自然界與社會界的運作，有其客觀眞理之存在。只要作者摒棄主觀好惡之情，嚴守研究過程的規則，就會獲得客觀中立的研究成果。另一個相反的看法是有關自然界與社會界的知識都是臨時性的和假設性的，人們可能會接近眞理，但卻不知何時、以何種方法發現了眞理。現存理論隨時都有被更佳理論取

代的可能。因之，科學的目的在尋求更佳的理論。吾人的知識有限，蓋社會實在無法藉觀察直接獲得，只有靠概念和理論間接知悉。概念與理論一旦改變，則實在也跟著改變。一項更爲極端的看法是認爲對世界、特別是社會界的知識都是受時空限制，而呈現相對性。此派否認有絕對眞理之存在。社會生活的律則並非普遍現象，它隨時間與社會環境的變化而呈現不同的形式。是故並無客觀知識之存在，只有人類主觀的經驗之存在而已。

以上便是近半世紀以來社會科學家提出的重大問題之枚舉。這些問題的反複爭辯、考察和省思有助於人們對複雜的社會現象之研究提出適當的方式與策略來⑯。

## 注釋：

①關於現代世界各個社會及寰球經濟的變動，請參考 Russell, James W. 1995 *Introduction to Macrosociology*, 2nd edition, Englewood Cliffs, N. J. : Prentice- Hall.

②關於現代大衆社會的特徵，可以參考宋明順 1975 《現代社會與社會心理》，台北：正中書局，作者自序，及該書第一篇第三章、第四章。

③Nisbet, Robert A. 1974 "History of Social Sciences" , in: *Encyclopedia of Britannica*, Vol. 16, p.986.

④關於史賓格勒的歷史哲學，請參考其著作 1918 *Der Untergang des Abendlandes,* 2 Bände, München, 有中譯本。至於湯恩比的歷史哲學，可參考洪鎌德 〈湯恩比歷史哲學評述〉，原文載：新加坡，《星洲日報》，文化版，1975年11月22日。

⑤關於此，可參考洪鎌德<當代歐洲哲學思潮>，原載：新加坡，《南洋商報》，1975年10月12日與10月19日。

⑥請參閱洪鎌德〈自我的失落與尋求〉一文，原載：新加坡，《南洋商報》，1975年1月5日；現載同作者 1977《思想及方法》，台北：牧童出版社，第101至108頁。

⑦關於近一個世紀以來歐洲社會理論，轉變爲美國社會科學的情況，請參考 Seidman, Steven 1994 *Contested Knowledge: Social Theory in the Postmodern Era,* Albany, New York: University of New York in Albany, 第三章。至於歐洲近半個世紀以來社會科學突飛猛進的情形，則參考 Dierkes, Meinolf and Bernd Biervert (eds.) 1992 *European Social Science in Transition: Assessment and Outlook,* Frankfurt a. M.: Campus-Verlag, pp. 11-26.

⑧關於美國新左派的經濟思潮，可參考本書作者另一專著，1976《經濟學與現代社會》，台北：牧童出版社；新左派的政治與哲學思潮，則參考同作者 1995《新馬克思主義與現代社會科學》，台北：森大出版社，第41至64頁；第157至200頁。

⑨關於介紹凱恩斯經濟學說的著作，可謂汗牛充棟，比較著名的爲 Klein, Lawrence R. 1963 *The Keynesian Revolution,* N. Y. : Macmillan, 初版1947；亦可參考本書第十六章。

⑩Freud, Sigmund 1926 *Die Frage der Laienanalyse*, Wien.

⑪UNESCO：*Teaching in the Social Sciences,* Paris, 1954ff.聯合國教育、科學與文化組織（簡稱聯教組織UNESCO）發行有季刊：《國際社會科學彙報》(*International Social Science Bulletin* 1949-1958)。自1959年之後，該刊改爲《國際社會科學學報》(*International Social Science Journal*，簡稱ISSJ)，每期選擇社會科學一專題，由國際知名學者撰文加以討論。此外編有 1968 *The Social Sciense: Problem and*

*Orientations,* The Hague/Paris：Mouton/UNESCO，和 1970 *Main Trends of Research in the Social and Human Science,* Part I，The Hauge/Paris：Mouton/UNESCO等書。

⑫Deutsch, Karl W. 1966 *The Nerves of Government: Model of Political Communication and Control,* New York: The Free Press, 1st ed., 1963.

⑬Easton, David 1969 "The New Revolution in Political Science", in: *The American Political Science Review,* Vol. L XIII, No.4, Dec., pp.1051-1061.

⑭此為米爾士對Parsons等學者所建構的大理論之批評，參考 Mills,C. Wright 1959 *The Sociological Imagination,* New York: Oxford University Press, pp.23, 25-49, 124ff.

⑮Merton, Robert K. 1968 *Social Theory and Social Structure,* New York: The Free Press, 1st ed., 1957, pp. 3-72.

⑯Blaikie, Norman 1993 *Approach to Social Inquiry,* Cambridge: Polity Press, pp. 1-6.

# 第十二章　社會科學的研究方法

## 一、社會現象的複雜

社會現象既然是極端複雜，而又瞬息萬變，我們要掌握它、把捉它都嫌不易，更何況要把這些紛然雜陳、變動不居的現象，加以分門別類，細加考究，這無異是難上加難。不過自從人類出現在這個地球之日起，一直到今天，人們始終不斷地努力去嘗試解開宇宙與人生之謎。於是猜測、揣度、意會、比擬、流傳都曾經是初民探測宇宙與人生奧秘的策略。這些屬於前科學——科學方法使用之前——的玄思或直覺，與科學方法雖然有異，但這一種差異，也只是程度上的差別，而不是本質上的迥然不同。換句話說，常識與科學知識之間的距離，不是我們所想像中的遙遠，在這一意義下，瑞典社會學家兼經濟學家米爾達（Gunnar Myrdal）——1974年諾貝爾經濟獎得主之一——遂指出：科學只不過是把常識加工精製，俾便利人們系統的認知而已①。

不管是常識，還是科學知識，都是企圖把複雜而又劇變的自然與社會現象，加以捕捉，加以掌握，然後化繁爲簡，化難爲易，而成爲人們日常生活的見聞，或科學認知活動之中心。事實上宇宙間萬事萬物的變化，不是像初民所想像的雜亂無章，而是呈現某種程度的秩序與規律。因此，自然科學固然在努力發現各種自然現象的規律，就是社會科學也是企圖在社會現象之間，理出一個秩序或探取一些規則來。

## 二、社會科學研究對象之爭論

社會科學的研究對象是人群，以及人群的行動與關係所交織的社會現象，可是社會現象卻是錯綜複雜，而又瞬息萬變，使人們目迷五色，不易掌握。加之，由於人群所經營的社會生活，是世代積累而具歷史傳統與文化價值，更隨地理分佈的不同而呈現多姿多采的文物與民俗精神，因此19世紀的英哲約翰・史都華・穆勒遂稱，研究此等現象之科學爲道德或精神科學。在同一世紀中德國著名的學者像狄爾泰與李克特，也紛紛討論社會科學的性質、研究對象、範圍與方法學等問題。

這批19世紀的德國學者——所謂的新康德學派——反對穆勒有關道德科學之落後是由於沒有採用物理科學的方法之說詞，而確認社會科學自有其特性與特殊研究方法。依據狄爾泰的看法，社會科學所研究的是人們內在的精神與心靈的活動，而自然科學所研究的對象則是外在的理化過程。是故，社會科學應稱爲精神科學（Geisteswissenschaften）。

溫德爾班指出：自然科學與社會科學不同之處，在於前者爲掌握自然界的實在（Wirklichkeit），而求其普遍廣泛的規律法則，是即爲律則（nomothetisch）科學；後者，特別是歷史學，乃爲注重特殊與個別的現象，重視社會現象獨一無二、不再復現的特性，是即爲所謂特性（idiographisch）科學。

李克特不贊成狄爾泰稱社會現象之研究爲精神科學。反之，他主張使用文化科學（Kulturwissenschaften）一詞。他指出：

人文與社會現象研究之標的，並非精神、或心靈、或思想之屬，而是人類文化活動的產品和制度。亦即社會科學研究的對象為文化產品與文化制度，以及這些產品與制度所涵蘊的意義。據此，他續稱：藉著抽象的律則把資料加以整理組織，便是自然科學。反之，藉著瞭悟或理解（Verstehen）的過程，把個別、而又具體的情狀加以掌握，進而明瞭其意義，則為文化科學追求的目標。不過，文化科學如要理解文化活動與制度的意義時，則又需要考察各個文化的價值（Wert）。價值云云，並非可以觸摸、而又眞實的事物，它是超越於現實之外的效準（Geltung）。在此一意義之下，價值與現實是一體兩面，也是針鋒相對。吾人要了解現實，甚而將有關現實的認識加以組織而成為一門學問，便有賴價值的助力。因為價值決定了我們研究現實時所採取的態度與把持的立場之緣故。

李克特這種瞭悟的論調，對韋伯的想法有強烈的影響。韋伯也同樣認為對社會現實中尚未予以組織的複雜現象進行觀察時，研究者的觀點對事象的理解，具有極大的影響，而研究者這種觀點，又受其本人抱持的價值、利益、志趣等所左右，這便是觀察者的認知興趣（Erkenntnisinteresse），或者稱之為認識關心之所在。

## 三、社會科學方法論的產生

那麼要為社會現象理出一個秩序來，並去發現期間的因果律則，便須仰賴一些方法。是故研究方法的問題，也自成一門學問。這便是所謂的社會科學的方法學（methodology of social science）。社會科學的方法學是模仿自自然科學的方法學，力求研究方法的精確、簡易與有效。正如我們以前所討論過的，自然科學的出現與發展，都較社會科學爲先、爲快，因此，方法學方面的進步，在自然科學方面也優於社會科學。從而社會科學方法學之發展，是朝自然科學方法學亦步亦趨，並且還踵事增華。

社會科學的方法學或稱方法論，一度也稱作科學學說（Wissenschaftslehre）。它是由歐洲大陸的實證主義與英國經驗主義，加上美國的實用主義（pragmatism）相激相盪、相輔相成的產物。它又名科學邏輯（Logik der Wissenschaft）。有人又稱它爲社會科學的哲學。

雖然方法論的研討，可以追溯到16、17世紀培根（Francis Bacon 1561-1626）的名著《新工具論》（*Novum Organum,* 1620），但含有現代經驗性研究意味的方法學之討論，卻是19世紀下半葉與20世紀上半葉德國學界倡導而展開的②。今天，方法學既可單獨成爲社會科學的一支，也可以個別地作爲政治學、社會學、人類學、心理學、經濟學等分支的一個部門，由而形成爲社會科學各個分支的導論之主要成分。

很明顯地，方法論所涉及的是社會現象考察的過程與手續、研究成果的評價與溝通、理論和實踐的聯繫與檢討等。這是屬於科學形式或程序的一種，與社會科學各分支研究現象本身的實質（material）或本質（substance）不同。正因爲方法論牽涉到研究的技術層面，因此應用了認識論、邏輯學、辯證法（dialectics）、數學、電腦學、統計學、控導學（cybernetics）以及心理學中有關感覺（perception）與認知（cognition）等方面的知識。正如古人所言：「工欲善其事，必先利其器」（語出《論語》＜衛靈公＞篇），必待工具、手段、方法使用正確，我們才能徹底了解社會現象，而社會科學才能名正言順，成爲研究社會現象的眞正科學。

## 四、社會科學研究的步驟

一般社會科學的工作者，在進行社會現象的研究時，通常都要經歷一些步驟，這些步驟乃是研究過程的階段。有些學者會嚴格地遵守工作程序的規則，逐步推動研究，但有些學者，則按照自己的才能、興趣與經驗，踏上研究之途。這時他研究的步驟，可能與一般人相異。不過無論如何，他仍能達到殊途同歸的目的。總之社會科學還沒有發展出一套「放諸四海而皆準，俟諸百世而不惑」的研究程序來。因此下面有關社會研究的步驟，不能視爲社會科學工作過程的金科玉律，而毋寧說是反映了筆者個人的看法③。

⑴選取研究的對象，發現懷疑的問題。因此，能夠提出適當的問題，是研究達致成功的一大前提。

⑵問題選擇後，便要蒐集有關資料，加以研判，以了解其他學者對此一問題的看法與研究進度。

⑶對別人有關此一問題的論述，提出個人的意見，或表贊同而附和；或表反對而駁斥；或予補充而修正。

⑷把贊同或反對、或補充的意見或個人獨創的觀點，列舉成特定的命題。

⑸闡釋命題中牽連的概念之意義，給概念下達一個運作定義或操作定義（operational defination）。

⑹解析概念中之變項；並分別其究爲密切相干的相依(依賴)變項（dependent variables），還是相干程度較低的獨立變項（independent variables）。

⑺自各個變項之間抽繹出其關聯，而形成假設。

⑻透過邏輯的檢驗與事實的檢驗，來檢驗假設能否成立。

⑼假設若能成立，即爲證實，而可被接受。假設若不能成立，便遭拒斥，則必須另覓其他合適的假設。

⑽被證實的假設，實無異爲一項新的理論。此一理論的形成（formulation）便是科學的一個發現（finding）。

⑾科學的發現，應公諸學界（scientific community），或其他各界（public），亦即藉發表（出版、演講、通訊、報導等）而與他人溝通與共享研究成果。

⑿理論能否轉化爲實務，亦即能否「爲世用」，是一項應用的問題，也是實踐的問題。科學研究也應該謀取理論與實踐的合一。

事實上，上述研究的步驟，不僅侷限於社會與人文現象，也可以應用於物理與生物等自然現象，乃至純粹數理、邏輯及哲學、神學等的研究之上。

## 五、社會科學研究的技巧

除了研究步驟之外，科學的研究尙有賴一些技巧（techniques）或方法（methods）④。

### ⑴ 觀察法

觀察法是依靠感官有計畫、有系統地對社會現象做持續性的探究，以明瞭現象的結構與功能。例如人類學家到蠻荒地帶去觀察原始部落的風俗習慣、社會學家到社區去觀察居民的生活情形、政治學者去旁聽議會中的論戰等等，都是實地的觀察。

⑵ **調查法**

學者利用語言、文字、符號等溝通媒介，去詢問他人，目的在探明被詢問者的意見、態度、願望、希冀、憂慮或企圖等。這是有系統蒐集第一手資料最有效的方法。當今西方國家（包括日本在內）的民意調查、市場調查即屬此種研究方法的廣泛運用。調查法可分爲文字（郵寄問卷、面交問卷）、電話與口頭（面訪）等三種不同的研究法。後兩種亦即一般俗稱的訪問法。

⑶ **實驗法**

這是指學者把其研究的對象，置於依特殊安排的環境中，俾做有控制的觀察。此法的特質爲：研究者可以操縱或控制一部分或全部的變項，同時研究者對研究對象，可以比較精確地予以度量。爲了使實驗成爲可能，學者首先應選定兩組數量與性質極爲相似的研究對象（人或物）。把其中的一組——名爲實驗組——暴露於刺激物（例如特殊的環境、藥物、宣傳品、教室等）之前，另一組——名爲控制組——則不受暴露的影響，然後比較兩組的變化情形。在社會科學中實驗法多用於社會心理學。政治學則常利用模擬法（simulation）與博奕論（game theory）來探究國際政治與外交政策。

⑷ **討論法**

這是群體集合藉人際交通與相互關係來討論人們的行爲及其動機之方法。它們常被應用於市場調查與民意調查之上。此法如能夠與古希臘亞里士多德的集思法（topics）⑤連用，則效果更佳。近年來學者研究法庭斷案與陪審團意見之綜合，而指出人們日常生活中實際的思考方法（practical reasonings）之重要。終於產生一種新的理論，亦即俗民方法學（或譯爲俗民方法論：ethnomethodology）⑥。俗民方法學之產生，可以說是分析討論內容而獲得的成果。

⑸ **考據法**

對社會現象中牽連的事與人物，做徹底無遺的考察，亦即尋找有關此一事件之史料檔案、資料、文獻、記錄，以及涉及的人物之日記、回憶錄、自傳、傳記等。因此又分為文件分析（document analysis）與個案研究（case study）。近年來在考據中，出現了一種新的傾向，即內容分析（content analysis），係對傳播（communication）的訊息之內容，予以有系統、客觀的分析，並製成數據或電腦資料，而加以處理。

其他尚有資料處理、數學模型、統計分析、測驗、標度法（scaling）、選擇法、因素分析、趨向分析等，因篇幅關係，我們無法再詳細加以說明。總之，社會科學的方法或研究技巧，儘管種類繁多，但學者運用之妙卻存乎一心。

## 六、韋伯的「理念類型」

韋伯強調社會科學是一種實在的科學（Wirklichkeitswissenschaft）。藉著社會科學「吾人欲將環繞在吾等生活之實在，以及其特質加以理解，亦即一面理解這種實在所呈現當前個別的現象之關聯程度與文化意義（Kulturbedeutung），一面探究這種實在何以是這般情狀，而不是其他的樣式之原因。吾人加以深思，則吾等今日遭逢之生活上的種種切切，乃是不斷出現在吾人『身內』與『身外』的龐雜事象。這種事象龐雜的情形持續不斷，絕不因吾人選擇某一單純的研究『對象』——例如具體的交易行為

——而稍減⑦」。然則，吾生也有涯，而知也無涯，我們要認識周遭龐雜的事象，只好大海一勺，淺嚐輒止，而無法獲窺全貌，也不可能窮究事物每一方面的精密細緻處。因此，科學所把握的對象，常是事象有限的一小部分。這一小部分剛好也是吾人「值得認識」、或稱「認識價值」(Wissenswert) 的那部分。所謂值得認識的那小部分，事實上正是指事象演變中有軌跡、有步驟可尋，而又足以解釋因果關係之規則性 (Gesetzmässigkeit) 而言。

顯然，爲了瞭解萬般複雜而又變動不居的社會現象，韋伯遂提議使用「理念類型」(ideal type)。所謂的「理念類型」乃是研究者心中的造像，思想的圖畫 (Gedankenbild)，並非眞實的世界中確存的事物。例如人類經濟活動的歷史上，一度出現過而當今又普遍存在於西方世界、乃至於第三世界的「市場經濟制度」，便是歷史現象的「理念」之一。「市場經濟制度」這一理念，所提供人們的理念圖像，乃是藉市場的助力而實行交易，並伴隨著自由競爭與營利爲目的之理性行爲等。我們也可以說「市場經濟」這一理念乃是把歷史上發生過的、或現在仍在風行的人際關係與事象加以綜合，而鎔鑄成一思考之關聯的總體 (Kosmos gedachter Zummenhänge)。在內涵裡，這種思想結構本身帶有烏托邦的性格。它是藉實在的某些要素之思想上的強調或提昇 (gedankliche Steigerung) 而獲得。換句話說，在現實社會中，或歷史實在裡，我們找不到完整的、十全十美的市場經濟之典型的存在。但個別的、具體的、零散的市場、自由交易以及以營利爲目的之理性行爲，卻處處可見。爲了要給這種人際之間貨務 (貨物與勞務) 交易的事情與關係，一個適當的名目，我們遂稱之爲市場經濟，或市場經濟制度。由是可知，理念類型是一種概念的操作，也是一種命名的作法。

同樣地，歐洲中世紀的「城市經濟」(Stadtwirtschaft) 也是一種的「理念類型」。這種類型之獲得，依據韋伯的話，是經由：

> 一個或數個觀點 (Gesichtspunkte) 單方面的提昇或強調，以及經由一連串渙散、而毫無關聯的個別現象之凝集，而此類個別現象，乃增添於被強調的觀點之上。由之，形成統一的思想結構體 (Gedankengebilde)。這種思想結構體之概念的純粹性方面，無法在經驗實在中尋得，它只是烏托邦而已。歷史研究之課題，厥爲在每一個別的案件中，確定這種理念類型與事實之間或大或小的距離，亦即某一城市必須具有怎樣的經濟性格，方可被目爲「城市經濟」云云⑧。

韋伯首先提到理念類型，而加以詳細闡釋，是在1904年彼接辦《社會科學與社會政策學刊》(*Archiv für Sozialwissenschaften und Sozialpolitik*) 所發表編輯方針：<社會科學與社會政策認知的「客觀性」> (Die "Objektivität" sozalwissenschaftlicher und sozialpolitischer Erkenntnis) 一文⑨。斯時韋伯對歷史的研究具有濃厚的興趣，因此所提的「理念類型」，其實是社會現象歷史瞭解的手段之一。

可是韋伯所提的「理念類型」卻缺乏清晰的界定與一貫的內涵，正如美國社會學家帕森思 (Talcott Parsons 1902-1979) 所指出的，此一學說「欠缺同質性」(lack of homogeneity) ⑩。雖然如此，我們仍然可以綜括韋伯對理念類型的一些基本看法：

(1)理念類型 (Idealtypus)，原文前綴字所使用的理念，並非理想、模範、典型等意思，而是牽連到概念、觀念等之上。換言之，科學的概念是無法窮究具體的實在。反之，卻是由變動不居、龐雜難御的實在之中，只能選擇與抽離其一小部分而成爲概念。因之，由概念構成的理念類型並不是實在，在經驗實在當中，也找不到其存在，它剛好是與實在類型（Realtypus）針鋒相對的。

(2)理念類型的獲致絕非學者主觀上的臆測、玄思、直覺之產品，也不是由概念與概念之間的演繹而成。事實上，理念類型係獲自事項所處歷史與社會變遷（historisch-soziale Konstellation），並參酌事象所以引起學者追究之認知興趣而強調該事象之獨特、典型的因素，從而構成了統一形象與思想單元。由此可知，研究者主體的認知興趣，或稱爲主體的認識關心，對概念的形成，假設的提出，乃至理論的建構產生極大的影響。換言之，研究者的觀點決定了理念類型之塑造。誠如日本研究韋伯學說權威學者金子榮一所正確指陳的：「Idealtypus的Ideal乃於可能性中考察事物之謂。所謂可能性，即無矛盾，能有之意。利用理念(類)型以說明或敍述社會事象，即是以『能有』爲媒介以探明『現有』之謂。理念（類）型的方法特色，即在透過可能性以認識現實性」⑪。

(3)理念類型既非假設（雖然它可能爲假設的提出，提出應走的途徑與可行的方向），也非實在的描寫或反映，更非分類的標準，甚或代表某一事象的類屬概念（Gattungsbegriff）。此外韋伯認爲理念類型與平均類型（Durchschnittstypus）、或頻率類型（Häufigkeitstypus）有別，蓋後面這兩種類型牽涉到量的計算，而非如理念類型一樣，只具有質的描述。

(4)韋伯認爲社會科學方法論上的基本設準（Postulat），便是瞭悟法，乃是設身處地，以心比心，瞭解行動者所賦予其社會行動之主觀意義（subjektiv gemeinter Sinn）。由是構成行動者主觀意義之動機，無非是其行爲的意念、理想、規範與價值等概念。這類動機所牽涉的都是心理圖像，而非具體實在，是以有關社會行爲——社會科學研究的重心——之理解，只有藉助於理念類型的建構與引申。

(5)在社會學的認知方面，理念類型提供三層思想上的協助手段，俾將實際經驗分門別類、妥善安排：(A)描述個別事象的理念類型，在於爲具體而不再重複出現的個別事項之關聯，提供解釋的方針；(B)描述具體一般性格的事象之理念類型，則掌握客觀的、可能的事象關聯，俾發現其反覆出現的典型；(C)理念類型而具有社會學普遍規則的性格者，則爲事象的因果關聯，提供清楚的說明⑫。由是可知，韋伯的理念類型實際上包含二項性質相反的範疇，其一爲個別化的（individualisierende）概念，其二爲概括化的（generalisierende）概念⑬。

1913年之後，韋伯的興趣，逐漸由歷史學的考察轉向社會學的研究。自此之後，他已不再留意某些社會過程——諸如資本主義的緣起，或現代官僚體制的形成——所包含「文化意義」（Kulturbedeutung）。反之此後他致力於各種社會現象有系統的分類、描述、解釋與理解，目的在於建構理念類型的概念之體系，俾不論具有何等歷史淵源之任何社會現象，皆能被納入此一概念體系當中⑭。

## 七、理念類型與價值中立

至於理念類型與「價值中立」（Wertfreiheit 價值袪除）之間的關係如何，似乎也值得我們略加研討。韋伯既然認爲社會科學或精神科學所涉及的爲具有「文化意義」與人文價值的社會現象。因此，社會現象之染有一時代與一地方的色彩——「文化意義」——是所難免。另一方面，科學所要求於學者的，卻是研究過程中的客觀化、中立化，亦即摒棄學者個人的偏見、癖性、好惡之情，而力求實事求是，不偏不倚，亦即要求學者在研究過程中保持價值中立的立場。社會科學的研究對象既是具有文化意義的社會現象，更何況社會學者由於個人認知興趣的緣故，而研究某一現象，採用某一研究方法，又在研究過程中，知所取捨，知所選擇，則社會科學者又如何可以免除下達價值判斷呢？換句話說，價值牽涉（Wertbeziehung）與價值中立是兩項完全迥異、乃至相互對立的原則，韋伯如何能夠要求社會科學研究者，同時能夠遵循這兩項彼此矛盾的原則呢？爲了要解除這項兩難的窘境（Dilemma），韋伯遂求助於「理念類型」，蓋理念類型的方法本身含有價值的觀點，但不必藉價值判斷的下達，遂便利學者妥協而能普遍地敍述事象。

原來理念類型的方法在邏輯上來說，是可以分辨「評價的」（wertend）與「價值牽連的」（wertbeziehend）判斷。換言之「理念類型」應該能夠把具體的、社會或歷史現象之「最後價值」加以指明，而本身並不介入認知過程的價值判斷之中。根據韋伯的看法，理念類型的概念係參酌經驗實在的資料，而形成爲一抽象的稱謂，必能統攝這一具體的經驗事實。再者，理念類型也顧慮到一些價值與文化理念，而這些價值與文化理念乃由「文化意義」所賦予研究對象者。只要把社會實在所涉及的這些因素加以強調，將有助於社會實在（社會現象）的指陳，也有助於研究對象所具有「文化意義」的標明。顯然韋伯堅稱其所倡導的「理念類型」並不損害價值中立的原則，蓋最明顯的理由之一爲：理念類型本身僅具名義上的性格，而不含實質上的論斷。韋伯曾經說過：「不管理念類型所具有的內涵如何——是否包含倫理的、法哲的、美學的或宗教的信仰規範，抑包含技術的、或經濟的、或法律政策性的、或社會政策性或文化政策性的原理，或是以任何理性的形式所作的『評價』(Wertung)——其在經驗考察的範圍內建構之唯一目的，在於與經驗實在相『比較』，與經驗實在做對照，或確定與經驗實在之間的距離或接近程度，俾藉儘可能清楚明白的概念，來描述經驗實在，或瞭解與解釋經驗實在的因果歸屬的關係⑮」。

因此，韋伯相信，只要能夠發展適當的理念類型，並把理念類型符合目的地加以建構，那麼對精神科學與社會科學的探究而言，任何研究對象與「價值」之關係遂能確立，而又無須在敍述過程中刻意下達實質的價值判斷⑯。

## 八、韋伯方法論的影響

由於韋伯理念類型既含有個體化與概括化兩個極端的作用，又具有事象個別、特殊，而兼一般普遍的縮寫，亦即一面是歷史學的方法，他方面是社會學的方法，再加上事象的客觀與觀察者的主體之融合，故造成此一理念類型之矛盾與不純。這也是理念類型引起學界物議的原因。韋伯在其晚年，有感於理念類型所引起的紛爭，故改用純粹類型 (reiner Typus)，又稱建構類型 (konstruktiver Typus)、或邊際情況 (Grenzfall) ⑰。

至於受韋伯理念類型說詞的影響，因而建立的類型學說 (Typenlehre)，散見於形態學 (Morphologie)、性格學 (Charakterologie)、建構學 (Konstitutionslehre)、心理學、心理分析學、病理學、動物學諸科中。最近，甚至有人把理念類型學說也應用到民俗學、人類學、考古學以及歷史等的分門別類，而發現理念類型的確具有解釋事象的功效⑱。

在應用上，理念類型可以發揮三種不同的功能，即術語的(terminologisch)、分類的(klassifikatorisch)與發現的(heuristisch)效用。至於某一理念類型究應隸屬於何種功能，並非由概念本身的名目來加以決定，而是由該概念所引發的思想上之關聯而獲知。就術語方面的功能而言，理念類型的塑造，在於提供綿密精確的概念(prägnante Begriffe)，俾能夠藉此等概念之助力，來表達事象明白確實的一面。至於分類方面的功能而言，理念類型只要能夠符合意義(Sinnadäquanz)，而無違於分門別類所設定的標準，也可以界定事象隸屬的關係。最後，就發現方面的功能而言，理念類型可供眞實現象的經驗性決定之用，同時也爲個別情況的因素歸屬之查明，提供說明的樣式(Deutungsschema)。由之，促成具體的假設之提出，而謀求經驗事實之印證⑲。

總之，本章最後三節旨在檢討韋伯的方法論，特別是簡介其中所涉及的理念類型一學說。由於此一學說係產生自韋伯對社會科學當作實在的科學之看法。因之，爲了捕捉實在，有賴特殊的方法才能奏效。繼而指出理念類型的定義與內涵，以及理念類型與價值中立之關係，最後指出這一概念之應用情形。

## 注釋：

①Myrdal, Gunnar 1970 *Objectivity in Social Research,* London: Druckworth, p.3; Ernest Nagel 雖然指出科學與常識的不同，但也認爲科學產生自常識對日常生活的關心，參考其著作: 1961 *The Structure of Science,* New York, Harcourt, pp.3-5;又參考 Turner, Roy (ed.), 1974 *Ethnomethodology,* Harmondsworth: Penjuin Books Ltd., pp.21-26.

②關於社會科學方法論發展的情形可參考洪鎌德 1988 《現代社會學導論》，第五版：台北：台灣商務印書館，首版爲 1972，第23頁以下。

③以下有關研究步驟，可參考魏鏞1971〈社會科學的性質及發展趨勢〉，刊；《雲五社會科學大辭典》，第一冊，《社會學》，台北：台灣商務印書館，第71至72頁。

④技巧、方法與途徑 (approach) 是研究過程中所使用的手段。技巧重研究細節方面，爲具日常性與機械性，而少創發性的應用技術；方法則涉及資料證據處理的方式，亦即獲取資料與處理資料的操作 (operation) 或活動。方法可分爲觀察法、調查法等，或是綜合法、演繹法、分析法等。至於途徑不僅包含資據（資料、證據）取捨的標準，還涉及問題注重的層面，那些問題應該列入考慮之中，那些問題應予棄置，亦即牽連到問題與資據選擇的標準。因此，van Dyke主張研究途徑包括傳統研究途徑、行爲研究途徑（甚至後行爲途徑post-behavioral），或西方研究途徑、馬克思學派研究途徑等。更可以依各種學科 (academic disciplines) 之不同，而區分爲經濟學、社會學、心理學、地理學、哲學、歷史學等研究途徑。參考 Van Dyke, Vernon 1960 *Political Science：A Philosophical Analysis,* Standford, CA.：Standford University Press, p.113ff.

⑤參考：洪鎌德1970〈集思法及其在人文科學研究方面的應用〉一文，刊：《新時代》第十卷，第一期與第二期，1970年1月與2月，第15至16頁及

第27至29頁。

⑥參考Garfinkel, Harold 1967 *Studies in Ethnomethodology,* Englewood Cliffs, N.Y.：Prentice, Turner, Roy （ed.）, 1974 *Ethnomethodology,* Harmondsworth：Penguin, Cicourel, Aron V. 1973 *Cognitive Sociology：Language and Meaning in Social Interaction,* Harmondsworth：Penguin, pp.99-140; 又參考本書第十九章第三節第5段。

⑦Weber, Max 1973 *Gesammelte Aufsätze zur Wissenschaftslehre,* Tübingen：J.C.B.Mohr （Paul Siebeck）, 4.Auflage, S.170-171。以下引用本書時，註明爲Weber, Max, *GAW* 並附頁數。關於韋伯的科學論文集，只有三部分（計三篇論文）譯爲英文，此即*Max Weber on the Methodology of the Social Sciences,* 1973：translated and edited by Edward Shils and H.A.Finch, Glencoe, I11.：Free Press, 1949.

⑧Weber, Max, *GAW,* S 191, 此段華文翻譯已經由本書作者爲之，現略加以修改，請參考洪鎌德 1988《現代社會學導論》，台北：台灣商務印書館，第五版，第212與213頁。

⑨見Weber, Max, *GAW*, S. 146-214.

⑩Parsons, Talcott 1968 *The Structure of Social Action*, Vol. II: *Weber*, New York: The Mcgraw-Hill Book Co., 1st ed. 1937, p. 602.

⑪參考金子榮一著，李永熾譯 1969《韋伯的比較社會學》，台北：水牛出版社，第68頁。

⑫以上參考：Winckelmann, Johannes 1969 "Idealtypus", in: Wilhelm Bernsdorf (hrsg.) *Wörterbuch der Soziologie*, Stuttgar：Ferdinand Enke Verlag, S.439-440.

⑬Von Schelting, Alexander 1934 *Max Webers Wissenschaftslehre, Tübingen*：J.C.B.Mohr （Paul Siebeck）, S.329ff；T.Parsons, *op.cit*., p. 604.

⑭Mommsen, Wolfgang 1974 *Max Weber : Gesellschaft, Politik und Geschichte,* Frankfurt a.M. : Suhrkamp, S.222-223.

⑮Weber, *GAW*, S.535-536.

⑯Mommsen, *op.cit*., S.224.

⑰Weber, Max 1964 *Wirtschaft und Gesellschaft, Grundriss der verstehenden Soziologie,* hrsg. von Johannes Winckemann, Köln & Berlin : Kippenheuer &Witsch, S.3, 11, 14, 18f；此書之英譯本爲Weber, Max 1968 *Economy and Society: An Outline of Interpretative Sociology,* ed. by Guenthr Roth and Claus Wittich, N.Y. : The Bedminster Press.

⑱參考 Winckelmann, *ibid*., S.440.

⑲Wincklemann, *ibid*., S.440.

# 第十三章　社會行為與經濟行為

## 一、社會行爲

### 1.　社會行爲的定義

德國社會學家瑪克士・韋伯曾經給社會學一個簡短的定義。他說：「社會學（一個常被使用而含有多種意義的字眼）該是一門科學。它企圖瞭解社會行爲（soziales Handeln），並對社會行爲的過程和效果，做因果性的解釋」①。由此可知，韋伯及其學說影響深遠的德國社會學界，對「社會行爲」重視之一斑。德國社會學家一向將社會行爲當作普通社會學的基本概念和中心議題來討論②。

什麼是社會行爲呢？韋伯氏首先解釋，行爲是人們的思言云爲，包括內在與外在的行爲、休止、忍受等等，含有行爲人主觀意義或行爲人賦予主觀意思的作爲或舉止。其次韋伯認爲社會行爲乃是根據行爲人的意思與其他人底行爲相交接，並且在行爲的過程中，一直以別人的行爲，做爲自己行爲的取向之謂③。我們也可以說社會行爲是相互的，超個人的，視所處情境的不同，因應這種情境的價值與規範而採取的行動。社會行爲必須有所本，有所根據，有所取向，它可能是取向於別人的、過去的、現在的、乃至未來的行爲（例如對過去別人攻訐的報復，或是對現在的攻訐的抵抗，或是對別人未來可能加諸我們的攻訐底預防等等）④。「別人」包括個人或群體，包括熟人或陌生人。並不是所有的人的行爲或行動，都是社會行爲或社會行動。像宗教活動中，個人的沈思、祈禱、或與神明交通，不牽涉到任何別人，便不是社會行爲。又如兩個騎脚踏車的人，無意間碰撞的行爲，也不算是社會行爲。（不過，在碰撞前，彼此所做閃避躲開的行爲，以及碰撞後，所引起的詬罵毆打或和平解決，卻是屬於社會行爲）。

多數人相似的行爲不一定是社會行爲。例如街上的行人看見下雨了，因而同時撐開雨傘以防打濕，這不是社會行爲。又如群衆集會於某地，因受集體心理激動或影響，而反應出來的狂呼、激怒、如醉如痴或驚慌失措等等，也不被當作社會行爲來看待。因此凡是個人獨處不會發生，由於群衆同處因而引發的激情，也不算是社會行爲。因爲它雖然受到別人的行爲所影響，但缺乏一種有意識牽連的主觀意義，所以不是韋伯所界定嚴格定義下的社會行爲。不過，韋伯也承認，這類的例子有時也不甚恰當。例如群衆集會，聽煽動家的演說，因而如醉如痴，或同仇敵愾，這表示群衆與演說者之間，仍有某種程度意義上的關聯。演說者鼓其如簧之舌，企圖煽動聽衆的情緒。聽衆的激動，便與演說的內容、技巧有關，也表示聽衆對演說者賦予認同、贊同、擁護的意思⑤。再者，無意識的反射性的模仿行爲，也不是他所稱嚴格意義下的社會行爲。主要原因，是這類行爲所取決於他人行爲的導向不清楚、不確定，而且這類行爲也缺乏行爲者本身的意識之緣故。

總之，社會行爲實在是一種建立在期待的體系上，發展出來的多種多樣的活動。這種活動對行動者而言，是具有特定意義的。

因此，我們可以說，社會行為是二人以上，彼此間相互而含有影響對方的意圖底行為。

## 2. 社會行爲的類型與表現

根據行爲的動機 (Motiv)，韋伯進一步把社會行爲分成幾種不同的類型：(1)目的合理的 (zweckrational) 行爲；(2)價值合理的 (wertrational) 行爲；(3)情感的 (affektuell) 或特別是情緒的行爲；(4)傳統的行爲⑥。

### (1) 目的合理的行為

就是指估量得失，權衡利害，根據目的手段和附帶效果，以決定行爲的取向。換句話說，就是衡量手段與目的，目的與附帶效果，目的與目的之間的得失，俾理性又謹慎地選取最有利的手段來達到目的，而減少不利的影響。這種社會行爲既非感情用事，又不是墨守成規，以舊瓶來裝新酒，而是經過理性的考慮，做合理而又愼重的選擇，及明智的決定。它是在考慮到外間事物的情勢之後，而度德量力的行爲。

### (2) 價值合理的行為

只因行爲者心中有個信念，有所懷抱。例如信持宗教上、倫理上、美學上的價值——眞、善、美——而不顧行爲所產生的結果，一味去做。純粹的價值合理底行爲，乃是不計較行爲的得失，只以個人的堅信與確認，而去實踐義務、尊嚴、優美、教喻、虔誠等等價值，亦即行爲者根據自己所信持的規範、命令、或自我約束、自我要求，以行事之謂。

### (3) 情感的或情緒的行為

乃是透過當前實際的感情，而表露的行爲。常常這種行爲是受到日常的刺激，而直接反射出來的。有時情感雖然會有收斂或昇華，但仍舊會因爲觸景生情或情不自禁地發洩出來。情緒的行爲與價值合理的行爲有所分別的地方，只在前者不如後者有計畫性、有貫徹性的取向。否則兩者都相同，也就是不顧及行爲之外的結果，而僅在行爲中求取發洩，求取滿足。情感用事的行爲常是當下即足的行爲，亦即凡是追求馬上報復，馬上享樂，馬上犧牲，馬上賞心悅目，立即成聖，立即成佛，或感情上的發洩等等，凡求取片刻滿足的行爲皆屬之。

⑷ **傳統的行為**

不假動心忍性，不藉轉情換意，就能機械性地舉止的習慣行爲。這種行爲雖有所本，有所取向，不過其根據、其取向是否具有行爲者主觀意思，頗值懷疑。因爲這種行爲，常是人們對於業已成爲慣常的刺激所做的定型反應，也就是我們所謂的習而不察、安於故常的行爲。

以上是有關社會行爲動機上的分別，我們幾乎都以韋伯的意見爲主，偶然也加上一點闡述。至於社會行爲表現方面的分別，我們也可以指出幾種：⑴競爭（Konkurrenz）；⑵中立（Neutralität）；⑶附從（Solidarität）⑦。

⑴ **競爭**

競爭是以貫徹自己的意圖和志趣，而與對手立於衝突或緊張的地位，並以排斥對方，來達成自己的意願底社會行爲。競爭的產生乃是由於可供人類滿足慾望的生活資材、名譽、地位、權勢有限，因而爲了獲取它、保持它、擴大它而造成人人的利益狀況（Interessenlagen）不但有異，而且相互對立。不單是物質資材有限，就是領導地位、社會特權及隸屬統治階級的身分，也有數量上的限制。此類非物質性可欲之物的獲得、保持或擴大，常是以犧牲多數，來成全少數的。造成競爭的背景，乃是由於人們的社會地位的取得或藉繼承，或依年資，或靠能力，或憑關係，不一而足。人人在競爭的情勢下，力圖適應情境（環境），俾獲取最大的利益。無形中競爭的繁劇，使參與者的適應能力、靈活程度與技巧智慧，也為之抬高。因此，我們常常聽到有人說：競爭是進步的動力。可是直接的競爭常引發人們敵對的意識和態度，而使參與者的想法、觀感，彼此歧異，終至形成對立或敵視。因此，如果一個團體中的分子間競爭頻仍、繁劇，會導致團體的分崩離析。從球場的競賽，到商場的奪利，直至議壇的爭權等等，我們看見社會上各式各樣競爭的存在。競爭關係有賴某些規範或某些辦法來進行，像球賽中的規則，生意場上的規矩，政黨競選中的法規，都有明文或習俗的規定，為參與競爭者所熟知遵守。至於競爭發展為追求生存或重大利益的衝突，而形成生死的鬥爭，乃為競爭諸類型中的極致。

⑵ 中立

中立是指不介入任何紛爭的雙方，既不偏袒一方，也不敵視他方的社會行為，它對當下發生的爭執認為與自己無關，而採取不偏不倚、不感興趣的消極態度。我們也可以說，中立是在涉及政治的、經濟的、宗教的、倫理的價值爭執下，選擇一項中庸之道，而排除極端的態度，可以說是置身於爭執局外，明哲保身的作法。至於行為者如能洞燭機先，瞭解全盤情勢，因而可能採取別種態度，則非所問，重要的是，在此次爭執中，僅採取旁觀的態度，便符合上述中立的本意。至於中立的典型例子，像兩國發生戰爭時，第三國採取不偏不倚的中立政策；或夫婦爭吵時，友人在場不便置喙；或法官斷案，於排解糾紛之外，中立不阿，都是中立行為的淺例。

(3) 附從

附從，也可以說是團結一致，是指把別人的意圖和志趣當作自己的看待，因而與別人認同的社會行爲。我們也可以說這是個體自認對某一群體的隸屬底感受，是個人自認隸屬於某一團體的意識。像古時整個村莊的人民共同從事打虎捉賊，或救火賑災的行爲，不但鄰居卹貧撫孤絕不後人，還常常有無相通，甘苦與共。又如現代的保險事業，可以說是這種附從團結行爲的合理化、社會化和商業化。附從的行爲大部分自困厄中產生，例如在天災人禍之後，自動自發的湧現。這大概是孟子所謂，人皆有不忍人之心與怵惕惻隱之心的緣故。正因人同此心，心同此理，共同匯聚醞釀而成此互助團結的行爲。不過，這種因一時的困厄所衍生的同情心而形成的團結，如不是行爲者都有共通利益的話，也難以持久。此外，共同利益也有導致行爲者競相獵致，各自爲政，而造成分裂或攜貳的可能。要之，一個群（團）體所能表現的團結一致的程度，常常是該群體內在凝聚結合力大小的衡量。一個群體中分子之間，不僅有團結，也有競爭存在。競爭與團結便經常在交互中出現，並且交織成社會體系的整個網絡；在這個社會體系中，每個人皆有其不同的群體利益和不同的利益狀況底存在。

## 3. 社會行爲的模式化

由上述我們可知，當作社會行爲者的個人，在其身心上聚合了一大堆相互關聯的行爲體系。每個人大部分的行動，都可以說是建立在對別人底期待與交互行動（Interaktion）之上。於是這些彼此間相互牽連的行動，便具有典型與持久的意味，而成爲人格的產品。原來人格是個人的各種習慣、態度、觀念、價值、情緒，而使個人在團體中的行爲前後一致的特殊組織。個人求生而牽涉到他人的活動，便是社會行爲。由是每人的社會行爲也隨他的人格結構不同而相異。

法國社會學家涂爾幹（Emile Durkheim 1858-1917），便認爲社會行爲所牽涉的「社會」二字，含有下列的幾層意思⑧。

(1)超越個人的：貫穿個人，存在於個人之外的。

(2)具有拘束力的：某一種行爲的產生是被強制性規定如此的，是受到「社會強制」(la contrainte sociale) 的。

(3)具有賞罰作用的：凡符合規範之要求的行爲得到贊可，否則被懲罰。

社會行爲既是含有特定的意義，超個人的，而且隨著情境而適應或取向的行爲，那麼我們可以說這種行爲定向或取向的累積，便形成社會行爲者特殊的「態度」。從這種特殊態度產生出來的行爲，便稱爲行爲樣式（Handlungsform），或行爲範式（Handlungsschema）⑨。由於人人具有這種行爲樣式或範式，於是人與人之間的關係和交互活動乃成爲可能。交互活動（互動）包含社會行爲的整個幅面，也構成每個時間下行動的接觸。在社會行爲中所表露的態度或立場，以及行爲樣式或範式，是值得詳予考究的。社會學之所以能夠成爲經驗性的科學，不是因爲它可以描述和解釋芸芸衆生的一舉一動，而是它可以把捉超個人的互動所呈現的規則性，亦即在人類共同生活中，指明某些固定的、超個人特質之上，普遍可察知之事物。那麼這些普遍可知之物無他，乃是上述「社會的」「樣式」、或「模式」、或「範式」等等。

因此行爲樣式或行爲範式的功用計有下列數種⑩：

(1)規定人們的行爲；
(2)使人們的行爲牽涉到價值而具有意義；
(3)使人們無須處處靠自己的新發明、新發現以從事任何個別的行爲；以及
(4)使人們有意義、有意圖的行爲受到社群或團體的獎賞或處罰（獎懲）。

社會的行爲範式（樣式）必定是多數人所共通而藉反覆出現以取得社會的重要性。要之，社會樣式具有社會價值、社會壓力和社會流通等三種特性⑪。

## 4. 社會規範

對於一個社會群體而言，其特質乃爲交互活動的頻繁。至於這類交互活動能夠持久，能夠綿延，乃是因爲它以社會規範作爲取向的緣故。規範（Norm）乃是公認而習得的行爲準據，也是多數人公認遵守的行爲模式或行爲範式。不但禮法是規範，就是倫教也是規範。規範常是持續較久的群體，代代相傳下來的行爲指標。任何社會規範的體系，其主要的任務在於把相似的利益，也就是把競爭變成附從，變成團結一致。於是群體的分子，便由於規範的賞罰作用——對符合規範的行爲，予以讚賞，予以認可；對違反規範的行爲予以排斥，予以懲罰——而意識到它的存在，並接受它的約束。從而我們也可以說行爲規範含有強制性，它是

對個人行爲底外加壓力，如個人能夠藉長期教育的潛移默化，把這類規範融會貫通，吸入內心，那麼他對這類規範還不致有扞格難入的感受，此時他的舉止是合乎規矩（「不踰矩」）。否則他必會體會到這類規範的強制性、壓迫性和種種不便⑫。

在諸種社會規範中，形式最簡單的一種，就是流行或時髦（Mode）。流行是藉著模仿，表面上學得別人的舉止，而成爲一種的時尚。比流行更進一步，而稍具拘束力的行爲規範是社會習慣。社會習慣是個人自生活環境中學得，而爲同處共居的人們所認可的行爲，這種規範並非絕對遵守不可，例如出入門口時，讓同行女性先走一步；或與長者相遇時，所表現的謙恭有禮。比社會習慣更具拘束性的規範，則爲習俗。這是一種受地域或時間約制的風俗習慣。是某集團（家族、同族、鄰里、村落、社團）傳統上業已淨化了的義務，俾能共同遵守的行爲模式。這是大部分人應該遵守的，一旦有所違離，則會受到嘲笑、冷諷或指責等懲罰。拘束力最大的行爲規範則爲公序良俗（Sitten）。這是法律的規定、宗教的規範或倫理的要求，俾所屬團體的成員遵行無失。是必須遵守，而非應該遵守，更不是單單可以遵守的命令⑬。

社會規範不但每個時代、每個地方、每個社會不同，而且同一社會，也因爲階層的分別，而有不同的社會規範。要之，社會規範是隨時代、社會、文化背景及社會階層而變化的。社會規範有形之於明文的規定（像法條、教規、道德的訓諭等），也有蘊涵而無明文的要求。後者對實際的社會生活影響更爲深遠。社會中的很多群體，像同儕、同僚、家庭、政黨，其活動所遵循的規範，多數是沒有明文的習慣與約束。

### 5. 小結

總之，社會行爲是人類求生活動之牽涉到他人而具有行爲者意圖的行爲，是二人以上具有意識和賦予意思而受特定環境的社會規範和行爲模式所導引的行爲。在形式上，社會行爲者動機之不同，可分爲目的合理性的、價值合理性的、情感的和傳統的四種類型。在表現上社會行爲則形成競爭、中立或附從。社會行爲有所依據、有所取向，這種依據與取向便會形成行爲樣式。多數人共通且公認的行爲模式便是規範。規範依其拘束力的大小，分成流行風尚、社會習慣、習俗、公序良俗、倫理道德、法律等數種。有了社會規範的存在，社會方能維繫不墜而不致迅速解體。

## 二、經濟行爲

### 1. 經濟行爲與經濟社會學

經濟現象，乃是變動不羈的社會現象之一。它不是靜止不變的狀態，而是川流不息的過程。經濟過程的起步和終點，都離不開人們的行動，這種行動是靠社會規範來導引，而與每個環境相牽連的。我們也可以說：經濟行爲是社會行爲的一種，是社會關係的一環。社會的其他活動，能夠展開，應歸功於經濟或民生問題獲得解決。既然經濟活動所造成的經濟事實，對社會的建構和形成，具有如此重大的關係，因此，撇開經濟因素的考究，是無法瞭解全盤的社會情況。同樣地，我們也無法分析整個經濟的現象，而可以不考慮到與此經濟現象息息相關的社會局面；特別是現代的社會乃是建立在分工精細、市場複雜、貨幣和金融廣泛被應用的經濟體系。為了瞭解經濟和社會的關係，遂有經濟社會學（economic sociology）的產生⑭。經濟社會學一項重大的任務，在於研究人們在社會中經濟活動的行為結構。普通要分析人類的經濟行為，我們可以遵循二條途徑。一方面嘗試藉演繹而虛擬的方法，來推論出經濟活動的理念類型（Idealtypus）來；他方面則以歸納而寫實的方法來描述經濟行為的實狀。這兩派學說的爭論不休，對經濟行為的社會學分析，有很大的影響⑮。

## 2. 「經濟人」及其批判

古典學派的經濟學者對經濟行為的特徵，有時也會言之有物，鞭辟入裏。例如重鎮學派的李維奕（Mercier de la Riviére 1720-1793）就曾經指出，「個人的利益不斷而急迫地驅使每個人，去改善其待售的物品，並使此類物品的數量增加。由於物品的質量俱增，乃使每人藉交換而獲得的享受，也隨之增加」⑯。由此可知，早期的學者已能夠看出，交易行為的社會影響，並且看出個人追求本身的利益——贏利——是經濟活動的動機。

亞丹•斯密（Adam Smith 1723-1790）更讚賞所謂的「聰明的」經濟活動者。他說：「聰明的人在抑制當前的舒適和快樂，暫時忍受辛勞和節儉之苦，以成就來日更大與經久的舒適和快樂，這是贏得旁觀者十分讚美的。聰明人如有所企圖，有所作爲，則非如此茹苦含辛不可，他之所以肯做這樣的犧牲，顯然是經過深思熟慮之後，明智的舉措，而不是一時輕率的決定」⑰。

亞丹・斯密的這段說法，明白的表示他想要爲普通人的正常行爲做個分類的典型。認爲任何人只要懂得使用理性，就會必然地這樣去理智行事，於是，作爲古典學派之理論基礎的「經濟人」（*homo oeconomicus*）乃脫穎而出。所謂的「經濟人」，乃是指遵循經濟的理性，而不受其他（宗教、道德、政治等）因素影響以行爲的人。這是自由主義盛行的時代，經濟學家的口頭禪。後來曼徹斯特的自由主義勃興，乃將經濟理性，改易爲經濟利益。李嘉圖（David Ricardo 1772-1823）遂提出「自利」爲一切經濟活動的中心底看法。

於是經濟人便成爲追求本身利益（且是最大的利益），並且擁有自求多福的權利的人。及至自由放任（*laissez-faire*）政策的經濟原則施行，乃確認個人能夠藉其理性，以競爭的方式來追求本身的利益。蓋每個人都知道自己利益的所在，而會作最有利於自己的打算。再說，每個人如能獲得最大的利益，這樣綜合起來，就無異整個社會都得到最大的利益。原來當時學者的看法是認爲：人與人之間的利益並不是互相衝突、互相排斥，而是彼此協調、彼此融通的。這種自由主義的思想，推到極致，便會造成種種流弊。特別是這種自由放任、各行其是的經濟政策或社會政策，如任其蔓延滋長，會導致失業或階級鬥爭的惡果，並形成嚴重的社會與經濟危機。馬歇爾 (Alfred Marshall 1842-1924) 遂指出，這種「經濟人」只是便利經濟科學的研究，而遠離道德與倫理的控制，是一個道地自私自利的人。實際上的人，則必須顧慮其家庭的幸福、鄰里的和睦、社會的共榮、國家的富強，從而使其經濟行爲，不單含蘊利己的初衷，也包括了利他的動機⑱。

席士蒙地 (Simonde de Sismondi 1773-1842) 也認爲，人們的經濟行爲中參雜很多非理性的成分。特別是每個人從事經濟活動的動機有異而形式也不同。事實上，「經濟人」只是早期工業化過程中，英國企業家的寫照，它反映了當時市民階級的形像，也是該時代與該環境的產品⑲。

後來國民經濟當中的歷史學派也曾經批評「經濟人」這個概念。認爲它不符合現實的要求。穆勒 (John Stuart Mill 1806-1873) 爲重新紮實這個搖搖欲墜的古典學說之根基，遂嘗試去解釋「經濟人」，把它當做一種學理上虛擬的結構，而歸根究底指出「經濟人」所依傍的形式原則無他，乃理性而已。所謂理性的原則應包含下列四種先決條件⑳：

⑴數種彼此可以互相代替的行爲類別之存在。
⑵每種行爲類別均能產生明確的結果。
⑶經濟主體對行爲產生的結果擁有充分的情報或訊息(information)。
⑷經濟主體擁有一套確定的偏好順序表 (preference

scale)，好讓他依其所好能夠選擇他認爲適當的行爲類別。

接著，邊際效用學派，也以「經濟人」當做理論的先決條件。郭森（Hermann Heinrich Gossen 1810-1858）就認爲，人與人之間從事經濟來往，目的在滿足慾望。凡能夠滿足人們慾望的物品與勞務之力量，就是該物品的效用。物價不是取決於生產成本，而在於效用的大小。既然「經濟人」是一位動用理智思考的人，那麼他在尋找適當的邊際效用的活動時，便得運用「選擇的行徑」（Wahlakt）的理論（這一理論係由Vilfredo Pareto 1848-1913參酌Francis Y. Edgeworth 1845-1926與Irving Fisher 1867-1947的無異曲線引伸發展而成）。至此「經濟人」的理智可謂已發揮到淋漓盡致。不過，理智也好、理性原則也好，都是社會活動的主體（人）與其所處的社會的價值制度發生關聯的產物。任何經濟行爲是否合乎「理性」，主要係受著整個社會制度及社群的看法所左右，也看該社會的行爲標準如何而定。所以理性也受到價值系統與社會變遷的影響。像我們今天認爲「交易」乃是合理的經濟行爲，可是早些時候，某些地區的人們，卻認爲「贈送」才符合理性的原則㉑。

既然理性受社會文化制約，而經濟主體又無法完全認清理性的存在，賽蒙（Herbert A. Simon）氏遂主張以「行政人」（administrative man）來代替「經濟人」（economic man），而視行政人爲有限知識（消息有限）與有限能力（估量有限）的機體（organism），以從事接近理性的選擇。再說，個人或團體在下達決斷時，常是在一種組織的境況（organizational context）下進行的。因此學者不能捨棄公司行號、或廠商的內在結構、或其他的組織機構不顧，而逕採廣義理性原則，作爲經濟行爲立論的基礎㉒。

總之，經濟學是假定人們在經濟活動中，無論是生產、分配或消費都充滿理性，懂得怎樣善價而沽或精打細算，因而有「經濟人」這一理性原則的提出，這一理念乃是政治經濟學（political economy）興盛的時代，學者用以說明人們如何運用理智，俾能夠以有限的手段，來滿足無窮的慾望，並克服因資財的稀少所造成的困境。事實上，人們的經濟行爲中，不乏感情用事，或缺乏理智的例子。因此，經濟社會學正嘗試彌補經濟學之不足，企圖在人們的現實生活當中，尋出他們實際經濟行爲的模式，瞭解現實生活中，人們經濟行爲的結構。是以有關人們價値的種種情況，應予詳細研究。不但應該研究「經濟人」，也應該研究「習慣人」（*homo habitualis*）或「傳統人」（*homo traditionalis*）等等。進一步，由於經濟主體所處的文化背景與時代情況之不同，而指陳個別經濟行爲的歧異。

## 3. 經濟行爲的動機

我們知道，經濟行爲是社會行爲的一種。社會行爲乃是二人以上互動而具有行爲者意圖的行爲。這是行爲者主觀態度與客觀環境（情境）交互作用的產物。個人的社會行爲，係建基於對別人行爲的期待之上。行爲的期待，也就是對某人在某種情境下，應具有何種行爲，應扮演何種角色的看法。所以社會行爲也可以說是人們角色的遂行（Rollenvollzug）。經濟社會學主要是在分析經濟主體在各種情況下，所扮演的社會角色㉓。

首先，應該探究的是，什麼社會因素影響了人們對利益的主觀態度，這便是研究人們經濟行爲的動機了㉔。在經濟活動中，人們之所以扮演某種角色（像買者，或賣者），乃是與他們的動機結構有關，動機結構產自經濟主體的個人特質與社會環境的相互作用，這種作用乃決定了經濟主體的想法和做法。動機結構雖然是心理的事實，但它不但在個人的態度上表露，尙且在社會的行爲方式裏展現出來。個人的動機結構乃藉環境的影響，經由長期的社會化程序而塑成。特別是在個人動機結構中對目標的看法，乃是受其週遭環境的關聯體系（*Soziale Bezugssysteme*）所控制、所引導的。社會環境是一種社會的關聯體系，它藉由教育或其他的手段，灌注於經濟主體的心目中，而成爲經濟主題吸收融化了的社會兼文化性的價値。社會環境也包括由於現時的社會接觸（像社會上的成群結黨，營群居生活），而產生的角色期待——期待何人在何種情況下，扮演何種的角色。因此，我們看到，在經濟活動中，一方面有經濟主體的動機結構（主觀的態度），他方面有經濟主體所處的社會關聯體系（客觀的環境）。社會關聯體系對動機結構的影響，也就是客觀環境對主觀態度的影響。這種影響常會在某種程度內，呈現經常與穩定的情勢，否則每個人豈不是每分每秒，都得隨時找出新的行爲方式，來應付其千變萬化的週遭環境？換言之，每個人動機結構是趨向穩定的，以減輕個人每次都得提出一套新的目標偏好的痲煩。關於此點，杜森柏里（James S. Duesenberry）就曾經指出，收入的改變不一定會導致消費行爲的改變，亦即不一定導致支出的改變。原因是在時間過程中，消費習慣業已養成，一時難以改變這種穩定了的動機結構㉕。

由上所述可知，經濟主體的動機，不單單是追求利益——贏利——一種而已，而還有其他的動機。依據動機結構的不同，我們不妨以瑪克士・韋柏所提及之社會行爲的四種類型，來分別人們的經濟行爲。韋柏所提的四種類型是目的合理性的、價値合理性的、情感的與傳統的四種社會行為：

(1)目的合理性的經濟行為，是追尋經濟利益的經濟主體、權衡目標與手段的得失，估量以何種最佳（代價最小）的手段，來達到預先選擇好的目標。這類行為的先決條件，為追求的目標——利益情況——清楚明白和各種手段的仔細衡量。

(2)價值合理性的行為，乃是經濟主體所追求的目標，是其個人深信或確認的價值系統，是受宗教或倫理所影響的。這種行為的特質在於行為本身能合乎教條或道德的要求，而不考慮或很少考慮到行為產生的結果。例如廠商基於人道或宗教的立場，所施放的賑濟、賤賣、義賣、或同業協同一致的做法等等。

(3)情感的或情緒的行為，是透過當前實際的感情，而表露的行為，或是受到日常的刺激，而不經深思熟慮直接反射的行為。例如由於野心勃勃，或與某人結怨，或對某事深懷恐懼而造成不平的心境。這種情緒性的動機結構，在下達購買的決定或投資的決定時，常扮演重要的角色。我們不妨這樣說：人們常會感情用事，一旦事過境遷，或是懊悔煩惱，或是為自己所做所為大事粉飾、辯解。不過這種粉飾、辯解，並無法抹煞感情用事的事實。

(4)傳統的行為，是安於改常、習慣性的日常舉止，常不經思考，不動感情，而隨著積習機械性地行事。在經濟活動中，我們常囿於傳統或經常的想法。例如我們心中所想到的「正常的」工作成績、「好的」品質、「便宜的」購買等等。還要所指的「正常的」、「好的」、「便宜的」完全以個人習慣上的想法爲主，不一定是經過深思熟慮之後，所找到的客觀標準。

當然我們日常的經濟活動中，很少出現上述四種儼然分離的、純粹的動機典型來，常常是這四種類型的交錯混合。正因爲如此，我們對經濟主體的反應行爲，事先頗難測斷無訛。

不過現時代的經濟社會中，由於工商業發達，工業生產與消費條件之具備，促成人們動機邁向理性化，而使從事經濟活動的人們的行爲，接近「經濟人」這個理念㉖。但與此一傾向剛剛相反的另一種發展，則爲現代經濟生活中情感力量的比例上升。例如廠商藉著耀眼奪目、勾魂動心的廣告或宣傳，而吸引大批的顧客。還有低階層收入的消費者爲滿足虛榮心，而仿效高階層收入者的消費行爲等等，便顯示情緒的動機，在工商業發達的社會，對經濟活動作用之大㉗。

## 4. 經濟行爲的情境分析

討論過人們在經濟活動中的動機結構之後，我們應當回過頭來談談經濟主體所處的環境。原因是經濟行爲，乃是經濟主體與情境發生交接折騰後的結果。有關經濟過程的實際描述，必須與具體之情境的分析（Situationsanalyse）聯繫在一起。每一個情境，對於在此情境下，立於互動關係的經濟主體（個人或人群）都具有挑戰的性格。在正常的情形下，經濟主體多少能夠體認，每一社會情境的存在。個人或群體對此情境的反應，繫之於情境的壓力，以及情境穩定的程度。經濟社會學有關情境的分析，可按照分析的角度和焦點的不同而區分爲巨視（macro）和微觀

（micro）二種。巨視的分析，當然是以大環境之下經濟制度爲主要的分析的目標。微視的分析，則集中在經濟互動所牽連的個別問題之上。例如「購買」——這一經濟行爲——我們可以用社會階級或社會階層的需要情況來考察（巨視），也可以用購買者的家計觀點來探究（微視）。重要的是我們在進行分析時，不可把分析的事物，看成是靜態的狀況，而應與時勢相推移，視它爲動態的過程。更要緊的是指出造成經濟行爲相關聯經濟情境的種種特徵；指明在這種社會情況下，業已客觀化的角色期待爲何物。亦即在這種情況下，週遭的人與物對從事經濟活動的經濟主體，應扮演何種角色，懷有怎樣的想像、怎樣的期望等等。

我們還可以進一步，按照經濟情境對經濟主體所施加的壓力——要求經濟主體能夠配合，能夠適應這種環境的壓力——的大小來分別經濟情境的種類。客觀的角色期待（經濟情境）與主觀的動機結構分離愈大，經濟主體愈會感受到情境的壓力，也愈想設法躲開這種壓力。此外，社會情境重要的部分，是它的穩定大小，以及對經濟主體熟悉的程度與久暫。經濟情境愈不穩定或愈陌生，會使經濟主體愈難以適應，愈難以控制這種情境所造成的影響。要之，這種情況對決定過程之分析，尤有舉足輕重的關係㉘。

## 5. 經濟行爲改變的考察

由於涉及到經濟活動的決定過程，因此，近年來歐美學者對經濟行爲的改變之分析，也漸感興趣。這種研究興趣的提高，乃是對「經濟人」看法有所改變的緣故。原來現代的學者，不敢再苟同古典理論有關經濟行爲的說法。古典派學人，認爲經濟主體，能夠根據一系列的偏好順序表或偏好等級，來權衡利害、來進行選擇的行徑、來下達決定，俾使所選擇的行爲，符合最大的效用和最大的利益。這種古典的看法，對現代複雜的經濟行爲改變之情況，無法切實拿捏，妥善瞭解。因爲在工商業發達的今天，經濟情境的出發點，不是可以完全被洞悉的。另外，經濟主體的各種行爲可能性，尚有待釐定、有待澄清。經濟主體心目中的偏好，常隨時勢改變。再者，現代經濟主體也不是個別一一從事選擇，下達決定，而常是集體性進行經濟決斷。此外，人們除了考慮利害得失，精打細算之外，有時也會情不自禁地，或糊里糊塗地習慣性從事經濟活動㉙。

對現代經濟行爲的動機與彈性，提出較新穎的解釋之理論是博奕論 (game theory)。這是莫根士登 (Oscar Morgenstern) 與諾以曼 (John von Neumann) 所建構的學說。他們首先假定，人們在兩方或多方，因尋求目的不同，而產生利益衝突時，會在各種可能途徑中，做合理的估計，以預測別人的行動，進而修正自己的行爲，並做合理的選擇。基於這一個假設，博奕論乃得分析與說明：從事經濟活動的主體，在面臨某些情況時，如何選擇及應如何選擇 (包括預測他方行爲，或與他方聯合)，始能達到最有利或最適當的收穫 (optimum)。這也就是一種求致最有利或最適當的策略 (optimal strategy)。博奕論無疑地是視每一經濟行爲的改變，乃是一種求取社會適應的過程。因此，我們應分析各種適應行爲的決定因素。原來，這類因素常取決於行爲主體，對經濟目標的看法，以及他對經濟情況和行爲的各種可能性瞭解的程度㉚。

經濟社會學除了採用博奕論的有利策略之外，尚應考察經濟行爲中非理性的部分，以及習慣性的日常行爲。只有當經濟主體的動機和他所處的環境，有完整而又有系統的加以分析之後，我們方才可以獲窺經濟行爲的全貌。

## 6. 小結

綜合前面所述，可知古典學派所標榜的「經濟人」，是一項虛構的經濟活動的理念類型。它以經濟主體追求利益爲出發點，指出贏利的動機，會導致理性的思考，和選擇的行徑，俾獲取最大的利益和效用。這種遠離社會現象的構想，有待經濟社會學來加以匡正，加以補充。以描述實狀爲主的經濟社會學，除了考察經濟主體的動機結構（包括理性運用、價值取向、感情用事、或囿於慣常等）之外，尤重經濟主體所處的社會情境。由於社會情境的分析，而特重經濟決斷與經濟行爲轉變的考察。博奕論是以尋覓最佳策略，作爲經濟行爲的理想準據。經濟社會學則應於理性的分析之外，兼涉情緒性與習慣性的舉止之研討，俾人們更進一步地去瞭解經濟行爲的本質。

**注釋：**

①Weber, Max 1964 *Wirtschaft und Gesellschaft, Grundriss der verstehenden Soziologie,* Studienausgabe, hrsg, von Johannes Winckelmann, Köln, Berlin: Kiepenheuer & Witsch, 1956, erster Halbband, S.3.

②參考洪鎌德 1988《現代社會學導論》，第五版，台北：台灣商務印書館，初版1972，第6頁以下。

③Weber,Max *ibid.*, S.3, 4ff, 16ff.

④*Ibid.*, S.16.

⑤*Ibid.*, S.17; 這是韋伯所稱「臨界情況」(Grenzfall)。

⑥*Ibid.*, S.17ff.

⑦以下參考 Eisermann, G.(Hrsg.) 1969 *Die Leher von der Gesellschaft, Ein Lehrbuch der Soziologie,* Stuttgart: Ferdinand Enke Verlag, S. 133-136.

⑧Durkheim, Emile 1895 *Les Regles de la methode sociologique,* Paris: Alcan, p.6.ff.

⑨Wössner,Jokobus 1970 *Soziologie, Einführung und Grundlegung,* Wien *et.al.:* Verlag Hermann Böhlaus, S.45. 中文譯本涂爾幹著,《社會學方法論》,許德珩譯,台北:台灣商務印書館,台二版,1969,第五頁,第七頁。

⑩*Ibid.*, S.46.

⑪*Ibid.*, S.46-47.

⑫至於教義之「內化」(Verinnerlichung, 吸入內心,而潛移默化),參考 Weber, Max, *op. cit,* zweiter Halbband, S. 894; 日人譯 internalization 爲「內面化」,係約束團體成員之自我行爲,俾符合團體之規範,而實現團體之價值,參考富永健一:＜內面化＞一文,刊:福武直、日高六郎、高橋徹編 1974《社會學辭典》,東京:有裴閣,第687-688頁。

⑬韋伯曾在其著名的《社會學基本概念》(*Soziologische Grundbegriffe*) 中論述流行、公序、習俗、法律等社會行爲的態度之規律性 (Regelmässigkeit),參考Weber,Max, *op. cit.,* erster Halbband S. 21,22,25.

⑭關於經濟社會學,可參考洪鎌德,1972,1986,《現代社會學導論》,台北:台灣商務印書館,第八章,pp. 204-240;同作者1998《21世紀社會學》,台北:揚智文化事業公司,第7章;Smelser, Neil J. 1963, *The*

*Sociology of Economic Life,* Englewood Cliffs, N. J.: Prentice-Hall; Friedrich Frstenberg, 1961, *Wirtschaftssoziologie,* Berlin: Walter de Gruyter，以下引用本書一概使用Fürstenberg, 1961，並附頁數；反之，Fürstenberg, 1969 "Wirtschaftssoziologie", in Eisermann, G. *Die Legre von der Gesllschaft,* Stuggart: Ferdinand Enke Verlag, S.此文以下引用時，則用Fürstenberg, 1969，並附頁數，以示區別。

⑮Fürstenberg, 1961, S. 21.

⑯Mercier de la Riviere, 1767, 1909, *L'odre naturel et essentiel des sociétés politiques,* éd. E. Depitre, Chap. XLIV.

⑰亞丹・斯密的話見1949，Smith, Adam *Theorie der ethischen Gefühle,* Neuausgabe von H. G. Schacht, in der Reihe *Civitas Gentium,* Frankfurt a. M., S. 265-267.

⑱Marshall, A. 1907, *Principles of Economics,* 5th edition, 1907, Preface to the first edition of 1970.

⑲Fürstenberg, 1961, S. 22-23.

⑳Fürstenberg, 1969, S. 269；有關於「經濟人」的討論可以參考Briefs, Goetz, 1915, *Untersuchungen zur klassischen Nationalökonomie,* Jean; Hartfiel, G. 1968, *Wirtschaftliche und soziale Rationalität, Stuttgart.*

㉑參考Laum, Bernhard 1960, *Schenkende Wirtschaft,* Frankfurt a.M.

㉒關於賽蒙氏的行政行爲，參考彼之著作1947, 1961, *Administrative Behavior: A Study of Decision-making Process in Administrative Organization,* New York: Macmillan, second ed.見Simon, Herbert A. 1968, "Administrative Behavior", in: *International Encyclopedia of the Social Sciences,* Vol. I, pp. 74-79.

㉓Fürstenberg, 1961, S. 24ff.

㉔關於經濟行爲的動機可參考Moede, W. 1958, *Psychologie des Berufs-*

*und Wirtschaftslebens,* Berlin: Walter de Gruyter.

㉕Duesenberry, J. S. 1952, *Income, Saving and the Theory of Consumer Behavior,* Cambridge, Mass.

㉖參考Lenz, Friedrich 1969, "Wirtschaftssoziologie", in: Eisermann G. (Hrsg.), *Die Lehre von der Gesellschaft,* Stuggart: Ferdinand Enke Verlag, S. 37ff.

㉗Katona, G. 1960, *Das Verhalten der Verbraucher und Unternehmer,* Tübingen.

㉘Fürstenberg, 1961, S. 27-28.

㉙同前註，S. 28-29.

㉚Neumann J. V. und O. Morgenstern, 1944, *Theory of Games and Economic Behavior,* Princeton; O. Morgenstern, 1971, "Spieltheorie: Ein neues Paradigma der Sozialwissenschaft", in: Jochimsen Reimut und Helmut Knobel(Hrsg.), *Gegenstand und Methoden der Nationalökonomie,* Köln: Kiepenheuer & Witsch, S. 175-187.

# 第十四章　政治行為、權力、統治與權威

## 一、政治行爲的定義

「人是政治的動物」①，這句話指出有史以來，人類一直生活在變化多端萬般複雜的政治實在之中。什麼是政治實在呢？首先我們可以簡單地說，人類由於成群結黨，經營具有統屬關係的群體生活，因而造就了政治環境。其次，人在政治環境中的活動，構成人的政治行爲②，由政治行爲的交錯表現，而展現出政治現象來。政治現象背後潛藏著政治本質，政治現象和政治本質的總和就是政治實在。

人既然要生活下去，必須做種種的活動，我們泛稱這類的活動爲求生活動。求生活動不是你我單獨的活動，而是牽涉到他人或其他群體的活動，因此求生活動不外於社會活動。在複雜多變的社會活動中，凡涉及到權力的運用，統治的施行，秩序的維持，資源的調節，利益的分配等等，都是屬於人們政治活動的範圍。這類政治活動可以說是人作爲政治動物的行爲底總和。

由政治行爲交織而呈現的政治現象乃爲社會現象的一部分。既然政治現象是社會現象的一部分，那麼我們不妨先討論什麼是社會現象。社會現象是呈現在你我面前一連串的社會事實（*fait social*或Sozialer Tatbestand或Tatsache der Gesellschaft)

③。社會事實離不開空間、時間、人物和事情。它可說是人類改變自然、創造社會與人文環境的業績。

在林林總總、千狀百態的社會事實中，有牽涉到人們生理方面，如人類的饑食渴飲、生老病死；有牽涉到心理方面，如喜怒哀樂、七情六慾；有涉及到家庭、朋友、學校、辦公室、工廠、政黨、政府機構等有關人的群居活動；有涉及到開發和利用有限資材，以滿足無窮慾望的經濟活動；也有牽涉到心靈的淨化、性情的陶冶、不朽的嚮往，如文學、藝術、宗教等文化活動。

除了上面所舉的社會事實之外，影響最為深遠，而牽涉層面又最為廣泛的，無疑的是人們的政治活動，及由此活動所形成的政治現象。談到政治，我們的腦海中，不期然地浮現出一些相關的影像來。例如：國家、政府、官吏、權威、統治、領導、管理、權力、法律、秩序、服從、遵守等等④。

原來，人們為要生存不能不滿足精神和物質的慾望和需要。這種慾求的滿足，勢必與他人發生利害關係。如果大家的慾求都能得到滿足，自然皆大歡喜、天下太平，而不致發生你爭我奪的現象。無奈世上可供人人慾求滿足的資財極其有限。於是何人的慾求應先滿足，何人的慾求應後滿足，滿足的程度究竟怎樣，便成為大家爭論的所在。爭論的解決，或靠個人力氣的大小，或靠權勢的高低，或靠理由的有無⑤。今日「文明人」總是想用一套機械式的制度，或一套靈活的方式，來謀取爭執的解決。爭執的解決，也可以說是問題的解決。要解決問題勢不能不牽涉到下達決斷（decision-making）。下達決斷又無異是目標和手段的釐訂和選擇。

## 二、政治行爲的特質

在政治的領域中，選擇目標和手段，以下達決斷，可以稱作是決策（policy-making）。除了政策的決定之外，尙有政策的執行。政策的決定與執行是構成政治行爲最重要的因素。那麼這種政治行爲和人類其他的社會行爲有什麼不同呢？我們可以概略地指出，政治行爲不同於其他社會行爲的所在，約有下述數端：

第一、在於下達決斷和執行決斷所牽涉的對象的多少。政治行爲牽涉的對象，常不限於一人，而在多數的情況下，是牽涉更多的人群。例如以一國的政治來說，有牽涉到本國國民（包括本國在外國的僑民），也有牽涉到國土內的居民（包括居住在本國的外僑）。如以一地方的政治而言，則所牽涉的對象，便是在該區域中的人與物。因此，我們可以說，政治是有關衆人的事，也就是管理衆人的事。至於管理公衆事務的範圍是以政治疆界來劃分的。在國界內，國家享有最高的統治權力——主權。但是在國界外，國家的活動就受到某種程度的拘束。國家在其管轄的領土內所做的行爲，我們稱之爲內政。國家在疆界之外，與他國或其他國際組織所發生的關係，便構成外交。因之，政治行爲就是牽涉國家的行爲，或是假藉國家名義，以決定和執行政策的人底行爲⑥。

第二、政治行爲是一種具有拘束性的行爲。普通有關目標和手段選擇的決斷行爲，以及此一行爲的執行，其所影響的、與所受拘束的人數，不但有限，而且常是自動自發的行爲。例如某人購食牛肉而不選擇豬肉，這是自動而非被迫的行爲，其影響力只及於某人個人，最多牽涉到他的家人及朋友而已。反之，政治行爲，不但拘束更多的人，尙且具有強制性。一旦受拘束的人，企圖擺脫和反對這種拘束，便會遭到懲處。決策的人和執行政策的人，仰賴他們的地位和權威，倚靠懲罰機關——警察、法庭、軍隊——來貫徹他們的意志，迫使他人服從⑦。

第三、政治的推行有賴政府機構的功能底發揮。政治行爲既然牽涉到權威，那麼離不開權威的持有人——統治者及其工具——政府機構。顯然政府擁有獨佔性的制裁力量，它可以合法地使用暴力來脅迫被統治者屈從。換句話說，政府是持有權力與權威，來強迫統治者服從其領導的機構。政府的存在因國情與地區的不同，或是在維持公共秩序，或是在保護某一階層的利益，或是在謀取大多數人的福利。但無論如何，政府的先決條件在謀取政府或政治體系的存在及其持續，也就是維持現行政治體制和社會秩序。爲達成此一目的，政府——統治機構——必須保持其統治的手段，合法地使用暴力，來壓制反抗⑧。統治的關係是不平等的關係，因爲統治者擁有獨佔性的施暴權力。統治的關係是強制的關係，它強制被統治者服從。由此我們可知，決策行爲所衍生的結果，不是平等的，而是不平等的；不是相對的，而是絕對的；不是自願的，而是強制的。

第四、決策行爲及其執行的結果，除了具有權威性與強制性之外，它的作用也是權力取向的（power-oriented）。權力是一種優勢，是力（體力、智力）與德（品德、人格）的結合。權力者或以力服人，或以德服人，其作用在於控制或改變他人的行爲，使其符合權力者的意願。而政治就是在這種權力——特別是領導權——的獲取與分配，所做的努力。人類其他的行爲，雖然或多或少，牽連到權力問題，但不像政治行爲，以權力的獲取、保持、擴大爲主旨。因此，政治無疑是權力的鬥爭（struggle for power），這是人與人之間權力的鬥爭，是黨與黨之間權力的鬥爭，是國與國之間權力的鬥爭，有時是國家集團與國家集團之間權力的鬥爭⑨。

第五、政治行爲的本質固然是權力取向的，但它因涉及大多數人的利害關係，而帶有強烈的規範作用（norm）。規範是多數人所奉行而遵守的團體規則，也可說是經由外鑠（外面強迫進來）與內斂（潛移默化），導致的制度化之行爲模式。這種制度化的行爲模式底產生，乃是政治團體（國家、政黨、地方機關、壓力團體等）在追求其中心目標——價值（value）的過程中，由於其成員對團體規矩的遵守，積聚而成。價值乃是人們可欲之物——在個人方面，像金錢、健康、智慧、威望、愛情等。政治價值則是群體在政治活動中所追求的目標——公共福利、社會繁榮、正義、自由及和平等。政治行爲係在獲取、保持和擴大這類公衆可欲之物。另一方面，政治行爲也受這種價值所導引的。這種價值觀一旦深入人心，再加上先知先覺的鼓吹，便容易形成某國國民、或某一地區居民的信仰系統，由此信仰系統引發而爲一種行動的力量，便構成了意理（ideology），又稱意識形態，也就是通稱的政治理想、政治主張、各類各型的主義或政治文化了。因此，我們看見政治現實中充滿了不同思想、不同學派、不同路線的競爭和衝突。由是可知政治行爲擺不開規範的引導，脫不掉意識形態的色彩，避不了價值的判斷。

綜合以上所述，我們不妨粗略地指出，政治行爲乃是個人或人群爲實現其目標，追求其權力，藉權威地位及法律秩序與統治工具（必要時合法地使用暴力），所做的決策過程。當然這裡所指出的政治行爲，主要地以統治者的行爲做觀察的面向和研討的主題。至於像競選行爲、投票行爲或鼓動輿論等群衆活動，也應視爲政治行爲之一部分，而這類行爲仍離不開價值和權力取向的決策性質，所以我們也就不再詳加論述。

## 三、權力

根據動物學家或動物行爲學家的看法，人之所以成群結黨，經營集體生活，乃是由於進化或天演的緣由，爲了滿足人類維持個體生存與種族綿延的需求之故。社會學家一開始便認爲人們無法離群索居，因此把人類看成高等的、有靈性的社會動物，以別於蜜蜂與螞蟻等經營社會生活的低等動物。在人類及其他動物經營社會生活之時，就自然地產生了所謂分工與合作的現象⑩。分工與合作要運行有效，勢須有上下分明的階層(stratum)之存在。這種階層，如以職業與聲望的高低而分，則稱爲地位（status）；如以經濟利益（特別是財產的擁有與否）爲劃分的標準，則稱爲階級（class）；如以宗教或血緣觀點而把世襲的社會地位加以決定高低之類屬，則稱爲喀斯德（caste，像印度社會分成階級森嚴彼此不相往來的婆羅門、刹帝利、毗舍、首陀羅四級)。總之，社會階層化（stratification）⑪的目的，在於便利分工與合作的進行，也就是便利人群的聚居共處。社會階層化所呈現的上下隸屬尊卑有別的關連，便稱爲階等、或上下尊卑的階梯（hierarchy)。

凡在社會階等中，級位(rank)與次序(order)較尊較優者，常擁有某些特質，這種特質一般來說是所謂優勢地位（ascendancy 或 supremacy)。憑藉這種優勢地位，使位尊者得以頤指氣使，發號施令，爲所欲爲，這便是他所掌握的權力。因此權力可以說是藉著優越地位，強迫他人服從，來實現自己意志的能力。它是一種控制與支配的施行。是以德國社會學家瑪克士·韋伯指稱：「權力是在社會關係中，不惜抵抗別人的反對，俾能貫徹自己的意志的機會。至於這個機會的立足點〔或根據所在——筆者附註〕何在，則非所問」⑫。顯然，這個貫徹自己意志的機會，可能得自於神授，或來自於繼承，或基於大多數人的同意（透過社會契約*Contrat Social*⑬而讓渡）等等。至於爲了貫徹自己的意願而抗拒別人反對的方式，則不限於赤裸裸地使用暴力，或是操縱管制，也包括了好言相勸或巧言說服。是以政治學家哈列（Louis J. Halle）指出：「權力是不惜用任何手段，以獲得所需之物的一種能力。所用手段，不外：滔滔雄辯、巧言令色，或訴諸欺騙恐嚇、或強力壓制，甚至取媚乞憐、或困惱騷擾，無所不用其極」⑭。正因爲別人的反對，構成貫徹自己意志的阻礙，而且人人爲了貫徹己意，人群的爭執遂不免發生，所以國際政治學家竇意志（Karl W. Deutsch）乃提到：「粗略地說，權力乃是在爭執中能夠取勝，並且能夠具有說服別人，一言以蔽之，亦即控制別人的言行使有利於自己意願的實現之能力」⑮。權力的行使，主要展現在權力行使者與權力行使對象之間。這兩者之間構成不平等與依賴關係，如果冀望維持長久，而且行之有效，就必須要經過一番辯解說明，也就是要套上冠冕堂皇的理由，好讓權力行使的對象（權力接受者，而非權力的發放者）心悅誠服。於是將權力的依賴關係加以制度化與合法化（legitimize），便成爲群居共處的首急之務。由之統治（rule）關係也跟著發生。

## 四、統治

統治關係就是統治者（治人者）與被統治者（治於人者）之間的權力關係。此種關係基本上是不平等的、具有強制性與拘束性的。人群中一旦有統治或統屬關係的產生，則這一群體便由社會圈（sociosphere），邁入政治圈（politicosphere）之中。顯然在權力行使過程中，如以暴力為後盾，則不需任何辯解，不需任何的理由，當然也不需任何合法化的舉措。但在其他場合，權力的行使，必須藉被治者的信服或忍受，那就有待對合法性的信任（Legitimitätsglaube）⑯，方才得濟。因此，統治是合法而又被人信服的權力行使。韋伯稱：「統治該是機會之稱謂，係一群可以指明的人群，對於某一內涵的命令之服從」。他曾經把統治分成三種類型⑰：

⑴**傳統的統治（traditionale Herrschaft）**：由風俗、習慣、公序良俗、道義等傳統性的規範，所界定與建構的秩序。像「尊重道統」、「遵循古法」、「古已有之」等等，便是以古繩今的理念。建立在這些理念上的統治制度，像元老政治（gerontocracy）、階級議會、族長政治（patriarchy）等，便成為傳統的統治之典型。

⑵**法律的統治（legale Herrschaft），又稱理性（rational）與官僚（bürokratisch）的統治**：權力係依據法律規章由特殊階級的官僚來加以運用。此即通稱的法治（Legalität）。此種統治類型與歐美社會的工業化、城市化、理性化同時出現，由西歐、北美、東亞而蔓延至世界各地，而成為近代世界政治制度的主體。凡人們覺識到統屬關係之不平不公的所在，便是要求改善參與之處，從而使統屬關係受到憲章法典的規約。統治不再是當權者權力的濫用，而是為實現公眾利益與國家利益⑱的工具或手段。統治者的權益、責任、義務與被統治者的身分、權利、義務皆明定於憲章之上，

以防踰越。

⑶**賢人的統治**（charismatische Herrschaft）：這不是以法律、以規章爲主的法治，而是以賢人、聖人、強人、超人爲中心的人治。也就是東方古人頌揚的「人存政舉，人亡政息」的統治類型。換言之，以統治者的神武、英明、睿智爲統治施行之根據。統治者的天縱英明、或異稟才華（Charisma）成爲贏取人民擁戴愛護的原動力。

上述的三種分類，只是一種超越現實的理念類型（Idealtypus），事實上，當代統治形式多是類似或接近某一類型，或是各類型的重疊或混合而已。

## 五、權威

與權力以及統治關係關聯密切的是權威。權威是某人或某一機構憑藉其社會體系中的地位，因而取得或衍生的權限。這種權限也是一種資格，具有指揮、監督、整頓、控制等功能，是以可以稱爲管制權限（Anordnungsbefugnis）。凡具有這種權威的人，可以藉此資格、聲望、威儀、權勢來引發某些社會行爲，或判定某些社會行爲，甚至引進某些新的社會行爲樣式。也就是說，凡擁有權威的人士，在很多場合，可以作爲他人的楷模或領袖。權威產自職位，也可以由特殊才華或天賦異稟中衍生而得。尤其是擁有特別的知識、或豐富的經驗之人，其獲得社會的公認愈大，也成爲權威的持有者。由是我們似可把權威分成三類⑲。

⑴**形式的權威**：又稱爲職位權威，係指某人服官任職，由其職位官等中產生的權威。任何人只要擁有此一職位自然顯

露此一權威。例如一國元首，地位至尊，憲法上明定其職權、特權、榮寵、威儀等。就算是一名交通警察，當執行其職務時，也發揮了權威的作用。

⑵**個人的權威：**又稱人格權威，乃由個人的才華、資質、風格、相貌、能力中透露出來。這是屬於個人天賦或異稟所引起的權威，這種權威因人資質才能的不同而相異。不過權威人士常可以發號施令，領導別人，並為實現某一目的而運用權力。權力一旦與個人的權威相結合，便成為領導。社會體系若欲維持與繁榮，有賴良好領導的指引，否則其成員步調不齊，便有導致社群解體之虞。

⑶**功能的權威：**又稱專門性權威。所謂功能、特別是社會功能，乃是指某一行為模式，為達致某一目標之有利性、有用性、乃至必要性而言。在同一意義下，功能性權威乃指專門知識、或特殊才能所衍生的權威，蓋社會體系的結構有賴這種專門知識與特殊才能之應用，以發揮功能。總之，知識科技在於維繫社會體系之不墜，也在於促進體系不斷地發展成長。在今日文明社會中，專家學者就憑其學識能力，而贏取社會的敬重，而成為權威的象徵。「專家政治」(Expertokratie; meritocracy) 已不再是一個口號，而成為政治實際。

近年來歐美左派人士流行的口頭禪，便是「打倒建制」。「建制」(Establishment) 本為英國憲政史上的一個名詞，原無貶抑之義。今日新左派口中的建制是指一群要人們，他們盤據要津，居社會體系中尖端地位，擁有形式權威，卻壟斷消息來源，安富尊榮，企圖保持現狀，要人們努力化除各種對立的意理 (ideologies）之歧異，妨阻社會變遷，或使社會變遷只有利於此一特權階層。總之，在左派眼中，建制成爲一批尸位素餐、保持既得利益、抗拒社會進展的頑固分子之代名詞。由於它涉及到權威問題，所以我們也把它提出來加以論述⑳。

當代國際政治學權威，也是所謂現實學派的巨擘莫根陶（Hans J. Morgenthau）氏認爲：權力之於政治學，不啻能量之於物理學，或貨幣之於經濟學，同爲各該科學的中心概念㉑。又前耶魯大學政治學教授拉斯威爾（Harold Lasswell）爲政治學下一定義，他說：「政治科學研究的對象是由當作過程的權力構成的」㉒。因此，政治乃爲權力的爭取與運用。權力運用的制度化與合法化便是統治。由於統治或優勢地位而獲得被統治者的心悅誠服與公認尊重便是權威。要之，政治無疑的是權力的取得、保持與擴大，並藉統治與權威，以發揮權力運用的功能。

## 注釋：

①亞里士多德在其名著《政治學》第一篇第二節第三目中提到國家（*polis*）爲自然的結構體，而人類由其本性觀之，乃爲營求國家群體生活之本質（*Zóon politicón*），此即「人是政治動物」一詞的來源。參考Aristotles, *Politik* 1965 übersetzt von Franz Susemihl, München: Rowohlt Klassiker, S. 10.

②我們也可以說，政治行爲乃是在政治秩序（politische Ordnungen）範圍中與他人牽連之行爲。參考Ellwein, Thomas 1972 *Politische Verhaltenslehre,* Stuttgart: Verlag W. Kohlhammer, 1964, S. 40.

③社會事實之存在，可參考 Durkheim, Emile 1895 *Les Régles de la méthode sociologique,* Paris: Alcan, pp. xi-xiv, 及 Chap. II以下.

④Dahl, Robert 1970 *Modern Political Analysis,* Englewood Cliffs, N. J.: Prentice-Hall, Inc., 1963, Chap. II, pp. 4-13.

⑤《荀子》<禮論篇> (第十九)，談起禮的源起，可以顯示人類爭論產生之原因，以及息爭止訟之必要。原文爲：「禮起於何也？曰：人生而有欲，欲而不得，則不能無求，求而無度量分界，則不能不爭。爭則亂，亂則窮。先王惡其亂也，故制禮儀以分之，以養人之欲，給人之求。使欲必不窮乎物，物必不屈于欲，兩者相持而長，是禮之所起也」。

⑥關於政治行爲或政治，牽連到領域 (territoriality) 的問題，亦即官員在領域內不斷實施武力威脅，或甚至武力使用，俾貫徹其命令。可參考 Weber, Max 1964 *Wirtschaft und Gesellschaft*, Köln, Berlin: Kipenheuer & Witsch, erste Aufl., 1956, S. 781; 及英譯本，1947 *The Theory of Social and Economic Organization,* trans. A. M. Henderson and Talcott Parsons, N. Y.: Oxford Univ. Press, pp. 145-153,154.

⑦是以竇意志 (Karl W. Deutsch) 稱政治爲有關人類行爲或多或少不完全的控制。這種控制或基於被統治者順從的習慣 (自動自發)，或是統治者藉暴力的威嚇，來迫使人們服從。見Deutsch, W. Karl 1968 *The Analysis of International Relations,* Englewood Cliffs, N. J.: Prentice-Hall, p. 17 ff.

⑧韋伯視國家爲人控制人的統屬關係 (Herrschaftsverhältnis)，這種關係乃建基於合法使用暴力的手段上。 Weber, Max, *op. cit.* S. 1043.

⑨*ibid.*

⑩關於分工方面可參考 Durkeim, Emile 1893 *De la division du travail social: Etude sur l'organisation des sociétés superieures,* Paris: Alcan.

⑪Barber, B. 1957 *Social Stratification*, N. Y. ; Dahrendorf, R. 1957 *Die soziale Klassen und Klassenkonflikt,* Stuttgart; Dahrendorf, R. 1965 *Class and Class Conflict in Industrial Society,* London.

⑫Weber, Max 1964 *Wirtschaft und Gesellschaft, Grundriss der verstehenden Soziologie,* Studienausgabe, Hrsg. von Johannes Winckelmann, Köln & Berlin: Kiepenheuer & Witsch, erste Aufl., 1956, S. 38.

⑬Rousseau, Jean-Jacques 1915 *Contrat Social,* in: C. E. Vaughan's *Political Writings of Jean Jacques Rousseau,* 2 Vols, Cambridge, translated by G. D. H. Cole.

⑭Halle, Louis J. 1954 *The Nature of Power,* London: Ruppert Hart-Davies, pp. 68-76.

⑮Deutsch, Karl W. 1968, *The Analysis of International Relations,* Englewood Cliffs, N. J. : Prentice-Hall, p.22.

⑯Weber, *op. cit.* S. 157.

⑰*ibid.,* S. 159ff.

⑱關於國家利益的學說：請參考洪鎌德＜國家利益與外交目標＞，刊：《東方雜誌》，復刊第六卷第二期，1972, 8.，第38至48頁。

⑲Wössner, Jakobus 1970 *Soziologie, Einführung und Grundlegung,* Wien: Böhlau, S. 51.

⑳*ibid.*

㉑Morgenthau, Hans J. 1967 *Politics among Nations, The Struggle for Power and Peace,* N. Y. : Alfred A. Knopf, Inc. fourth ed., p. 5.

㉒Lasswell, Harold and Kaplan, Abraham 1965 *Power and Society,* New Haven and London: Yale Univ. Press, 1st ed., 1950, p. xvii.

# 第十五章　政治與政治學

## 一、政治與政治現象的哲學省思

### 1. 政治的定義

自從人類出現在這個地球之日開始，政治便如影隨形，長相左右我們的身邊。一旦談到政治，人們便聯想到國家、政府、官廳、政黨、政客、權鬥、行政管理等等制度、人員和過程。一般人談到政治，則會想到仗勢欺人、濫權貪瀆、耍弄權術、專斷獨裁等負面的印象，是以把政治當作骯髒可怕的事情來看待，或把它當成「高明的騙術」加以排斥。

其實，政治是涉及你我利害關係的公眾事務，也是孫文所說「管理眾人之事」。把追求公益、安定、進步、繁榮、和平的政治目標，扭曲爲個人或集團爲了私利、地位、聲名、權益而進行的生死搏鬥和爭權奪利的自私勾當，是古往今來政客們的罪行，與政治的本質是有相當的距離。當然我們在此無意美化政治，也該把政治醜陋的一面包括進來討論，才能理解政治的眞面目。

⑴**政治是群體追求公共價值的行動**。一個群體不管是小到一

個地方（村里、鄉鎮、縣市、市邦），還是大到一個國家（民族國家），甚至區域性的國家聯合（如歐盟），乃至寰球的聯合國組織，都在追求既定的目標。這些目標也是涉及其成員整體的利益或價值，在西方簡稱爲「公善」（public good）。公善包括安全、獨立自主、自由、物質或精神上的利益（繁榮、進步、開化），也包括社會的和諧、犯罪與暴亂的抑制，以及秩序與和平的維持等。

⑵**政治牽涉到稀少資源與權力之決定性（權威性）的分配**。群體的維持和繁衍（再生，reproduction）有賴對自然資源與人造資源（權力、財富、地位、聲名、信用等）的有效利用。但不論是自然的資源還是人造的資源，都並非取之不盡、用之不竭的資財。儘管今日工商社會科技發達、知識增進、能力遽升，但相對於廣大的人口數目（目前世界大約有50多億人口），可供吾人使用的資源仍嫌稀少，仍嫌匱乏。政治就是企圖對這些稀少與匱乏，但卻非常寶貴的資源如何分配、如何使用的集體決定。但這種分配涉及有權力者、有權威者由上而下的分配，因之政治可謂爲價值之權威性的分配（authoritative allocation of values）。

⑶**政治爲人群衝突及其解決的方式**。由於可供使用的資源有限，而爭取資源的人群衆多，則自有人類出現之日起，便存在著人群爲爭取利益而引發的衝突與鬥爭。政治便是涉及衝突（權鬥、革命、戰爭、選戰）及其解決的各種機制（mechanism）。在所有衝突中又以奪權、爭權最爲突出。是以政治被視爲權力的維持、爭取與擴大，亦即以權力爲取向的（power-oriented）行爲，也是權力的拼鬥（struggles for power）。

⑷**政治是涉及政治體系的機關與人物取得權力正當性與合法性之行爲**。政治牽涉到官署與官員，前者是政府機構，後者是政治人物。政治要運作有效，不能不靠機構與人員的操作。事實上，政治人物，不管是決策者的公共人物（public figures），還是執行者的官僚（public servants），都是政府機關最重要的成分，與實際上推動政治的行動者（political actors）。但這些人員與機構之成立必須取得人民的信任和信託（trust）。不管他（她）們是經由憲法、法律、命令等法律形式，還是通過選舉、任命、甄拔、政爭、宮廷革命等方式取得其職位與權力，其任官稱職的正當性（legitimacy）與合法性（legality）都要遵守政治體系（political system）成立的規範（norms），或至少不悖離其規範。是故政治是牽涉到政治體系的機關與人物的正當性與合法性之行爲。

⑸**政治是政治體系的決策行爲**。政治體系一般可分爲行政、立法、司法三種權力的分立，而這三權之間又互相制衡。今日社會上把報紙、雜誌、電台、電視、網際網路等新聞資訊的機構當成涉及公衆事務的第四權來看待。不管是統治機器的三權，還是民間社會代表輿論的第四權，政治都牽涉到三權或四權之相互對立與關聯，但更是在每一權力之下的機構與人員有關公共政策之討論與決定。是故政治是涉及公共利益之政策決定（policy decision），或稱決策制定（decision-making）。這有異於個人對其日常生活之私自選擇（private choice）或私自決定，政治乃是涉及群體利害關係的抉擇與決斷。

⑹**政治是涉及國家對內與對外的公權力之行爲**。自從17世紀

中葉（1648）歐洲民族國家成立之後，國家成爲內政、外交與國際關係擁有最高權力（主權）的政治單位。在國家名目下，固然有一定的領土、管轄的國民、進行統治的政府機構、和代表獨立自主的主權，國家的其他要素還包括國民的忠誠服從與外國的承認。政治廣泛地講就是涉及主權國家對內、或對外行使其公權力之行爲。儘管今日世上不少的國家有意減低主權的色彩，而倡組區域性組織（像歐盟、獨立國協、北美自由貿易區等），但民族國家仍爲今日國際政治、經貿、科技交流融合最後的裁決者。是故無論是內政、還是外交、還是商貿政策、貨幣（外匯管理）政策，仍屬政治的範疇。政治成爲圍繞國家的利益（national interest）打轉，擺脫不了國家的監控、參與、干涉的公共行爲。

## 2. 政治哲學

古往今來的東西方思想家對政治的本質與現象都曾經加以認眞的反思與檢討。

孔孟主張「政者正也」，認爲政治是居上位者以正直、正當的行爲來教導百姓，改善社會風氣，實施仁民愛物的仁政之道德行爲，也是實施君臣有義、父子有親等五倫的倫理目標。

柏拉圖在撰寫《理想國》（378 BC）時，主張建立一個由生產者、軍警與菁英（衛士）三階級所組成的市邦。菁英階級以符合優生學的觀點，經由長期和嚴格的訓練與教育養成，經營共妻（夫）、共子（女）的共產社會生活，並選出最有智慧的哲王作爲市邦的元首。政治的目的在讓每個人按其能力，在社會上下位階中擁有一席之地。透過其職業的發揮，使各得其所，各盡所能，而達到社會安和樂利的目的，也是使正義得以伸張的方式。

亞里士多德則認爲政治爲公共之善的追求。人有各種慾望與需要，爲滿足生理上之需要男女結婚締造家庭；爲達成互易有無及社會上的承認之需要，由家庭擴大而形成村落市集。但人最高的需要爲倫理道德之完成，所以必須把村落市集擴大爲市邦，是故人乃爲住在市邦、靠市邦來展現其公民身分的動物（*Zoon politikon*）。換言之，由家庭、而村落、而市邦，國家是層層演進發展而成的。亞里士多德更是把政府的形式以統治者人數的多寡與優劣，分成君主—暴君—貴族—寡頭—民主—暴民六種方式。並主張由好變壞、由壞變好的循環變化，爲政府形式循環論的首創者。

有異於柏氏與亞氏對市邦的自給自足之理想看法，古羅馬所建立的爲龐大的帝國。是故西塞羅（Marcus Tullius Cicero 106-43 BC）主張國協（*res publica*）是倚賴法律的人群結合（association），政府的施政是受到普遍性自然法的規範，而自然法正反映了宇宙的秩序。

聖奧古斯丁所著《上帝之城》(413-426) 企圖把靈肉的分開應用到教會與國家分開的討論之上。他固然視國王爲上帝在現世進行統治的代理人，亦即控制地土之城的罪惡，因而勸民衆服從官署，但其最終目標仍在強調來世靈魂的救贖。換言之，聖奧古斯丁不認爲市邦的自給自足與良善的生活是人們值得追求的目標。

沙利士柏理主教（John of Salisbury 1115-1180）在其所著《政治軀體論》（*Policraticus*）(1159) 主張賢明的統治者必須依法律行事。反之暴君之作爲違法濫權。這成爲西洋政治思想傳統中有關統治權基於信任、信託的濫觴。

阿奎那（Thomas Aquinas 1224-1274）視法律爲「規定和衡量」的手段，目的在使人生幸福與完美。他同意亞里士多德把市邦當作人完善生活的場域。因之，視公權力在促進公共之善。人的幸福之所在既然是共同體（community，社群），則公權力的合法性來源應當是共同體。統治者應當「爲促成人群最終獲得天堂快樂之人生目的，而增進『現世』的完善」。

馬基維利（Niccolō Machiavelli 1469-1527）是把政治哲學世俗化的思想家，他看透人性虛僞、善變、自私、貪婪、忘恩負義的一面，因而強調原始的或本來人性之惡，但卻也承認教育、道德、宗教或社會化可以把人性之惡改變、遮蓋、隱飾，而成爲善的另一面。統治者在認清人性本質與可能的改變之後，必須以獅子的勇氣和狐狸的狡猾，因時制宜採取不同的方式來統治民衆。基本上爲政者要恩威並施，讓百姓恐懼屈從，比受人愛戴更省錢省力。政治人物顧慮的是國家的安全與本身地位的保持，而非信守諾言。政治只受叢林弱肉強食的律則所規範，政治只講究利害得失，故應與道德倫理分家。對他而言，執政者的德性（*virtú*），在於追求個人與國家的榮耀（*gloria*），亦即國土與國力之擴張，歷史地位的不朽，而不須計較是否被百姓視爲賢君或是暴君。他是現實政治（Realpolitik）的倡議者。也可以說是政治現實論（political realism）的祖師爺。

應用17世紀的物理學與心理學知識，霍布士倡導社會契約論。他認爲生命的基本律爲運動，促成每個人在世上活動的動力爲人的本性驅力（impulses），這種人性的驅力包括對突然死亡的憂懼，也包括人的驕傲與虛榮心。他設想人類最初生活在各自爲政、互相廝殺的自然狀態中。由於人爲理性動物，懂得運用理性，所以大家協議捐出部分權力給予公正的、中立的第三者，由他來排難解紛，決定是非對錯，這便是社會契約的訂立。通過社會契約，獲得讓渡而成立的官署，就成爲權力無限的絕對君王，有權處罰違背契約、法律的人。由是社會從原始的自然狀態進入文明社會。這個由衆人權力讓渡而成立的國家無異爲權力集中的海怪，故霍氏稱之爲「巨靈」(Leviathan)。人群組合的國家就像世上其他事物一樣，受著律則的約束與規範。不過他反對超驗的自然律，蓋自然律脫胎於神聖律，都不是尊奉牛頓萬有引力定律的霍布士所信服的。對他而言，法律是人造的，也是大家協議以契約的方式所訂立的，由是可知，法律產生權力，而非權力產生法律。

其後洛克在《論容忍書信》(1689) 和《政府兩論》(1690) 兩書中，繼續發揮社會契約論。有異於霍布士描述的自然狀態中人人爲敵，爲了權益彼此做殊死鬥爭，洛克認爲處於自然狀態中的人群，因爲欠缺公平判斷的機關，與是非曲直執行矯正的機構，而造成生活之不便。是故，人們爲保護其生命、自由、私產，遂締結契約結束自然狀態而進入文明時代。由是國家乃告產生。作爲國家發號施令的政府，其統治要取得百姓之同意，是故對政府的信任之行爲 (fiducial act) 也是一種社會契約。透過每四、五年舉行一次的大選，無異爲政黨爭取選民信任的社會契約之續訂。有異於霍布士，洛克不只主張契約不斷續訂，而非一次便交出所有的權力，他還主張人群交出的權力是有限的，只限於促進「人民的和平、安全和公善而已」。沒有百姓的同意，政府無權沒收人民的私產，這顯示他對當時地主階級與有產階級利益保護的用意。儘管如此，洛克仍不失爲西方自由民主的理論奠立者。

柏克 (Edmund Burke 1729-1797) 是所謂保守主義的思想大師。他固然如同洛克一樣，主張統治建立在被統治者之同意的基礎上，卻強調政府爲前代、同代與後代所信託者（trustees）。他替英國自由黨前身的輝格黨政府辯護，甚至爲該政府所造成的民間疾苦辯護。他認爲守秩序的自由是值得追求。反之，他譴責雅各賓黨人在法蘭西大革命後所造成社會的暴亂。他認爲世代傳承下來的社會秩序不容激進者在一朝一夕之間予以毀壞。他說「不管是少數人或是多數人，都沒有權力以其意志進行統治」。他對暴力革命之後社會的混亂頗爲憂心，蓋收拾暴亂的結果便是獨裁的出現。他是保守主義的先鋒。

盧梭的學說則是對啓蒙運動的分析之理性主義底反動，也就是企圖以革命性的浪漫主義來對抗理性主義。他宣揚一種類似世俗化宗教之平等論，以及對凡人崇拜的庶民論。他說：「人生而自由，但到處都遭到桎梏的束縛」。對傳統留下的上下不同位階（hierarchy）提出質疑與抨擊。這是對至今爲止只重社會菁英的說詞之抗議，取而代之的是群衆，這也是他何以再三強調主權在民的因由。他提出「普遍意志」（*volonté générale*）的概念，成爲自由民主與極權獨裁進行統治的源泉與藉口。作爲主張歐洲各國聯合的理論家，他反對國家之間的戰爭。他的「社會契約論」（*Du contrat social*）就認爲國家仍處於自然狀態之中，只有當國家的聯合實現之後，才能消弭國際的爭端。

邊沁與穆勒都是英國功利主義的哲學家。他們認爲政府的職責在增加最大多數人的最大快樂。穆勒除了數量之外，特別強調幸福或快樂質量的重要。他認爲民主爲無可避免的發展趨勢，此點與法國托克維爾（Alex de Tocqueville 1805-1859）的想法完全相同。不過他對言論之完全自由持保留的態度。他認爲進步並非經濟競爭所造成，而是由於人的心靈自由所產生。國家的價值完全由構成國家的成員——個人——之健全發展所導致的。任何看輕個人的國家在文化上是不足道的。

義大利愛國者兼革命家的馬志尼（Giuseppe Mazzini 1805-1872）倡說自由的民族主義，美國開國元勳（華盛頓、亞當士、傑佛遜等）則主張憲政主義。其後有聖西蒙、傅立葉、歐文等主張烏托邦的社會主義；普魯東則倡無政府主義。黑格爾以心靈或精神之演變來解釋歷史的變遷，他認為政治國家與市民社會是對立的，這種對立對後來馬克思把社會看成為上層建築的意識形態與下層建築的經濟基礎有重大的影響。

馬克思師承黑格爾的辯證法，視歷史的總體在進行辯證的發展。促成歷史變遷的動力為經濟基礎中生產力衝破生產關係，導致上層建築跟著變化。經濟基礎為生產方式，亦即人的物質生活。是故馬克思以唯物史觀來取代黑格爾的唯心史觀。政治乃是仗著人數優勢的無產階級對抗少數資產階級的鬥爭。馬克思認為一旦未來資本主義體制崩潰、資產階級消滅之後，人類將進入無階級、無剝削的共產主義社會。屆時不但法律不起作用，連國家和政治也跟著消亡①。

## 二、政治科學

### 1. 定義與區別

政治科學（political science）、或簡稱為政治學（politics），狹義地說為以科學的分析方法對政府的過程做系統性的研究。廣義的說法則不只限於政府的操作，還包括對所有的政治制度、政黨、革命團體等之行為加以描述、分析與評斷。德奧的學術傳統是強調國家的結構與功能之研讀，此即所謂的國家學說（Staatswissenschaften）。在英美大學中政治科學爲單數 political science，但在法國則爲複數的學科 *sciences politiques*。一般認爲對政治做科學的研究始於古希臘，其奠基者爲亞里士多德。

儘管政治科學與政治哲學、政治理論、政治思想有所區別，但其分別和區隔並不明顯。大體而言，政治哲學涉及的是某一時期中的政治理念，包括描述性（descriptive）和規範性（nomative）的政治概念和理想在內。反之，政治科學則重視經驗的、實證的政治制度與政治行爲之考察，儘量避免對政治現象做價值判斷，儘量建立在政治事實之上，俾由事實引申爲原則，並把研究的結果加以量化，成爲人人可以引用的資訊證據。

政治思想則爲政治哲學家觀念的綜合說明，其中有涉及政治價值、政治原則、政治理想的部分，當然也有政治睿智、政治卓見、政治智慧的部分，比較接近政治哲學，而非嚴格意義下的政治科學。政治理論則爲介於政治科學與政治哲學之間，對政治本質和政治現象系統性的說明與分析，以及客觀的評價。

## 2. 政治科學的發展

當代政治科學的誕生是由於19世紀社會科學力圖向自然科學看齊，積極發展的結果。具有現代意義的政治科學之起始可溯及聖西蒙的努力，他曾在1813年指出，道德與政治學說能夠變成「實證的」科學，亦即變成不以個人主觀的臆測，而奠立在客觀證據上之學問。其祕書孔德在1822年發表《社會重新組織所需的科學活動》一書，聲言政治學可以變成社會的物理學，發現社會進步的規律。孔德雖然成爲當代社會學的鼻祖，但他企圖以科學嚴謹的（觀察、實驗、抽象）方法來研究政治現象，也可以視爲政治科學的奠基者。

19世紀很多學者對國家的討論，固然是柏拉圖《共和國》、或沙利士柏里《政治軀體論》的引申，但出生於波蘭，而執教於奧地利的社會學家龔普洛維齊（Ludwig Gumplowicz 1838-1909）就認爲國家並非由於人群的和諧合作才產生的。相反地，造成國家的出現，乃是不同種族的群體之間的衝突。換言之，不同種族的戰鬥、征服、與同化促成國家之浮現，也造成國內不同階級的崛起。法律爲階級鬥爭中勝利的一方所加給失敗的一方的規定。要之，國家立基於暴力之上，而靠權力來維持。文明是靠著戰爭來獲得存在與擴散。

義大利的巴雷圖（Vilfredo Pareto 1848-1923）是經濟學者、社會學家，也對政治懷有濃厚的興趣。他對社會學的研究是採取「邏輯—實驗法」（logico-experimental approach），亦即一方面觀察，一方面發現其邏輯關聯。由於巴氏所倡說的是心理學式的社會學，他對政治科學有間接的影響。心理學式的社會學認爲人的信念、態度、意見、情緒會影響到人的社會生活，這種說法影響了20世紀政治學者有關人內心的感受對政治的衝擊。此外，巴氏認爲社會是一種體系，本身趨向均衡發展，這種體系論也成爲第二次世界大戰結束後英美政治體系論的先河。

另一位對當代政治科學影響重大的前輩爲瑞典人祈也連（Rudolf Kjellen 1864-1922），在其所著《當做生命型態的國家》（*Staten som lifsform* 1918-1919），把國家譬喻成一個生物體，也是生物性與道德性結合的生命共同體，每個國家擁有其活動與發展之空間，遂倡說「地緣政治學」（geopolitics），此一學說對德國學界與政界影響重大，希特勒要追求德國人的「生活空間」

(Lebensraum) 就是受到祈氏學說的鼓舞②。

以上我們指出現代政治科學受到早期社會學說之影響。另一影響的因素則爲法律學方面的理論。

把國家與法律緊密聯繫在一起的最早思想家，應數16世紀的布丹 (Jean Bodin 1530-1596)，他主張國家的最高權力爲其制定法律的立法權力，這便是國家的主權。儘管布丹所主張的主權是獨一無二、不容分割的最高權力，但19世紀尚未統一前的德國學者魏茲 (Georg Waitz 1813-1886) 卻主張主權是中央聯邦與地方各邦均分的權力。俾斯麥首相統一德國 (1871) 之後，賽德爾 (Max von Seidel) 就認爲既然主權不可分割，只有一個中心或地點擁有主權 (或是各邦、或在聯邦)。耶林內克 (Georg Jellinek 1851-1911) 認爲主權有所限制，但這些限制是由國家來規定的，由是可知國家之上與國家之外，無主權可言。因之國家是至高無上的組織，也是唯一主權的持有者。

法國由於教授政治學的學者都是憲法專家，因之，繼續發揮法律學說與國家學說之密切關係。狄驥(Léon Duguit 1859-1928) 認爲人類具有普遍的本性與相互依賴團結協作的本質。故個人對社會負有責任。他分辨國家與社會之不同，認爲人們宜訂定法律限制國家的權責。換言之，個人對社會而非對國家負有連帶責任。

對政治的科學研究最熱衷的爲英美兩國。英國倫敦的政經學院成立於1895年，牛津大學也於1912年設置獨立的政治學講座。1880年哥倫比亞大學創立政治學系，標誌美國政治科學教研的伊始。自此之後，美國大學與獨立學院紛紛設立政治學科系，俾脫離歷史、哲學、經濟學，而成爲獨立自主的科系。初期教員爲受過德國「國家學」訓練之學者充任，其研究取向爲政治制度，故不無形式主義 (formalist) 之嫌。

威爾遜（Woodrow Wilson 1856-1924）和古德鬧（Frank Goodnow 1859-1939）的政治理論中含有達爾文進化論的色彩，尤其逐漸擺脫靜態的典章制度之研究，而注意政治生活動態的事實，也就更接近實證主義的方式，而非滯留於分析的傳統。

影響1930年代至1950年代美國政治科學界最主要的作品爲卞特禮（Arthur F. Bentley 1870-1957）的《政府之操作過程》（1908)，在該書中卞氏主張政治之研究宜排除形上學與規範性的玄思，而跟著事實走。其次，政治研究之對象不再是國家或個人，而是群體；再其次對政府之考察應集中在政府機構中人（官）員的流程，亦即行政、立法與司法之過程。於是行爲與過程成爲1950年代以來美國政治研究之焦點。

1925年梅廉姆 (Charles E. Merriam 1874-1953) 出版了《政治的新面向》，成爲芝加哥學派的奠基者。他倡說以統計數字來充實政治研究結果之眞確性，他建議把心理學、社會學、醫學、精神分析學也融入政治學研究方法中。此項努力由拉斯威爾（Harold Lasswell）所出版的《心理學與政治學》（1930），以及《權力與人格》（1948）兩書看出成效。拉氏《政治：何人、何時、以及如何得到何物》（1936）成爲一部成功的經驗取向之力作，爲政治學披上更富有科學性質的外衣。之後，芝加哥學派對選舉行爲之研究聲名大噪，其採取價值中立之方法，也受學界肯定。

直至1945年美國政治學界關懷之主題爲制度、法律、政府之形式結構、政府操作過程等，也即對靜態與動態的統治都面面顧到。重點還是擺在政治行爲事實的面向。

## 3. 第二次世界大戰結束後政治科學的研究重點

自從第二次世界大戰結束以來的半世紀中，政治科學仍數美、加、英等英語系國家發展最爲迅速，成果也最爲豐碩。以美國爲例，研究重點仍舊擺在政治行爲的研究、政治體系的分析、利益團體、菁英、政黨的考察和政治態度，以及投票行爲之剖析之上。

因爲對政治行爲之大力研究，遂有行爲主義 (behavioralism) 之稱謂。嚴格而言，行爲主義不限於政治行爲，也包括人們的經濟、社會和文化行爲在內。它是企圖以行爲科學 (behavioral sciences) 來取代或增強社會科學，這包括文化人類學、社會心理學、社會學等在內。講究科際的統合、或多學科的方式來考察人在社會中之行爲。造成美國政治科學界崇奉行爲研究之六大原因，包括(1)芝加哥學派的提倡；(2)自歐陸移居美國的德裔學者之社會學訓練；(3)學者在二次大戰期間進入政府部門參與行政管理或諮商顧問工作；(4)基金會鼓勵學者進行政治行爲之研究；(5)調查方法之改進與應用；(6)美國社會科學研究委員會 (Social Science Research Council，類似台灣「國科會」) 對政治行爲研究的協助。

尤勞 (Heinz Eulau) 在《政治中的行爲確信》(*Behavioral Persuasion in Politics*，1963) 一書中指出：所謂的政治行爲是指「個人在政治中之作爲，以及他對其行爲所賦予之意義」而言的。在此情形下，研究者不要對政治行爲者所下的意義加以界定，這會含糊了行爲者之本意、或其確認。達爾 (Robert Dahl) 則指這種行爲的認定是一種「心情樣態」(mood)，或是一種「科學的看法」(scientific outlook)。其實這只是在第二次世界大戰結束後25年間瀰漫在美國政治學界重視經驗事實的一種心態，也是一種學術運動的趨向，是有異於過去重視典章制度的研究途徑，是故不久便被宣布爲過時的學術思潮，遂有衣士敦 (David Easton) 所宣布的「後行爲革命」(post-behavioral revolution) 之爆發，而結束行爲主義喧囂的時期③。

當代政治科學研究無論就其內容或方法而言，比較不顯示首尾連貫圓融 (coherence)。它所呈現爲高度的複雜性，這是指概念及其方法而言的。在第二次世界大戰後25年間，也就是行爲主義鼎盛的1945至1970年，美國政治科學界儘管有大量經驗性、實證主義取向，以事實和證據爲後盾的作品之產生，但其流於乏趣、瑣碎、形式主義之窠臼，也十分明顯。很多作品既與行動、實踐無關，也不具重要意義 (irrelevance)，這是後行爲革命者所詬病的行爲主義。

在這些大堆行爲研究中都視政治爲程序、爲流程，亦即圍繞著統治爲中心的個人與群體互動之過程。衣士敦在1953年出版的《政治系統》就視政治系統爲社會全系統、或稱總體系統之一環，它之特徵爲「政策制定」(policy-making)，亦即涉及社會政策的制定與執行。政治體系處於特定的環境中，是故體系及其環境之互動非常重要。體系有輸入與輸出，由輸入經體系再轉變爲輸出，正是價值的權威性分配。

有人採取不同於衣士頓對系統的看法，認爲系統不過是人工頭腦學、或稱控導論 (cybernetics)，是一種溝通的網絡 (communication network)。因之，應以溝通系統來解釋人的政治行爲。有人則倡說博奕論 (game theory) 來提昇決策之效果。但對行動者之理性選擇的探討，也成爲研究者之偏好，儘管行動者與系統之關係並非研究之焦點。

有關利益團體、菁英和政黨之研究雖有不同的來源，但也在系統的架構下加以論述。利益團體與政黨被當作利益的構連（articulation）與凝聚（aggregation）的行動主體（agencies）看待，它們的要求、活動成為政治系統的輸入項，經過政治系統的運作，便有輸出項（決策、決定、選擇）之產生。不過利益團體之研究在行為主義產生之前，大約於1920年代美國禁酒政策實施的年代便告開始。後來對卞特禮學說的重新評估使利益團體之考察更趨熱絡。至於菁英研究則開始於1936年拉斯威爾對「有力者」（influentials，有影響力的人）概念的提出，其後成為1950年代對社區領袖探討時重新引發的學術興趣。

至於政治態度與投票行為的考察主要考慮到公共輿論、政治立場與選舉行為對現代政治之衝擊。這是拜抽樣調查與統計學技術的改善之賜，而成為美國政治科學界的寵兒。

戰後20年間美國政治學界過度推崇科學的方法，迷信科學主義的作法，自認可為政治研究找到不帶價值判斷、完全客觀的研究方式，這種矯枉過正的想法與作法，終於得到批評者的反彈，他們排斥其為「科學主義」。

## 4. 當代政治科學新趨向

依據衣士敦的說法，1960年代末與1970年代初全球由於經濟巨變，遂有「反文化的革命」（counter-cultural revolution）之爆發，這是民權運動、反越戰之繼續發展，亦即對男女穿著之形式、性行為、女性的地位、少數民族在社會中的定位、社會新的不平等、富裕中的貧窮、對環境的汙染、自然資源的濫用等等的新態度與新主張。目的在提醒沉湎於無節制的工業化、性別與種族歧視、寰球性的貧窮和核戰陰霾之下人類的困境。在這種反文化的氣氛下，政治科學過分強調客觀中立的研究方法受到學界的質疑，行爲主義所欠缺的就是「關聯性」以及對社會眞正關懷的「行動」。因之馬克思主義或稱新馬克思主義的社會科學之觀念逐漸取代韋伯價值中立學說。

由於反文化革命的積極鼓吹者爲學生領袖，爲年輕激進的左翼學者，因之，他們開始質疑政治是何物？政治學究竟是研究什麼對象？1970年代以來，被視爲焦點的政治體系之研究，又被國家所取代。由是對國家的研究又告復活，採用的是馬克思主義或接近馬克思主義的觀點。依據衣士敦的看法，政治科學的認同體、研究目標、研究方法，究竟擺在哪裡又引起嚴重的爭論，是故1970至1980年代，美國政治科學仍處在「過渡時期」中，亦即這一門科學仍在追尋其本身的認同，學界的共識，以及爲大家所能接受的理論、方法、觀點④。

即便是應用馬克思主義或新馬的觀點來研究美國或全球的政治現象，但因爲馬克思主義已零碎爲批判理論、人本主義的馬克思主義、文化的、結構甚至教條的馬克思主義，因之，在美國的政治學界所應用的馬克思主義也缺乏一致、完整與明確的趨向。在新馬中受阿圖舍與普蘭查結構主義影響較爲明顯的政治科學學者，表現較爲突出。新馬對美國政治科學的衝擊，主要在重新標明歷史的重要性，以及經濟、社會階級、意識形態、以及整個社會的脈絡對政治產生的作用⑤。

固然投票行爲、行政行爲、利益團體、政黨、菁英的研究仍然照舊推行，但新主題如環境污染、族群、種族、社會與性別不平、核戰威脅，也成爲1970年代與80年代學者關懷之研究題目。

政策取向的研究表現在「政策分析運動」之上。不只研究政策如何形成與付諸實行，更重要的是指出業已採用的政策之可能替代方案，而比較其優劣。

與政策分析運動同時出現的爲政治經濟學之重生，亦即考察經濟問題與政府、利益團體及其他國內外制度之相互關聯。這種觀點的改變，無異爲衣士敦所說「認知政治學」(cognitive political science) 之抬頭，也就是不再把政治現象看作是完全非理智的過程之產物。反之，認知政治科學之出發點是假定政治行爲中包含堅實的理性成分：人類在政治中行事謹愼而富理性，要瞭解政治，也就必須以理性的觀點來加以分析。於是理性選擇論應時而生。

即便是政治哲學中理性的價値也再被重視，以羅爾士 (John Rawls) 的《正義論》(1971) 爲代表。此書受經濟學的選擇理論所影響，也受博奕論的影響，亦即由人的理性行爲引申出社會正義來。於是有關理性行爲就變做涉及平等、自由、國際公平、合法性等的討論之基礎。在此情形下，連同科學方法論中所強調的價値中立也被推翻。學界普遍承認科學概念本身便含有價値。對於價値之無法排除，並不意謂對客觀知識的放棄，只是價値與知識怎樣和平相處，仍舊引起不少的爭論。其中韋伯瞭悟法又再度成爲替代嚴格科學方法之有效研究途徑，弔詭的是批判傳統實證主義科學方法的人，居然也頌揚韋伯此一瞭悟法，居然把韋伯當成「布爾喬亞的馬克思」來看待⑥。

衣士敦認爲20世紀杪政治科學仍在變化當中，要爲其定位與定向都非常不易。特別是美國政治科學界不再堅持科學是實證主義理想下的客觀現象之捕捉。這種科學的意象 (image) 之更易頗値人們矚目。換言之，當嶄新的科學的意象出現之時，那將是政治科學、乃至社會科學新世代的降臨。

在受維也納學派影響下實證主義的行為論心目中，理想的科學的意象為：一個有系統的知識，它立基於公準之上，藉由一大堆的陳述之概括、綜合而獲得客觀觀察的證明，甚至可以用數學模型來加以清楚表達。這種科學的意象仍為美國當代政治科學界奉為圭臬。但新的科學的意象，卻逐漸在發展中，這包括對現象分門別類的分類學（taxonomy），概念架構、性質的概括化，亦即不建立在數學模型，不以量化為主的性質描寫與推演。這不只是當今生物學流行使用的方法，也可以推擴到社會科學與社會科學中的「高貴科學」（noble science）之政治科學。

正因為政治科學處在後行為主義之後的這30年，各種研究的方法與途徑都被接受為解決眾多問題的鑰匙，如何把這些不同的看法、觀點綜合融貫，又變成一大堆的問題。基礎問題的探討和知識應用兩者之間的關係，也因為資源的匱乏而觸發新一輪的爭辯，這也就是理論與實用孰輕孰重、如何取捨或權衡的問題。電腦與資訊產品的突飛猛進對政治科學與其他社會科學的研究有嚴重的衝擊。國際學術的交流合作也引發社會科學研究看重一般通則、還是考慮特殊文化與歷史背景的爭議。吾人可否把政治科學發展為超國界、泛宇的學問？還是讓政治科學反映每個國度與其地區之文化特色⑦？

總之，政治發展到跨世紀的年代，已是百花怒放、百家爭鳴的地步，以女性主義、弱勢團體、少數民族、同性戀、國內外恐怖主義等等為訴求的多元主義之文化觀與政治觀，將與國際政治、民族衝突、階級鬥爭、經濟爭奪、宗教與文明稱霸，成為研究者考察分析的對象。

## 注釋：

①Bowle, John Edward 1973 "Political Philosophy", *Encyclopedia Britannica,* Chicago *et al.*： Encyclopedia Britannica, Inc. 14： 684-693.

②洪鎌德 1977《世界政治新論》，台北：牧童出版社，第54至57頁。

③洪鎌德 1977《政治學與現代社會》，台北：牧童出版社，第27至28頁。

④Easton, David 1991 "Political Science in the United States", David Easton, John G.Gunell & Luizi Graziano (eds.) , *The Development of Political Science,* New York：Routledge, p.284.

⑤洪鎌德 1995《新馬克思主義和現代社會科學》，台北：森大圖書有限公司，再版，1988年初版，第185至200頁。

⑥Easton, *op.cit,* pp.286-287.；洪鎌德 1998 《從韋伯看馬克思——現代兩大思想家的對壘》，台北：揚智文化事業公司，第125頁。

⑦Easton, *op.cit.,* pp.289-290.

# 第十六章　經濟問題與經濟學

## 一、經濟問題的產生與經濟活動的運作

### 1.　匱乏、選擇、競爭、合作

自有人類以來，便遭逢著物資匱乏的情形。所謂的匱乏 (scarcity) 是指可以滿足我們生存的必需品，諸如衣食住行的民生必用品並非取之不盡、用之不竭、到處充斥，隨心所欲可以予取予求。到底人類活在物質條件不夠充足的世界之上。這種可資運用的必需品不夠來使我們的慾望與需求獲得滿足的情狀，便叫做匱乏的情境。其實匱乏的情形不僅是指物質條件、物質資源而已，還包括精神條件、文化資源，譬如我們需要更爲淵博的知識，更爲開闊的胸襟，更爲深厚的文化素養，但卻發現這種精神或文化的需求難以獲得。因之，也遭逢另一類的匱乏。

不要把匱乏與貧窮混爲一談。不錯窮人是金錢與物資的匱乏者，但富翁也有匱乏的時候。富翁或富婆雖不欠缺金錢，卻可能欠缺時間、欠缺閒情逸緻去做其所欲之事 (旅行、爬山、藝術欣賞的活動等)。對他們而言，時間、精力、心情可能是其所匱乏的可欲之物。是故，匱乏是指人們的需要超過滿足需要的資源 (包

括金錢、貨品、健康、時間等在內）而言。更何況人的慾望無窮，需要不斷增加，而可資援用的資源或是數量太小，或是增加的速度比不上慾望增加的速度，這就造成人生到處都碰到匱乏的情境之因由。

然則人們不能因爲物質或精神條件的匱乏，而喪失存活的勇氣。反之，要繼續營生，要繼續活下去，就要解決匱乏的問題。

在面對匱乏無時無刻不存在，無時無刻不威脅著我們的生活時，人只好去做選擇，選擇某些需要先行滿足，某些需要以後才滿足，或是兩者都同時滿足，但滿足的程度則有大小之別。基於同一時間很難做兩件事情的人生常理，普通人就要在資源匱乏（例如皮包中的閒錢有限）的情況下，先選擇做某事，而放棄做另一事。譬如說先選擇購買手頭上瀏覽把玩的心愛的這本小說，而放棄另一項想要購買的激光CD片子，這就是一種選擇。

每個人在進行選擇時，就會思考和估量，例如購買小說而不買光碟片兩者的得失。換言之，現在購買的是書，而非CD片子，爲了購買小說而放棄購買光碟片，這失掉購買光碟片的機會，就稱爲機會成本。機會成本成爲匱乏的情況下，所作的任何選擇，所必須付出的代價。這種代價可以用時間衡量，也可用金錢衡量。總之，在作選擇時，總有第二優先我們必須放棄，才能選擇第一優先，是以第二優先的價值也就是計量第一優先的另一標準。

其實所謂的選擇牽連到所欲的事物之間的競爭問題。以上述購買小說與光碟片爲例，人們選擇買書而不買光碟片，就表示書與光碟片這兩者彼此展開競爭，其中只有一項可以購買。當然如果人們錢財充足，沒有匱乏，則兩者都可以同時購買，但因爲處於錢財不足的匱乏情況，只能兩者選一購買，這便是書與光碟片競爭的原因。是故由匱乏我們又引申到競爭的問題。

不只貨品與貨品之間存有競爭，人們還為較佳待遇的工作而競爭。工人與工人之間、經理人員之間、同業同行之間都在競爭，不同行業之間更是存在競爭。擴而大之，國家與國家之間也進行軍事、外交、商貿、科技、文化等方面的競爭。

要解決人類向來無法甩掉的匱乏之陰影，除了被迫去進行選擇，估量利害得失，付出機會成本，與別人展開競爭之外，是否人群可以透過合作的關係，把匱乏減到較低的程度，把滿足提昇到較高的層次呢？不管是競爭，還是合作，都要遵守遊戲規則，才會使競爭與合作發揮其效果。但競爭固然無法消除匱乏，合作也不會使匱乏消失，是故經濟問題乃由匱乏滋生出來的問題，匱乏成為人類經濟活動的驅力，經濟學乃是研究如何解決匱乏所滋生的選擇之學問，這也是經濟學稱做「憂悒的科學」（dismal science）之原因。

「經濟作為」、或「講究經濟的作法」（economizing）是指對可資運用的資源作最好的利用、最佳的挹注而言，也是節省的意思，此字與「權衡得失」（optimizing）有相同的意涵。權衡得失是在支出代價與獲取效益之間作一平衡的評估，俾收到最適量（optimum）的作法①。

## 2. 經濟活動，國內與國際的經濟

經濟活動、或簡稱經濟（economy）是指把稀少或匱乏的資源在各種競爭性的用途上作一分配（allocation）的活動與機制（mechanism）而言。這牽涉到什麼資源要加以分配？如何分配？分配給誰？這三個重要的問題。

(1)**什麼貨物（goods）與勞務（services）需要去生產、生產到何種的數量？**這個問題與每個社會的需要有關，所以古往今來，任何一個社會的生產機關都有不同的答案。在自由市場的資本主義體制中，生產什麼東西、生產多大數量完全取決於「看不見的手」，亦即市場的供需律之運作，由產品的價格來決定。在前蘇聯與東歐共黨國家所採取的中央計畫或指導經濟體制中，則由中央（或地方）黨政機關事先計畫好，加以實施。這就說明兩種截然不同的經濟體系下如何決定財貨與勞務的生產問題。

(2)**如何生產？**如何流通？這表面上涉及生產技術或科技運用的問題。事實上也是談到人力與原料如何搭配、勞力怎樣使用、人事怎樣管理、企業怎樣經營、產業怎樣升級，以及金融、外貿、外資、外援、就業等政策怎樣制訂與執行的財經問題。

(3)**爲誰來生產這些貨物與勞務？**爲社會上收入極佳、擁有財富的少數人而生產？還是爲廣大的中低收入群衆而進行貨務（貨物與勞務）之生產？這涉及的不只是貨務的分配，也是財富（個人所得收入）的分配問題。高所得者對貨務之消費多；反之，低所得者消費少。這說明所得與消費的密切關連，是故社會財富如何來重作合理的分配，私產、遺產課稅的公平與否，也成爲左派或激進的經濟學者所關注的問題。

現代經濟學（economics）開始的18世紀下葉，在英國與法國一般稱之爲政治經濟學（political economy），在德國則稱爲「國民經濟」（Nationalökonomie；Volkswirtschaft），這是強調經濟活動主要與國家求取財富的活動有關，也與國民的經濟活動有關。但其後經濟活動已不限於國境內的貨務之生產、流通、分配、消費的活動，早已跨越國界而成爲國際的經濟（international economy）、區域的經濟（regional economy）、乃至今天寰球的經濟（global economy）。

## 3. 經濟活動的主要成分

儘管在經濟活動中，小到個人大到寰球，都是經濟活動的主體、或行動主角，但我們仍可以粗略地分成兩部分，其一爲決策者（decision makers）；其二爲市場（markets）。

### (1) 決策者

這是經濟活動的推動者，是經濟舞台的主角，由他（她）們來進行符合經濟理性的選擇與決斷，這包括了家計、廠商和政府三者。家計（households）是由一群人（一般爲男女及其直系親屬構成的家庭，現時同性戀中的同志組成之家庭也宜視爲家計，也包括中國大陸仍存在著的公社）所組成的決策單位。家計有時限於一人或單親戶，也可能大到公社這個生產兼消費的大家庭。他們一樣要進行每日的開銷、支出，也擁有定時的收入所得，所以是經濟性活動最基本的單位。

其次是廠商（firms），包括公司行號、大小企業、乃至產業組織，這是貨務生產與流通的主要機關。一般而言所有的生產者、運輸者之組織，不管是隸屬於農、工、商、漁、礦等業，概稱爲廠商，它們也是經濟活動的推動者。

最後談到各級政府，這是提供貨務的機關，也是使社會財富獲得再分配的權威性機構。政府所提供的是法律與秩序，俾經濟生活在和平與穩定中得以展開。政府不只提供法律機制，還是提供公務員、官吏、軍人等就業機會的僱主，它也是提供國防、公衛、運輸等服務的最大「廠商」。

(2) **市場**

通常我們把市場當作是以貨易貨，特別是使用金錢作媒介進行貨務交易的場所。事實上市場乃爲便利買賣的場所與安排(arrangements)。像世界石油市場並沒有銀貨交易的場所，而是石油生產者、使用者、大盤商、零售商、仲介者爲著石油的買賣而進行的互動。在這個號稱爲石油市場中，買賣雙方不須以其身軀出現在交易場所，只靠電話、電傳、電腦、影像傳眞、網際網路等便可以取得聯繫，作出一筆筆的生意來。

經濟活動圖

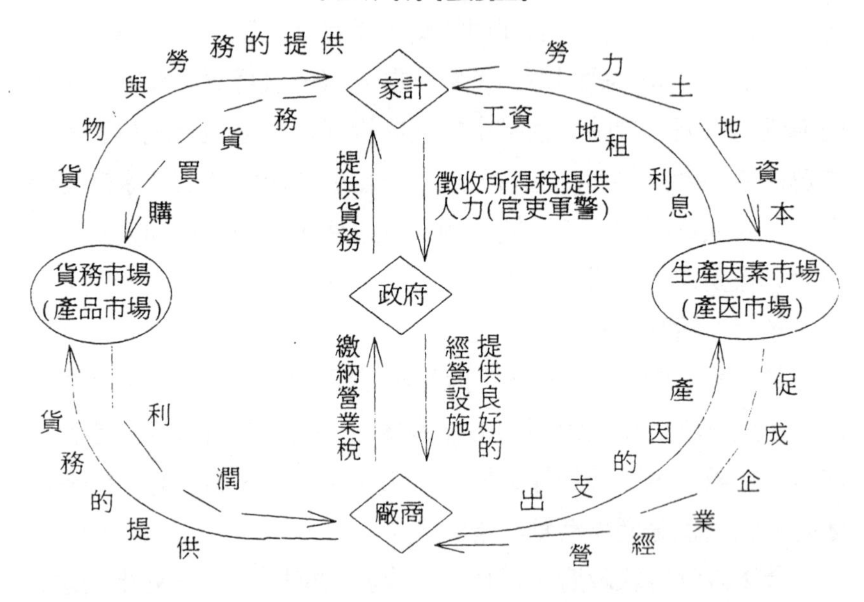


資料來源：取材自Parkin 1993：13 經本書作者予以增添修改

**說明**：家計、廠商和政府做了經濟的決斷與選擇。透過生產因素市場，家計決定要提供多少的勞力、土地和資本給廠商（也包括擔任公職之政府機關），以換取報酬收入（薪資、地租、利息），家計也決定要花用多少的收入所得於購買各種貨物與勞務之上。同樣透過產因市場，廠商決定要僱用多少人力、租用多大土地與募集多少資金俾從事生產。也透過產品市場決定生產何種貨品與勞務來滿足家計的日常需要。政府居間協調家計與廠商之間，靠稅金維持公家開銷，但也提供安全、秩序、方便等勞務與貨品給家計和廠商。

粗略地分類，我們可以將市場分成貨務市場和生產因素市場兩類。前者涉及貨物與勞務的買賣；後者則牽涉到生產因素（勞力、土地、資本）的買賣。當然人們也可以把企業經營當成生產的第四項因素看待。

(3) 決策

這裡的決策不是公共的、政治的決策（儘管政府工作爲屬於此一範疇），而是指家計、廠商和政府的經濟決斷而言。這三者的決策最明顯的特質爲彼此利害並非一致，反而是相互矛盾，乃至衝突。例如家計決定其成員要選擇何種職業，要工作到怎樣的程度，這與廠商爲了生產貨務需要的勞力不完全符合。同樣在產品市場上，買方與賣方的期待與選擇也不盡相同。政府對稅收的決定，常也與家計以及廠商的希望相左。

由於這是幾百萬人，乃至幾億人每天要作的決斷，如何把這些分歧的龐雜的決斷加以協調規整，便成爲計畫經濟體制下黨政官署的職責，這也是導致舊蘇聯和東歐共黨經濟管理失敗的原因之一。反之，採取資本主義經濟體制的西方與第三世界的國家，則完全倚賴市場發揮其調節的功能。這也是採取改革開放政策的中國最終仍要重用市場機制的原因，儘管他們所標榜的是社會主義的商品經濟和社會主義的市場經濟。

很明顯地，靠著市場價格的上下波動，來促成買方與賣方調整他們的需要與供給，以及產品種類、數量等等，是價格發揮它使供需調適的作用，不過價格本身卻也反映了供需的變化。要之，市場的機制，也就是價格的調適功能，是解決如何生產、怎樣生產、爲誰而生產等三大問題最好的指揮，這就是亞丹・斯密所說的「一隻看不見的手」，在指揮人們的經濟活動，使其在和諧、平穩中持續開展。

## 二、從古典到現代的經濟學說

### 1. 古典政治經濟學

在社會科學的諸種學科中，以經濟學最早應用自然科學、物理科學客觀嚴謹的研究方法來研究經濟現象與問題，也是最早脫離哲學的思辨，而成爲一門獨立的學科。爲此經濟學被稱做社會科學的王后或皇冠來讚賞，儘管也有人把經濟學當成「憂悒的科學」，因爲它也探討貧窮、收入差距很大等社會不平等的問題②。

在18世紀重農學派（physiocratic school）興起，對抗重商主義，認爲國家的財富與安全繫於土地所生產的農產品，亦即把土地及農業視爲國家財富的源泉，其餘的工商產品不過是農產品的加工改造而已。這種看法被視爲對經濟生活最早的科學研究，其創立者爲揆內（François Quesnay 1694-1774）。其著作爲《經濟圖表》（*Tableau économique*, 1758），亦即爲經濟活動列出詳細的項目。

亞丹•斯密的《國富論》（1776）爲政治經濟學首部完整的巨

作，影響幾達兩個世紀之久。儘管《國富論》爲政治經濟學之力作，其主題實爲他《道德情緒的理論》(1759) 之延續，含有哲學思辨的色彩，蓋其結語仍舊敍述人類激情與理智相互拚鬥對時代與歷史的影響。由此他演繹出人類由漁獵、遊牧、農耕而至工商的社會發展歷史之四大階段說。

每一階段都有與其相適應、相當搭配的制度，來滿足人類發展的需要。在工商發達的階段，法律與秩序所保障的私有財產成爲社會最重要的制度。斯密指出，文人政府的設立正是爲保護富人的私產以對抗窮人的機構。造成社會變遷與歷史演進的驅力來自於每個人理性指引下自求多福、自我改善的慾望。

社會秩序之所以能夠維持，導因於人性中激情與理智兩種面向，社會制度的機制就在導正個人激情的出軌，這種機制中包括競爭在內。爲追求自我改善而進行競爭的結果，就無異是一隻看不見的手在管理和指揮一個社會的經濟活動，這也是何以產品的價格在供需左右下邁向自然價格之因由。

要之，斯密的經濟著作是資本主義崛起前工業階段的時代反映，他視市場有自我矯正的作用，這是其慧見。他攻擊重商主義，卻主張自由放任，強調社會分工是提高生產力的竅門。他雖贊成經濟成長，但反對無限度的經濟膨脹。

李嘉圖 (David Ricardo 1772-1823) 在研讀斯密的《國富論》之後，致力經濟學的思考，曾經爲英國銀行大量發行紙幣和擴大信貸，而擔心英國國庫黃金儲量之減少，以及英鎊匯價的降落，由此展開的中央銀行運作理論對19世紀初英國財經界影響重大。

李氏最重要的著作爲《政治經濟學與稅收的原則》(1817) 一書，其中探討社群三階級（地主、工人、資本家）的社會產值之分配。他發現商品的價值與投入之勞力數量成等比，資本家的利潤則與工人的薪資所得成反比。一旦人口數目增加，地租也提高。人口若膨脹過快，則薪資有被壓抑之勢，在耕地擴大下，地租上升，利潤便會減少，資本形成困難。他又認爲國際貿易並非各國生產價格之不同引起，而是受制於國內產品價格結構之歧異。他的學說在於把亞丹・斯密的經濟觀拘束在更小的範圍內，使其變成更富科學的精神，而減少哲學的玄思。

馬爾薩斯（Thomas Malthus 1776-1834）在1798年出版《人口原則散論》，主張人口以幾何級數的速度增加，而食物的生產卻是算術級數的擴大，是以人類要達到戈德溫（William Godwin 1756-1836）所主張的太平康樂的理想是遙遙無期。事實上人口的成長不是受著天災、饑饉的壓抑，便是受到戰爭、疾病的限制。要制止人口漫無目標的膨脹，或靠「敗德」（vice 包括節育措施）、或依自制、或靠「貧困」（misery）才能奏效。

作爲一位悲觀的經濟學者，馬氏視貧窮是人類無法擺脫的命運。在續版中，他蒐集當時德、瑞、挪、俄等國的人口資料，而使其悲觀的人口論得到經驗性的資據。他的人口論成爲其後經濟學重要論題之一，這是對經濟樂觀論的抑制，也是爲工資宜停留在工人生存線上的主張作一辯護，也爲賑災救濟的慈善工作潑一桶冷水。

除了人口論之外，馬氏的另一貢獻爲發明「有效需要」一詞，來論述價格的形成。1820年他出版了《可資應用的政治經濟學原則》，其中建議公共設施與奢侈投資爲促成有效需要的途徑，可以阻卻經濟的衰退，而有利於繁榮的出現。他對浪費濫用的消費敗德大加抨擊，不過過分的節儉省用也會摧毀生產的動機。要使國家財富大增的方式爲「平衡生產的能力與消費的意願」。他也討論到經濟停滯或衰竭的問題，當時他使用的字眼爲 gluts，意即發展過度、過剩之意。

約翰‧史徒華‧穆勒（John Stuart Mill 1806-1873）承續其父詹姆士‧穆勒（James Mill 1773-1836）之餘緒，發揮李嘉圖以嚴格意義下的科學方法來處理經濟問題。早在1844年出版的《政治經濟學未解決的問題》一書中，他討論了國際商貿利益的分配、消費對生產之衝擊、生產性與非生產性的勞動、利潤與薪資之關係等等。這是他經濟思考的第一期。在第二期中他出版了《政治經濟學原理》（1848第一卷，1849、1852第二卷與第三卷），同時主張解決愛爾蘭農民的貧困與紛亂在於給予他們土地所有權。之後，他對社會主義者之著作投予注意，認爲社會問題對政治穩定具有重要性，對私產的權利之保障則開始存疑。他也把生產和分配分開來討論，對於工人階級必須在生存線上掙扎極爲不安，不過並未接受社會主義的解決辦法。這是他政治經濟學家的時期，也是其經濟思想的第三期。

穆勒的經濟思想之第四期，亦即他捲入東印度公司的管理與監督事務之時。他反對東印度公司在1858年的解散與權力轉移，其反對言論與文件成爲個人訴求與主張之典範，但對經濟理論之闡釋無關。

法國經濟學家賽伊（Jean-Baptiste Say 1767-1832）提出著名的市場律，認爲供給會創造其本身的需求。因之，他不認爲經濟衰退是由於需求不足引起的，而是由於短暫時期中有些市場生產過多，另一些市場則生產過少的緣故。這種不平衡的狀態早晚會自我調整，因爲過多生產者會調整其生產方向，俾迎合消費者的偏好，否則要被迫離開生意場。賽伊律一直發生其作用直到1930年代世界大蕭條爆發才告失效。此一供給會創造需求律隱含著資本主義自我調整的機能，而不需政府對經濟事務的干涉。他的另一貢獻爲分辨資本家與企業家不同的角色，這與他本身曾經是生意人又是法蘭西學院經濟學教授雙重的身分有關。

此外，牛津大學經濟學教授洗紐爾（Nassau William Senior 1790-1864）曾著有《政治經濟科學大綱》（1836）一書，認爲資本的節省和累積也是生產成本的一部分。亦即資本家忍受不使用、不消費的克制理論（abstinence theory）之首倡者，此種說法當然遭到馬克思主義者的抨擊。

除了前述以英國人爲主、法國人爲輔的經濟理論家之外，尚應把法國人巴士提（Frédéric Bastiat 1801-1850）與奧地利人孟額（Karl Menger 1840- 1921）也置入古典經濟學家之列。前者反對閉關保護的商貿政策，而主張國際貿易的自由發展。後者則以強調邊際效用，而提出價值的主觀理論，其學說對用途、價值、價格之關連，有所闡述。

## 2. 社會主義者與馬克思的經濟理論

在馬克思與恩格斯創立其所謂的「科學的社會主義」之前，便存在著各種社會主義的思想，這些馬克思之前的社會主義被恩格斯目爲空想的或烏托邦的社會主義，但其學說可以說是對工業革命發生後、歐洲社會和經濟關係的不公與不平之反彈與抗議。特別是建立在資本主義生產方式之上、自由放任的市場運作帶來廣大勞動群衆的貧窮悲慘，也助長「貪多務得的個人主義」（aquisitive individualism）瀰漫在社會每個角落。是故社會主義者大多主張消除私產、分工、競爭、鬥爭，而改以合作、團結、生產者的聯合、合作社運動、公社運動等等教育與道德的提昇來改變人性的貪婪、自私、自利、剝削、壓榨。

社會主義者大多同情與支持廣大貧苦的勞動群衆，認爲後者有朝一日可從少數富裕者、有產者、權勢者的桎梏下獲得解放，屆時他們將會自後者手中奪得生產資料和政府的主控權力。

19世紀與20世紀號稱社會主義的支持者和信徒，大多認同上述社會主義的價值與企望（平等、自由、和諧、團結、博愛等），而希望未來的社會能夠重新組織而實現這些價值與熱望。不過他們之間對實現這些理想的方式與手段看法頗爲分歧。或主張全部生產資料歸公，亦即國有化；或主張重大的實業始由國家經營；或主張極權的中央政府對經濟進行計畫與監控，亦即主張統制經濟（command economy）。總之，從聖西蒙、傅立葉到歐文都主張建立新的社會秩序，其經濟操作在排除競爭之後由共同體進行，俾每個人的才華能力可以發揮。

在《資本論》第一卷（1867）中馬克思應用李嘉圖的經濟範疇對資本主義的體制展開嚴峻的、無情的道德性的抨擊，他不僅抨擊資本主義體制，他也批判擁護此種體制的古典經濟學說，是故《資本論》的副標題爲《政治經濟學的批判》。他認爲資產階級的社會，儘管表面上進步與繁榮，生產力發展到史無前例的高峰，但難逃歷史辯證的變遷律窠臼之限範，就像其先行者的封建社會一樣終將邁向必然的衰微與崩潰。由於資本主義的特徵爲資本家漫無止境不斷的追求利潤，把利潤的積聚轉化爲資本的積累，但利潤的主要來源爲剝削工人階級的勞力之結果。當勞力已盡，利潤率大降，工人收入大減，甚至變成失業的後備軍，被迫鋌而走險，遂起來搞無產階級的革命，最後導致資本家喪鐘的敲響，剝削者終於被剝削。

《資本論》最動人的部分爲利用英國國會的工廠調查報告詳述競爭性資本主義下工人階級的生活慘狀。馬克思相信工人的慘狀將惡化，而資本的壟斷會導致生產的停滯，屆時社會動亂將無法避免，這也是資本主義崩潰的時刻之到來。

馬克思雖然不認為自己發現了社會階級的存在、對立與鬥爭，但卻自稱每種生產方式會帶來相搭配、相配套的階級結構。在資本主義被推翻之後有短暫的無產階級專政時期，俾社會過渡至無階級、無剝削、無異化的新階段——亦即共產主義社會的降臨③。

## 3. 新古典學派

馬歇爾（Alfred Marshall 1842-1924）是經濟學新古典學派的創立者之一，他的《經濟學的原理》（1890）一書，首次以經濟學取代過去政治經濟學的稱呼。他強調經濟學應關懷活生生的人類之命運，設法改善人類的生活。他也企圖以時間因素之分析，協調古典學派和邊際效用學派不同的主張。他提出需要彈性、消費者剩餘、準地租、代表性廠商等新概念，大多為後來的經濟學所採用。

馬歇爾的學生和劍橋講座的繼承人庇古（Arthur Pigou 1877-1959）創立了福利經濟學。1920年他出版了《福利經濟》，分析經濟活動對社會及其群體福利的整個影響。有異於馬歇爾關懷個人的行為，他研究邊際效用分析之累積，將個人功用加以累積便是社會的福利。庇古把經濟分析的技巧應用到一大堆的問題，諸如工資、失業、公共財政等等之上，成為經濟學劍橋學派的奠基者。

巴雷圖放棄了功利學派的研究途徑，而重新接近實證主義的路數，追隨華拉斯（Léon Walras 1834-1910）注重經濟整體的均衡。他批評馬歇爾不懂經濟均衡，認爲經濟學的研討如不注意各因素之間的關聯，常會導致錯誤的因果關係之分析。他視價值含有形上學的色彩，不宜當作經濟分析的對象。取代價值的是價格，因爲價格是可以測量的客觀事實，也是實證的。經濟學家應注重選擇的客觀資訊，他也避談功利學說，避免討論「福祉」（well-being）。他使用數學方法於經濟分析之上，特別涉及所得分配，認爲所得的分配並非隨意的；相反地歷史上在各種社會中分配有其一定的模式。此說引起極大的爭議。

凱恩斯（John Maynard Keynes 1883-1946）是把經濟學理論提供爲國家政策之參考與落實，爲現代最具影響力之經濟理論家。在1930年代初世界經濟大蕭條爆發，傳統經濟學家特別是主流派的自由放任政策之主張受到嚴峻的考驗，凱氏因爲主張政府的積極介入形成公共政策，甚至必要時造成財政的赤字，俾帶動經濟復甦，贏得舉世的注目。

他在1935年尾出版的《就業、利息和貨幣的一般理論》變成了足以與《國富論》相比較相匹配的現代經典著作，美國羅斯福總統的「新政」（New Deal）便是採用此書及其前身《貨幣論》（1930）作爲施政的理論基礎。《一般理論》兩項主張爲至今爲止的就業理論完全失效以及失業與蕭條的原因在於累積需要之不足。後面這個累積的需要（aggregate demand）不僅包括消費者與廠商的支出，也包括政府部門的開銷在內。累積需要過低，則廠商的銷售和百姓的求職均蒙受其害。景氣的循環來自消費者少，來自廠商與政府的作爲者多。在經濟衰退時，補救之方如果不是增加私人投資，便是由公共部門大事建設來彌補、代替私人投資。在經濟稍微緊縮之際，貨幣政策的銀根寬鬆與利率壓低，有助於刺激廠商的投資，而達成普遍就業。在經濟萎縮之際，則藉著政府公共建設或賑濟的赤字政策，可紓緩景氣的低落，而使經濟復甦。

1946年美國國會的就業法，強制總統必須維持經濟繁榮，1964年甘迺迪總統公佈減稅的法令，使其後繼任的行政首長蕭規曹隨，擴大國家財政赤字來保障充分就業。第二次世界大戰之後，很多西方資本主義國家也紛紛效法美國政府，採用凱恩斯的理論作爲振興經濟的策略。

## 4. 制度論與新制度論

古典經濟學和新古典經濟學都相信經濟行爲是理性的，此種過分重視人類的理性遂導致1930年代市場社會主義派的興起，相信能以福利經濟的方式來達致社會主義的目標，亦即多少採用計畫的手段來處理國民經濟。由於社會主義理論牽涉到價值的問題，遂遭到奧地利學派的挑戰，後者視經濟價值爲主觀的看法，無法爲計畫者所能知、所盡知。再說如強調人是理性的動物，則善於評估利害得失的理性個人之互動將會造成一個明顯的社會秩序，而使用政府或市場的力量來改變這種秩序，將變成不智之舉。

美國制度論 (institutionalism) 的經濟學派則挑戰兩個傳統的概念——「理性」(rationality) 與「累積」(aggregation)。他們不認爲人類的行爲都是富有理性的，反而是受著社會文化與習俗的影響，此外個人的行動也無法從一個適切的社會秩序中抽繹出來。他們不放棄制度所扮演的角色，也主張計畫的重要，不過不再倚靠價值的主觀評估，而是憑藉客觀的科技資據來重建價值理論。

這派學說又分成兩支，其一爲視制度爲人群思想的習慣，其二爲目的性（purposive）理論。前者代表人物爲韋布連（Thorstein Veblen 1857-1929），後者代表人物爲康孟思（John R. Commons 1862-1945）。

韋布連反對正統經濟學建立在人性不變的基礎上，而視人性是變動的、進化的。在其所著《制度的經濟研究》（1899）一書中，韋布連嘗試將達爾文的進化論應用到人的經濟生活之上。蓋工業體系要求人群勤奮、認眞、有效率和合作，資本家、富豪則以拚命賺錢與展示奢華來顯露其掠奪者之本事。人的本性並非像功利學派所主張的符合理性，而是思想受制於習慣，受制於社會環境和社會經驗。換言之，功利學派的享樂主義被易以實用主義的社會心理學。實用主義描述思想的習慣和社會的習俗爲制度。韋氏的經濟制度論強調的是文化的演進面，而非生物學上的「社會達爾文主義」。

康孟思對美國勞工運動的發展史詳加探討，他認爲群體的規律和控制是個人行動擴張的基礎，美國最高法院在他的心目中成爲政治經濟的最高學府。政治經濟明顯的特徵爲財產權利的交易，是故對財產的擁有權乃是人際交往的要素。移轉財產權就要靠法律、靠國家。何以會產生財產擁有權？這無非是匱乏造成的情況。匱乏造成對擁有權的需要，而分析這種需要當然是經濟學家的本務，但經濟學家仍需理解法律與倫理、習俗等制度是保障財產權的利器。

制度論對正統經濟學提出兩項挑戰，其一爲（韋布連的說法）對享樂主義、功利主義的心理學提出批判，亦即否認諸個人的客觀福利與他們主觀的需求願望一致。個人主觀功利的最大化與個人客觀的福祉既然無關，則在政治經濟學中儘管行動者對個人需要進行操控，個人的福祉依舊無法獲得。第二個批評則是指出，縱使個人的功利眞能發揮作用，亦即個人果然追隨本身利益去行動，也未必造成社會最佳的福祉。景氣循環是受到貨幣制度所激發的（韋布連學生米切爾 Wesley C. Mitchell 1874-1948 之說詞）。

1960年代美國一批新的理論家崛起，企圖協調正統經濟學說與制度分析之對立，是即新制度學派的興起。過去主張經濟現象的解釋和預測必須融貫（congruency）的研究方法，是實證主義的說詞，如今則被功能的與演進的解釋方式所取代。此外，把經濟與政治分開的古典或正統經濟學的作法也易以新的看法，經濟學家固然重視經濟的諸現象、諸問題，但也不容忽視政治的與社會的影響，特別是制度對人的經濟行爲之重大作用。換言之，由於採用制度途徑，所以必須承認政治與社會對人類經濟活動之衝擊，過去對政策的爭論，改變爲現在對制度（特別是好的制度）之爭論。這些新制度論的學者有 R. R. Nelson, S. G. Winter, O. Williamson, A. Schotter, R. N. Langlois 等新一代的經濟學家。他們質疑「經濟人」（*homo oeconomicus*）能夠擁有完整的資訊與知識，而作出合理的計算、選擇。他們也抨擊完全競爭，認爲事實上只存在不完全的競爭。經濟行動者其實在進行超級的遊戲，在此遊戲中自然會發展出遊戲規則來，社會的習俗對遊戲也會產生影響。是故博奕論、廠商演化論（強勢廠商把弱勢廠商驅逐出生意場外）成爲新制度論者之主題。

## 5. 新社會運動的經濟理論

受著羅馬俱樂部的報告《成長的極限》(1972) 出版的影響，美國及其他先進工業國家新的綠色社會運動也跟著展開。他們質疑經濟成長的合理性，認為在成長問題之外也應注意到分配（資源使用）的問題。過去盲目追求成長、而忽視資源分配與再分配都是正統經濟學所犯的錯誤。此外，正統經濟學中分辨手段與目的，這便受到希爾士（F.Hirsch）的抨擊。原因是在經濟活動中手段與目的是分不開的，譬如說消耗汽油的手段是達成旅行的目的，但這個手段（消耗汽油）並不是為手段之緣故（為消耗汽油）而被消費，反之是為了達致另一項目標（旅行）而消費。因之，消耗汽油可目為消費者直接性的貨品，其開銷是「令人引以為憾的必須品」（regretable necessities），是一種「守勢的」（defensive）貨務（必要之惡）。這種必須品開銷的增加（大家拼命消耗汽油，駕車到處閒逛），並不意謂著大衆福祉的增加（儘管人人可以旅行享樂），有時反而是負擔的增加，或社會成本的增加（造成道路壅塞、空氣汙染）。

這就說明開鎖的增加並不意謂社會好處的增加。因之，經濟產出的評估不在其增加、擴張、成長，而是考量經濟活動是為何種目的而推行。把經濟成長轉化為金錢數目，再加以量化，事實上並不會達成經濟測量之目的。儘量花錢在汽油之類守勢貨務的開銷上，固然使國民生產總值（GNP）增加，卻導致社會成本如交通擁擠、空氣汙染、車禍的頻生等等壞的結果。

由此引申的環境經濟學便在討論社會成本的問題，社會成本又牽涉到使用資源的權利之問題，而權利的移轉及滋生的代價也成為環境經濟學家探討的主題④。

## 三、當代經濟理論的盲點及其補救之道

自從1989年舊蘇聯和東歐共產黨一黨專政的政治制度（獨裁

極權）與經濟制度（計畫與統制經濟）崩潰之後，人類進入一個新的紀元。但蘇東波變天的迅速與徹底卻令世人感到非常的驚訝，特別是社會科學家當中的政治學者與經濟學者皆未能及時看出這一變天的迅速降臨，證明是西方社會科學的一大失敗。

在檢討西方學界無法正確預言蘇東波變天之因由時，曾獲得諾貝爾經濟獎的美國學者卜坎南（James M. Buchanan）指出，這是主宰西方學界將近一個世紀、強調極大化的經濟典範（maximizing paradigm）的僵化，所造成的理論之無能。此一極大化的典範是認爲經濟理論在解釋人群的行爲與社會產品之間的關係，其假定建立在個人行動取決於經濟性自我利益的追求。這一自求多福而造成群體協和繁榮的假設，並無錯誤，錯誤的是把這個理論擴大到視經濟學爲國家致富之學，亦即以組織、制度的力量去干涉社會的經濟秩序，進行社會控制與經濟計畫、經濟統制。在經驗現實中，個人確實在增大其可測量的自利，但經濟學家居然在檢討社會主義時忘記了這個違背自利原則的政經社會制度一開始便會走上違離個人自利的道路，亦即種下其後覆亡的種子。

原來社會主義的奠基者所追求的目標是要讓全體百姓均蒙其利，因之企圖以有組織有計畫的方式來調控經濟。但社會主義一旦建立之後，貨務的生產不再是經濟價值的創造，其原因爲所生產的貨品與勞務並非參與此一制度的人群所喜歡偏好的東西。換言之，西方經濟理論只集中在注意社會主義失敗的因由是由於缺乏鼓勵刺激生產意願的機制，再加上生產、流通、消費所需之消息資訊的不足，以及選擇與結果間不確定之關連等因由，而沒有注意這一制度與人性追求自利截然相反所造成的嚴重後果。

誠如前面所述，經濟學研究的對象是懂得抉擇與行動的人群及其社會產出之間的關係，也可以說是對有組織與制度的秩序

(organizational- institutional order) 之考察。經濟學的產生在於發現：分開的、受自身或局部影響與導向的、追求自利的個人，居然可以藉交易的聯繫，自動自發地進行協調，這就是人類爲達到經濟目的所採取的行爲造成了社會秩序。換言之，人的生產、交易、消費居然連合造成一個統合的體系。可是古典經濟學家卻把其重點擺在如何促進國富，如何協助國王、王侯管理公家的財政之上，這會造成對組織與制度性的秩序之干預，亦即沒有方向的秩序之出現。可以說自從亞丹·斯密提出《國富論》之開始，經濟學便發展出兩種截然不同的理論：其一，透過對市場機制的分析去理解追求自利的人群何以會自動自發協調貨務的生產、流通、消費，達到滿足個人經濟需求的目的；其二，對全社會的經濟活動要加以管理、控制，不過迄今爲止這一理論卻顯示其成效不彰。

換言之，在歷時二又四分之一世紀的經濟學史上，兩種互相矛盾衝突的要求出現在經濟學的理論體系中，這兩者追求的目標——客觀了解人的經濟行爲與增加國富、管理社會財富俾經濟活動符合國家計畫——和研究的途徑完全相異。這種經濟學界的混亂 (confusion) 要如何消除呢？卜坎南主張限制經濟學爲研究人類交易之學，亦即研究爲了造成交易的順利而產生的組織、制度、結構及其運作的學問，爲此他建議把經濟學改名爲「交易學」(catallaxy；或catallactics)，亦即完全恢復古希臘字源上對人交易行爲（*catallax*）之分析⑤。

依卜氏的看法，邊際效用學派及其後數學模式的應用，對微觀的個人之經濟分析甚有幫助，但把它擴大到更大的單位（宏觀的社會），則證明是錯誤的。對全社會要加以控制、指引、改良的「社會工程」(social engineering) 無異爲重商主義、增加國富的現代翻版。凱恩斯革命更爲國家的干涉經濟提供理論基礎，經濟學家遂採取極大化的典範來「宏觀調控」整個社會的經濟活動了。

在過去的30年間美國經濟學理論界雖然仍受到極大化典範的影響，但由於博奕論的崛起，經濟抉擇流程成爲學者留意的焦點。原來只注意幾個分開的經濟遊戲參加者尋求最佳的策略，轉變成各種解決問題方案之比較研究，以及替代性方案的規則對問題解決的作用之評估。

總之，卜坎南藉蘇東波變天的機會指出：18與19世紀政治經濟學剛剛出現時，理論家對經濟現象認眞觀察，以無比的熱忱建立了新科學。古典經濟學家肯定市場對交易的有效調整，規勸政府對經濟活動採取放任自由的政策，這是造成西方資本主義體制下的經濟蓬勃發展的主因。另一方面，鼓勵國家對社會經濟活動進行干預與計畫，反而造成社會主義體制下統制經濟的失敗。兩相對照的結果，卜氏希望經濟學理論仍保持其作爲交易之學的原始精神，而放棄作爲政策的指導，以免助紂爲虐。

## 注釋：

①以上參考 Parkin, Michael 1993 *Economics,* Reading MA *et. al.:* Addison-Wesley, third edition, pp.7-11.

②關於經濟學的性質與早期經濟思想的爭論，可參考洪鎌德 1977《經濟學與現代社會》第一章，台北：牧童出版社，第1至29頁。

③有關馬克思的經濟學說參考洪鎌德 1997《馬克思》第十九章，台北：三

民書局。至於有關新馬克思主義的經濟思想除參考洪鎌德 1977 之著作外，也可以參考洪鎌德 1995《新馬克思主義和現代社會科學》第十一章，台北：森大圖書公司，第一版 1988。

④以上討論可參考 Mulberg, Jon 1995 *The Social Limits to Economic Theory,* London & New York : Routledge, 4.5.6等三章。

⑤Buchanan, James M. 1994 "Economic Theory in the Postrevolutionary Moment of the 1990s", in: Philip A. Klein (ed.) , 1994, *The Role of Economic Theory,* Norwell, MA : Kluwer Academic Publishers, p.52.

# 第十七章　社會學的簡介

## 一、社會學的定義與研究對象

社會學（sociology）是社會科學（social sciences）中一個獨立的學門。Sociology 這個英文字是由法文 *sociologie* 轉變而成，首先使用這個字彙的是孔德，他主張對人類社會進行科學的、實證的研究。因之，社會學乃是對個人與群體互動和相互溝通的社會關係之因果加以瞭解的學問。它包括對社會結構、制度、運動、勢力、風俗、習慣之考察，亦即企圖瞭解個人何以成群結黨，經營集體生活，以及群體的組織、群體的生活對個人的性格及個人的行爲起了什麼作用等等之社會現象。社會學也研究本國的、他國的、乃至全球的社會之特質，嘗試理解這些社會活動的過程，包括承續以往的傳統和改變過去的習慣等種種變遷。

比起其他動物來，人類更需要倚賴社會來維持其生命，發展其生活，繁衍其後代。是故制度化的社會型態對人類的行動影響重大，社會學之職責便在於發現這些制度化的社會型態怎樣對個人產生作用，以及這些社會型態是怎樣建立、發展、興衰、消失。在這些重大的社會型態與結構中要屬家庭對個人影響最大，其次則爲同伴友群（peer groups），再其次則爲鄰里社區與社群，以及職業上、政治上、經濟上來往的人物或組織。即便是宗教機構與軍事組織，對某些個人而言，也是生活攸關的社會單位。當然，每個社會所擁有的特殊文化，也是社會學家、特別是像阿爾弗烈特・韋伯（Alfred Weber 1868-1958，瑪克士・韋伯之弟）等文化社會學家所要探究的對象。

## 二、社會學與其他相關學科

雖然東西聖哲很早便討論人與他人、人與群體、人與社會的互動關係，但有系統的研究仍舊出現在古代西方學者企圖揭開人周遭（自然、社會）的神祕面紗之理性探究的知識傳統裡。不過以客觀的方法，摒棄主觀的價值判斷去理解劇變中的社會，則爲18與19世紀歐洲思想家所肇始的。是故社會學就如同其他的社會科學一樣乃脫胎於哲學。然而其雖由哲學產生，卻反對哲學只靠思辨、冥想、推理，去解析人與社會的關係，因之社會學是對哲學不重視觀察、不重視經驗，只會討論本質、不注重現象之毛病的反彈與抗議。

社會學既然從哲學釋出，也反彈哲學，它與心理學因而也有共通、或重疊的部分。原來心理學只關心人內心變化的機制，所注重爲個人心靈之剖析，但當人與他人發生關係時，其心理與單個人時的所思所欲不同，是故社會學與心理學便藉社會心理學這門學科架起彼此溝通的橋樑。

社會學與社會人類學、或文化人類學的關係尤其密切。直至20世紀初葉，這兩個學科有時還合併在同一系所裡講授學習，原因是人類學家對初民社會的理解有助於社會學學習者對人類過去沒有文字的初民生活之認識。這種情況後來不再繼續，於是社會學與人類學遂分道揚鑣。

政治學及經濟學最先也與社會學連結在一起，後來政治學家與經濟學家將其研究的焦點擺在社會的統治機器與物質生產、貨品交易之上，遂與社會學分家，但以全社會的觀點與方式來研究人的政治行為和經濟行為卻也說明社會學對政治和經濟之理解有加深、輔助的作用。

同樣的關係可以發現存在於社會學的一端和宗教、教育、法律、史地、文化等的另一端之間。此外，19世紀社會學重視社會的演變有如生物的進化，是以生物學成為社會學模仿的對象，進化論一度甚囂塵上。今天社會學雖已不興比擬生物學這一套，但與生態學、行為發生學、人口學、生理學還有藕斷絲連的牽絆。這就顯示社會學的研究需要其他學問來支撐、來輔助，才能夠建構出更為圓滿、更為高深透徹的社會學知識體系。

## 三、社會學早期的學派

### 1. 社會進化論

達爾文的《物種原始》(1859) 主張物種的演變進化，是19世紀最具影響力與說服力的自然科學學說。其結果影響了好幾代社會學者的思維方式，最著名的有斯賓塞、摩爾根，泰勒、霍布豪士 (Leonard T. Hobhouse 1864-1929) 等人。這些社會學家企圖東施效顰，把社會的演變模擬生物的演進。於是社會學中充斥著「突變」、「自然選擇 (淘汰)」、「繼承」等生物學的名詞。於是社會由蒙昧、野蠻、文明等不同發展階段，一再往進步之途邁進，其中最適於生存者、強者便可以在社會舞台上揚威，反之，弱者、不適於生存者則遭社會的淘汰。這便是社會進化論，或稱社會達爾文主義（Social Darwinism）。它是替競爭和自由放任的經濟制度辯解的理論，在20世紀已告式微。

## 2. 經濟的、環境的、生物學上的決定論

馬克思所強調的社會存在決定意識、而非意識決定存在之唯物史觀，常被西方主流派社會學思潮當成經濟決定論，其實馬克思也不否認意識形態的上層建築對經濟基礎的下層建築產生作用。除了馬克思之外，歷史學家畢爾德（Charles A. Beard 1874-1948）也主張歷史的推力爲人類經濟上的自我利益，經濟學家宋巴特（Werner Sombart 1863-1941）也持經濟利益掛帥的說法，尤其是當他年輕而信持馬克思學說之時。

另外人文地理學家（像Ellworth Hungtington, Ellen Sempel, Friedrich Ratzel, Paul Vidal de la Blache, Jean Brunhes 等）強調地理環境對人類社會生活之影響，這些都可以視爲地理或環境決定論者。即便是涂爾幹認爲社會有其演變型態，因而主張社會型態演變論（social morphology），似乎也是受到環境論或人文地理學的影響，而產生的學說。

## 3. 早期的功能論

在釐清社會學同生物學與地理學的分際，俾爲人類的社會行爲建立其獨立的科學研究，也即爲社會學爭取其學術地位時，涂爾幹的努力與貢獻卓著。他立論的根據是個人與個人的交往當中有其特殊的、嶄新的性質（*sui generis*）之出現，這便是「社會

事實」。社會事實是外在於個人，對個人有宰制的力量，這包括集體意識、風俗習慣、社會制度、國家或民族特質等等，這些便是社會學所研討的對象，與心理學只研究個人的心靈或人格結構不同。此外社會成員之間的互動構成一個單元，亦即一個統合的體系而自具生命，對個人如同外鑠的拘束力量，這也是社會學考察的對象。集體對其成員造成的因果關係，給學者研究的勇氣，這也構成社會學成爲獨立學科的原因，這種關係無疑地是早期功能論的說法。

涂爾幹指出，人群所以會結合在一起是基於兩個理由：首先是相同性格者互相的吸引（如友儕、朋輩、志同道合者的結社）；另一個原因則爲基於任務的分配必須合作才能完成職責者，如軍人、工業界、政府等機構。前者爲機械性的團結或稱聯帶（mechanic solidarity），後者則爲有機性的團結、聯帶（organic solidarity）。這種區分不只是涂爾幹的想法，也是他那個時代其他社會學者如梅因（Henry Maine 1822-1888）以及杜尼斯（Ferdinand Tönnies 1855-1936）的看法。梅氏分社會爲基於地位（status）或基於契約而分類；杜氏則以社群（Gemeinschaft）來和社會（Gesellschaft）做對比。他們都把文明的主要趨向看成是後者的膨脹擴張，以及前者的逐漸式微。

其後人類學家馬立諾夫斯基和賴德克立夫・布朗（A.R. Radcliff- Brown 1881-1955）也發展出一套功能論來，強調社會各部分之間的相互關聯性，並指出只要有一小部分發生變化，整體也會受到牽連而跟著變化。其結果造成不少人類學家主張對未開化、不識字之初民社會不加干涉，怕任何介入的行動會導致更大的混亂和喪失平衡。

孫末楠（William Sumner 1840-1910）把制度定義爲「概念

與結構」，亦即爲達成某種功能的目的而由有組織的人群所設立的事物。韋伯舊式的社會學，便視社會爲制度的產品。至於齊默爾(Georg Simmel 1858-1918)則把社會看成爲過程(process)，某些具有功能的事物，因而倡說「形式的社會學」。換言之，他把社會的過程當作眞實的東西看待，而非視爲抽象的事物，由於社會的過程有諸多不同的形式，社會學成爲研討解讀社會形式的學問。

## 四、現代社會學研究的重點

19世紀社會學剛剛崛起時，每一理論家企圖建立自己的體系，而視其他派學說不足取。但經過一段時間之後，社會學關懷的主題逐漸浮現，研究的方向也慢慢確定，每家學說所強調的研究主題和方法不再視爲相互競爭而不搭調。其結果是百家爭鳴、百花齊放，沒有大師級的社會學家在主宰學術殿堂，沒有一代宗師在獨領風騷。

### 1. 功能主義和結構主義

本世紀初時幾位理論家（像Charles H. Cooley, Pitirim Sorokin, Talcott Parsons, Robert Merton, Everett C. Hughes）都討論社會組織的性質，以及這些組織與人群行爲的關聯，因之，都嘗試建構宏觀的理論，也就涉及國家、整體社會等較大的社會系統之理論。索羅金（Sorokin Pitirim Alexandrovich 1889-1968）以統合的觀點來討論文化——文明興衰變化的問題。帕森思（Talcott Parsons 1902-1979）以分析的方式來建立他對社會體系的理論。他認爲每個社會體系爲了能夠繼續存活，必須具備其「功能的先決條件」，由是造成體系穩定成長的結構，包括體系與其環境之關係、疆界、成員之甄拔補充等等。梅爾頓 (Robert Merton 1910-) 也對這些結構與功能大加描述、分類、分析。

由於結構——功能分析研究的主題與方法太寬泛廣包，因之對社會體系的研究、或對組織之考察成爲極爲鬆散的科學研究。這種宏觀的社會學理論不免流於空泛不實。是故列文 (Kurt Lewin 1890-1947) 改以小規模的社會群體 (家庭、部隊、職業團體) 爲研究對象，從而發掘成員「心理學生活空間」(psychological life space)，並比較它與社會空間之大小和關係。由於選擇研究單位較小，所以實驗方法也可資應用，這便是群體動力學 (group dynamics) 的誕生。

## 2. 象徵互動論

當代的社會學家終於發現19世紀本能心理學的用處，尤其對華生 (John B. Watson 1878-1958) 的行爲主義重燃研究的興趣。華生的行爲主義力求客觀，也是使用實驗的方式去追求研究的成果。象徵互動論便是從上述社會心理學中得到靈感，而加以引用。

社會心理學的開拓者包括杜威、詹姆士 (William James 1842-1910)、米德 (George H. Mead 1863-1931) 和古理 (Charles H. Cooley 1864-1929) 等人。他們發現心靈和自我並不是作爲人的生物體與生俱來的內在事物，而是從經驗中產生，也是在社會過程中建構起來的。也就是藉與別人的溝通而建立起自我的觀念，也逐漸形成自我的心靈。自我和心靈是社會過程的內化產物。它存在於想像當中，也存在於象徵當中，而每個人的自我都是由別人對他的看法中建構出來的。是故自我不斷變化，而非定型，但卻是每個人社會行為的指引者。換言之，人的行動在保存自我，也是保存自己想要的自我形象①。

社會學家托瑪士（William I. Thomas 1863-1947）和其後繼者法利士（Ellsworth Faris）於20世紀初在芝加哥大學每學期都有講授米德的社會心理學。這更接近芝加哥大學的社會學教授派克（Robert E. Park 1864-1944）和卜傑士（Ernest W. Burgess 1886-1966）所建立的理論傳統。由於這些社會學家重視個人的日記、自傳、傳記與生活資料，使得有關自我以及自我意識的行為成為社會學理論中一個勢力龐大的流派。此一象徵互動論加上「俗民方法學」（ethnomethodology）對人們日常行為中的象徵性關聯之「瞭悟」（verstehen），也蔚為美國社會學的新流派。

### 3. 現代的決定論

受馬克思主義的影響，當代有少數社會學家，對社會之階級的對立乃至階級的鬥爭深感關懷，他們甚至把政治體系當作是社會階層化（stratification）的產品看待。

自稱為馬克思派社會學者的米爾士（C. Wright Mills 1916-1962）曾經廣泛而帶批判性地研究「權力菁英」之作為。他視權力菁英為現代資本主義體制中統治階級的成員，他們分別在經濟商務與軍事機關中擔任要職，而造成軍事與工業結合成一個利害一致的複合體（military-industrial complex），來保護與增進其本身之利益。這便是經濟與軍事利益決定論的典例②。

曼海姆（Karl Mannheim 1893-1947）提出同階級衝突論相

反的意識形態批判之知識社會學理論。他認爲社會的分裂爲不同階級或群體並非肇因於經濟利益分配之不平，或物質利益之奪取，而是由於觀念或思想方式的歧異。由於曼海姆相信這些人際的衝擊最終可以解決，所以他的理論不屬於決定論的範疇。他的理論卻刺激其他社會學家去研究理念與行動之關係，也就是演繹知識社會學的理論。

### 4. 數學模型論

爲了對人的社會行爲加以描寫與考察，現今的社會學家也使用數學的模型來對行爲計算與衡量，這便是莫列諾（Jacob L. Moreno 1892-1955）所稱的「社會計量學」（sociometry）。例如這像列文（Kurt Lewin）的「場域理論」（field theory）以及George K. Zigf, John Q. Stewart 以數學模型來衡量政治單元的大小，包括語言中某些字彙反覆引用的次數，以及其他算術上的關係。John von Neumann 和Oskar Morgenstern 在經濟理論中引進了博奕論，這種博奕論也已促進社會學的進展。由於電腦與計算機之迅速發展，社會行爲也可以用多變數方式加以測試。此外，由成員扮演某些角色而進行某種的實驗，也有助於對複雜的機關之理解，模擬演出（simulation）也成爲今日社會學家研究社會組織與社會行爲的方式③。

## 五、社會學理論的新方向

20世紀以來以英美爲主流的社會學，其觀點（perspectives）可以濃縮爲功能的觀點、衝突的觀點和解釋的觀點（interpretive perspective）。前面所提功能論、結構論屬於功能論的觀點，決定論則屬於衝突的觀點，象徵互動論與數學模型論則屬於解釋的觀點。除了上述這三種勢力相當大影響面極廣的社會學理論傳統之外，又有幾種新理論的產生，主要在嘗試把宏觀的與微觀的社會現象結合在一起。

### 1. 人本主義的社會學

此派社會學家拒斥實證主義強調建立價值中立、完全客觀的社會科學。反之，他們主張社會學家應當積極介入社會的改變與改革。亦即理論家應該以其知識、經驗、技巧協助那些弱勢人群積極參與社會生活，而非關在象牙塔中累積知識，抬高個人的虛名。

由於此派學者關懷的是社會的公平而非社會的秩序，因之，應用解釋的觀點強調人群有反抗社會結構的能力，也有改變社會結構的本事。其理論之出發點為人類乃為自由、能夠反思的個人，只要獲得充足的資訊會選擇有利於社會、也對社會可以負責的事情。此派於1975年成立「人本主義社會學協會」（the Association of Humanist Sociology），並發行《人性與社會》（*Humanity and Society*）一刊物，儘量揭露男女之間、白人與少數民族之間的不平等，也談富國與窮國之差異。在該刊發表文章之社會學者強調本身學術價值取向與思想立場，並提供政策建議書供有權勢的機構（政府、工商團體、工會等）釐訂政策之參考。

## 2. 女性主義的社會學

與人本主義的社會學家一樣，女性主義的社會學家也認爲向來社會之詮釋完全操在西方中產階級白皮膚男性學者的手中。女性之受輕視與歧視，都是大男人主義在作祟。女性主義社會學者（不限於女性，也包括男性）便企圖匡正向來研究與理論之偏見與瑕疵。其研究之重點乃爲女性之經驗，也注意到性別在社會結構中扮演的重大角色。

最近在美國有專門爲「支持社會中女性的社會學家」之組織底產生，並於1987年發行《性別與社會》（*Gender and Society*）一刊物，宣揚女性的不平之鳴。有人則企圖對歷史上與各個不同社會中女性所受的歧視與虐待從事比較研究。這派學者研究的結果，發現性別在社會結構中的重要作用遠超過個人的特性。

女性主義的社會學比起其他社會學的分支（或稱特別社會學，例如宗教社會學、知識社會學、政治社會學等等），或相關學科（社會心理學、社會人類學、政治經濟學）來，更富有統合宏觀與微觀結構的精神，而予以更爲適當之詮釋。

## 3. 理性選擇理論

這是建立在經濟學交易（交換）與理性選擇（rational choice）模型上的新理論。這種理論的基礎是假設人們的行動中向來都想花費最小的代價而獲取最大的好處。個人就像公司行號一樣，在可能的選擇項中選取一種他認爲風險最小、好處最大的去付諸行動。

建立在經濟行爲之上的各種理論對美國學人而言一向都深具吸引力。經濟行爲是講究利害得失、謹慎思慮與評估的人類行爲，亦即是合乎理性的行爲。有些批評者則認爲把社會行爲化約到個人心中的決定或選擇，失掉了社會學理論重視人際關係的本質。不過對此批評，理性選擇論的學者提出反駁，他們說任何人在作決斷與選擇時，絕非處於眞空狀態，更何況人類必須引用過去的經驗、也就是生命史作爲選擇的參考架構，而且作決定時可能牽涉到別人或有別人在場。

問題爲人每日每時都要作決定，作選擇，是否這些決斷或選擇完全符合理性之要求，還是可能出現非理性，而爲情緒性的、失控的表現？

## 4. 社會生物學

認爲人類的基因之遺傳對個人及其家庭的行爲具有決定性的作用之學說爲當代的社會生物學（sociobiology）。就像達爾文追尋人類軀體上外型上的演化軌跡一般，社會生物學家認爲某些社會行爲在經過自然選擇和淘汰後，也會注入人類基因的密碼中，代代傳承下來。像女性養育子女和男性在性行爲上稱霸主控，都是爲了使繁衍的效果達到最大的程度。不過由於這種研究的成果主要是在對動物的社會行爲之考察上所得來，能否應用到人類還大成問題④。

贊成演化論者不免質問何以社會學家反對這種社會生物學的理論。反過來講，社會學家又不免要追問何以生物學的決定論受著那麼多人的接受？不過配合美國20世紀最後25年保守主義的抬頭，社會生物學的理論正可以解釋美國當代社會各族群、各階級、性別等等的不平等都是上代基因遺傳下來的，這有別於保守主義者保護家庭勝於協助社會貧困不幸者的想法。

近年間企圖把生物學與社會學的因素加以統合，而創造新的跨科際之理論模型，稱爲「生物社會（biosocial）模型」或「生物文化（biocultural）模型」⑤。在這方面有關荷爾蒙和行爲的研究結果發現兩者彼此怎樣發生影響。例如在競賽即將展開前，對參賽者而言，男性賀爾蒙有變化的跡象，勝利者大爲增高，而失敗者則不增反減。這說明荷爾蒙的變化是社會行爲改變的結果，而非其原因。不錯在拳擊中男性荷爾蒙增高，但反社會的暴力行爲中、失敗的婚姻中也顯示男性荷爾蒙的升高。

不管生物學所談的基因對人類行爲有多大的影響作用，每個人都在特定時空與社會網絡中生活，他可以控制隨生而來的本性，這就是社會學比較富有理性、富有識見的觀點⑥。

## 六、最近社會學發展趨勢

直至1980年代，社會學理論仍舊表現出衆說紛紜莫衷一是、百花齊放、百家爭鳴之態勢，另一方面也反映1980年代之前30年間東西冷戰政治衝突之兩極想法。但自從和解氣氛籠罩全球之後，理論的極端性（extremism）逐漸淡化，過去宏觀與微觀的爭論、行動與結構的對立逐漸消失，因之，人們乃目擊理論有轉趨調和綜合概括之勢⑦。

### 1. 杜赫尼的集體社會行動論

當代在法國及其餘西方國家極富學術盛譽的杜赫尼（Alain

Touraine 1925-）之研究目標有三：

(1)建構一套有異於結構功能主義的社會行動理論，該項理論的方法學基礎非個人主義的（methodological individualism），而毋寧為集體的社會行動；

(2)勾勒和刻劃現代社會（號稱後工業社會）的特徵；

(3)指認和辨識社會轉型、社會變遷的行動者（agents）。

首先，杜氏不認為社會是一個生機活潑、類似人類身體的有機體，也不能被視為諸功能配合的整體。反之，社會為衆多成員行動交織的架構。為了使社會能夠維持操作，社會行動對既存的社會結構產生新的衝擊與作用，亦即社會行動是塑造與建構社會的主要力量。社會是一個自我轉變的體系。有異於象徵互動論，杜氏認為構成社會的行動者並非個人，而為集體（collectivities），也就是社會運動者。他說：

> 行動乃是指行動者的行動而言，這一行動受著文化導向（cultural orientations）的指引，這一行動也是處在社會關係脈絡裡，至於社會關係是受到文化導向的社會控制不均之現象所界定的⑧。

杜氏認為社會鬥爭產生於社會與文化場域裡，在該場域中發生競爭或衝突的社群，不但擁有共同的社會場所，也具有共同價值與規範。這些共同的文化導向的因素（規範、價值），造成該社會在歷史變遷上具有特質，而有異於其他社會，也有異於不同階段上發展的同一社會。他認為大規模的社會行動為社會運動，這包括(1)保護性的集體行動（抗爭、示威）；(2)社會鬥爭（學生運動、婦女運動、民權運動）；(3)社會革命（改變大環境的社會運動）。

社會運動的出現剛好隨階層化以及上下主從關係的消失同時發生，這並不意謂社會已進入平等的時刻，而是說西方工業社會中產階級的抬頭，有意介入公共事務，而企圖打破社會垂直升遷的阻隔。一旦層化或階級化的社會消失之後，馬克思所強調經濟基礎制約上層建築之說詞，也變爲明日黃花。

對杜赫尼而言，所謂的後工業社會是指以資訊爲生產基礎取代製造業爲基礎的工業社會而言。過去舊工業社會之生產方式爲以勞動力爲主，今日則倚靠知識與科技。在此情形下，民間社會逐漸屈服於「技術官僚的國家」之下，個人不再以階級成員感受社會的壓迫，而是以公民的一分子受到官僚的統治。社會運動的重心宜轉向民間社會，人民不再企圖向國家爭取權利，而是致力保護其生活型態（life-style），避免爲官僚所宰制。至此，社會衝突比較不集中於生產部門、或國家部門，反而在文化的層次上。換言之，並非資產階級只因擁有私產或財富才會壓制無產階級。反之，前者之優勢建立在擁有知識和控制訊息⑨。

杜氏主張社會學家應當涉足、甚而積極參與社會行動、社會運動，採取社會學干涉的方法，才能探索行動與運動的內涵，才能全面理解其意義。亦即他認爲研究者不是以觀察員，而是以質問者、交談者、積極份子（activist）的身分，俾來「改變」、「改信」（conversion）社會。

## 2. 卜地峨的反思社會學

擔任法蘭西學院社會學講座的卜地峨（Pierre Bourdieu 1930-），也是一位具有寰球盛名的歐陸社會學理論大師。貫穿他豐富龐雜著作的一條主軸，是如何把主體的個人與客體的社會之間的對立或矛盾加以消除、加以化解。社會是衆多的個人由內心與外部行動所體驗的世界，是一種主體意識的歷程；另一方面，社會又好像是管制個人、提供個人生息滋長的場域，是一個客體的存在物。社會與個人無論視爲客體物或主體活動，都會令向來的社會學家陷入主體或客體的分歧對立（subjectivist/objectivist dichotomy）。因之，唯有同時明瞭物質與表徵（representation）兩者的特性與相互關係，明白外在的、拘束性的社會事實與個人內在的經驗、理解的行動這兩者，以及這兩者的辯證互動，才能掌握社會的實在。

爲此卜地峨提出實踐、習性（*habitus*）和場域（*champ*）三個概念。首先他指出人的行動爲利用時空架構，面臨特定環境，遵循實踐的邏輯、實踐的感覺的行動。習性是指行動者的嗜好、性向、慣習，是一種社會的感受，是一種經過培養的性向與處事方式⑩，在習性中我們發現個人身分的特質和社會體系的特質之綜合。場域是人群活動之空間，可視爲行動者動用資源、爭取利益、展開鬥爭的所在。社會是由彼此相對自主、但在結構上卻具有同樣源泉、同樣性質的種種場域所構成。

卜氏便運用這三個概念工具來分析當代社會的階級，他對階級的分辨與馬克思不同，並不以生產資料的擁有與否來決定個人的階級所屬，而是以某人的生存條件、生活型態、在場域中擁不擁有財富、社會聲望、文化水平（文化資本）等來界定所屬，這是比較接近韋伯的階層觀。所謂的傑出階級⑪不在於成員之外在生活條件，如權勢和威望之擁有，而在於他們擁有共同的習性、或共同處事的態度，包括消費、休閒、生活型態、脫離世俗的審美態度、擁有經濟財貨與象徵財貨（文化修養、知識水平）等。

卜地峨認爲社會是由「第一級客體」（物質財貨、權力分配）

與「第二級客體」(社會行動的分門別類，職業之分別、區隔等)構成，亦即由權力體系與意義體系兩者合組而成的。社會既然有這雙重的生命，則要加以理解，必須設計一副具有兩個分析焦點的分析眼鏡，同時看出雙重生活的優缺點。爲此他創立了反思社會學。其反思社會學有三個特色：(1)主要的對象並非個別的社會分析家，而對使用分析工具的社會學者之非意識的部分也予以發掘理解；(2)發揮團隊精神進行研究群合作性之工作方式；(3)對社會學認知的穩定性不在破壞，反而予以增強。

卜氏的反思，並非研究主體的反躬自省，而是有系統地探詢思想未涉及的部份，亦即清除妨礙研究者思想繼續發展遭遇的絆脚石。換言之，在排除思想的宿命觀與掃除決定性的迷障，俾能更客觀地認識外頭世界⑫。

## 3.紀登士的結構兼行動理論

倫敦政經學院院長紀登士（Anthony Giddens 1938-）是英國當代足以與德國哈伯馬斯（Jürgen Habermas 1929-）、法國杜赫尼和卜地峨相較勁的世界級社會理論學家。他三十餘年浩繁的著作，涉及社會學、心理學、政治學、人類學、歷史學、地理學、哲學與藝術批評，可謂爲當代學識最淵博、功力最深厚且勢力最廣大的思想家之一。他的結構兼行動（structuration）理論，尤其是20世紀社會學理論的偉構，值得吾人加以注目。

在傳統社會理論或重社會結構、或重行動者的對立研究取向中，紀氏企圖把結構（structure）與行動（action）的雙元對立加以化解，而鑄造結構兼行動（structuration）一個新詞，足見其眼光之獨具。在其所著《社會方法的新規則》(1976) 中，他說：

「談到結構的雙重性，我是指社會的結構既是人類行動所建構，但它同時也是建構的媒介」⑬。不過結構與行動畢竟是兩碼事，如何化約爲一？這有賴他「社會實踐」(social practices) 一詞的強調。透過實踐，人不但有所行動，同時也鑄造了社會結構。由是結構與行動構成社會實踐一體的兩面。

引發行動的是行動者，引發其行動的常是行動者的欲求，是行動潛勢力的部份，不過行動者對其處境與採取行動的策略是擁有可知性 (knowledgeability)。在把行動由潛意識升爲意識到付諸實踐的階段，行動者對自己的行動有審視、監督、描述、反思的能力，特別是會運用語文來描述與解釋行動的意義，這便是行動進入言說 (discursive) 的層次，是故行動不過是行動者援引資源（知識、權力、金錢、地位等）、遵守規則（做事做人的慣習、方式）去改變身外的狀況。

紀氏旋解釋結構，結構是受著衆多行動者的行動與彼此的互動所建構的，這一結構對行動者不只有拘束力、束縛作用，也提供行動者方便、資源，供行動者能夠落實其社會實踐。因之，結構無異行動者在社會實踐時所援引的資源與規則。社會的資源涉及人利用物的配置性 (allocative) 資源，也包括人對人管理和影響的權威性 (authoritative) 資源。隨著每個時代的不同，兩種資源角色有異，像中古世紀封建社會中權威性的資源扮演較重的角色。反之，在今日資本主義的時代中，配置性的資源顯示特別重要。

至於社會的規則，一方面在建構意義，讓大家遵循而便利做事做人，他方面卻也拘束行動者，不允許其踰越規矩破壞規則，一旦有違規行爲便會遭致懲處 (sanction)。由於紀氏不把結構當成物化的、外在於人身的、固定不變的事物看待，而視它爲隨行動者行動而變化或擴張、或萎縮的資源與規矩，因之，他也把時空引進結構裡頭，而彰顯結構的韌性與變動性。要之，社會的互動是一連串的過程，即結構兼行動的過程。這包括說明意義的指意；也涉及行動者改變環境之能力，亦即擁有左右環境的宰制力量；以及行動評估得失正當與否的合法化的問題。

利用這套結構行動理論，紀登士不僅對當代社會、社會組織、社會制度、社會運動、國家、階級、權力乃至現代性加以詮釋，也用以批評馬克思歷史唯物論之缺陷，可以說是引起學界重視與爭論的當代重大社會學說⑭。

## 注釋：

①洪鎌德 1998 《21世紀社會學》，台北：揚智文化事業公司，第52-56頁。

②洪鎌德 1977 《思想及方法》，台北：牧童出版社，第109至117頁。

③以上參考Faris, Robret F. L., 1973 "Sociology", *Encyclopedia Britannica,* vol.16, pp. 994-998.

④Kitcher, Philip 1985 *Vaulting Ambition : Sociobiology and the Quest for Human Nature,* Cambridge MA : MIT Press.

⑤參考Rossi, Alice 1987 "A Biosocial Perspective on Parenting", *Daedulus* 106 : 1-31 ; Lenski, Gerhard 1985 "Rethinking Macrosocial Theory", *American Sociological Review* 53 : 163-171 ; Lopreto, Joseph 1990 "From Social Evolutionism to Biocultural Evolutionism", *Sociological Forum* 5 : 187-212.

⑥參考 Hess, Beth B. Elizabeth W.Markson & Peter J. Stein, 1996 *Soci-*

*ology,* Boston *et.al.:* Allyn and Bacon, 5th ed. pp.21-23.

⑦Ritzer, George 1992 *Contemporary Sociological Theory,* New York *et.al.* : McGraw Hill Inc., pp.457-460.

⑧Touraine, Alain 1981 *The Voice and Eye : An Analysis of Social Movement,* trans. Alen Duff, Cambridge : Cambridge University Press, p.61.

⑨Touraine, Alain 1971 *The Post-Industial Society,* trans. Leonard Mayhew, New York : Random House, p. 61.

⑩Bourdieu, Pierre 1977 *Outline of a Theory of Practice,* Cambridge : Cambridge University Press, p.15.

⑪Bourdieu, Pierre 1984 *Distinction : A Social Critique of the Judgement of Taste,* London : Routledge & Kegan Paul.

⑫洪鎌德 1997《社會學說與政治理論》，台北：揚智出版社，第45至79頁，1998年二版增訂本。

⑬Giddens, Anthony 1976 *New Rules of Sociological Method,* London : Hutchinson, p.21.

⑭洪鎌德，前揭書，第105至177頁。

# 第十八章　社會人類學與文化人類學

## 一、普通人類學

這是美國學界給予人類學—— 一門研究人類的科學之總稱——一個最廣義的稱呼。普通人類學包括生物學與文化學的兩種體系，因之分成下列四種分科：

⑴　**體質人類學**

研究人類（*homo*）的演變。體質人類學家（今日或者更樂意被稱爲人類生物學家）利用化石重新建構早期人類之軀體形貌，並比較初民與人猿或類人猿之異同，也嘗試以基因的架構來追蹤人類的演化，找出人遺傳的特質。早前以人類分佈地區、膚色、頭髮、語音之不同，區分爲黑人、蒙古人、澳洲人、高加索人等之不同「種類」(phenotypes)，近年則重視人類基因和遺傳之不同，改而注意到「基類」(genotypes)，其中有牽涉環境對人口影響因素的人口生物學，有注重人種疾病發生和分佈的病疫學。

⑵　**考古學**

有時被視爲歷史的一部分，亦即考察無文字記錄史前的人類活動。但也有考察有文字記錄的過去舊社會之文物。這包括對被排斥於主流之外的邊緣原住民之研究，像早期由非洲移往北美充當奴隸的黑人不幸命運之理解等等。

(3) **語言學**

雖然已獨立成一門受學界看重的新學科，但仍然被視為一般人類學的分支。由於早期人類學家與不同語言的族群來往必須學習其語言，也由於語言本身便是人類發展與溝通的工具，是人際互動的典範，因之，語言分析的重要性是十分明顯的。社會生活便由行為規則、意義和解釋構成。這些都是語義學（semiology）研究的對象，也因而造成向來的人類學家對語言問題的關懷。再說語言的使用也反映文化、階級、性別，自成社會語言學、或民俗語言學這些分支。

(4) **文化人類學**

文化成為美國人類學家研究的偏好，也是導致美國人類學研究有異於英國與歐陸的特徵。在美國這種研究之普遍層次相當高，例如研究美國文化、日本文化、約魯巴（Yoruba）文化。由於文化意涵廣包，包括了信仰體系、社會組織、科技和環境，所以文化人類學研究的對象與範圍也相對擴大。泰勒（Edward B. Tylor 1832-1917）為文化下一個廣泛的定義。他說「文化是一個複雜的整體，包括知識、信仰、藝術、道德、法律、風俗、以及作為社會成員的個人學習而得的其他能力與習慣」。克魯伯（Alfred L. Kroeber 1876-1960）認為文化是「學習的與傳承的動力、反射、習慣、技術、理念和價值之總和，也是這些事物所引發的人之行為」。墨菲（Robert Murphy）認為文化是「傳統的總體，由社會來負擔，也由世代來傳承」。

## 二、社會人類學

這是英國學者給予人類學的稱呼，社會人類學應當視為較普通人類學更狹隘的學科。在很大程度上，社會人類學可以視爲普通人類學的一個分支，與文化社會學最爲接近，但比起文化社會學來範圍更小。英國學派集中其研究的焦點於家庭、宗教、經濟與政治體系之上。因之，它與社會學也非常類似，所不同的是社會人類學家不像社會學家研究本國、本區域的社會，而是把注意力放在西洋傳統的文化之外的「化外」之地區及其社會（所謂的「第三世界」之國度與地區）。

不只文化的定義模糊，就是社會結構也有歧義。一般人很少會辨認社會、社會體系、社會結構、社會組織、社會制度、社會過程、社會運動等等名詞之不同。到底社會結構是實物，還是抽象的東西？換言之，眞有社會結構存在於研究者身外？還是學者爲了處理雜亂的資訊材料而把它們貫穿整理搞出一個架構來？社會結構是否包含制度、角色、行爲？抑或它也包括理念、價值在內？是否把注意力放在社會結構及其次結構對研究眞有幫助？還是這些架構都是毫無意義的套套邏輯呢？這些問題的提出，顯示研究社會與人的重要，更顯示研究初民是瞭解文明人的鑰匙。

在這種情況下，人類學在英國的崛起之迅速不難理解，幾乎沒有任何一個學科像社會人類學那樣廣受看重、聲譽日隆。事實上在英國，社會人類學所享有盛譽固然拜受學術傳統與學人的因緣際會之賜，不過這種情勢隨著兩次世界大戰英國國力衰微後，其早前的風光，也逐漸褪失。1980年代中美國崛起的文化人類學在學界的重要性有超越英國社會人類學之勢，這是由於人們對文化的研讀之興趣大增，特別是對原住民、少數民族，多元社會之重新理解和詮釋。當然這與人文與社會科學界由社會結構轉往尋求「意義」的學風有關。這些都牽涉到後現代主義的問題。

基於學術傳統的淵源與流變，墨菲不認爲把社會人類學與文化人類學分開有何意義①。

## 三、社會人類學的崛起

### 1. 維多利亞的遺產：進化論

當英國18與19世紀之交，出現一批「人類慈善家」(philanthropologists像 Thomas F. Buxton 1786-1845 和 Thomas Hodgkin 1798-1866，爲1830年英國保護原住民協會的創立者)，他們關心「未開化」的原住民，有可能淪入歐洲列強人口販子的手中變成白人的奴隸之虞。這便是具有初期社會人類學味道之「野蠻族人」(savage tribesmen) 底研究的開張。該保障殖民地原住民權益之協會終於促成1871年大英皇家人類學研究所的設置，這是英國首座以生物學、文化學和社會學等科際整合的方式，來進行人類學研究的最高學術機構。

不過，人類學或民俗學 (ethnology) 成爲牛津大學 (1884) 與劍橋大學 (1900) 專門學科，卻是在皇家研究所設立之後數十年才出現的。第一位正式擔任社會人類學講座的則是傅拉哲爵士 (James George Frazer 1854-1941)，亦即是暢銷書《金枝》(*Golden Bough,* 1890) 的作者。倫敦政治經濟學院也於1910年任命謝力曼 (C. G. Seligman) 爲首任社會人類學教授。

19世紀隨著歐洲海外殖民活動的頻繁、科技進步的驚人、世界史 (universal history) 觀念的浮現，使殖民主義者誤認白人爲智慧人 (*homo sapiens*) 的代表，而視遙遠未開發地區的「野蠻族人」爲與白人祖先不同發展階段的初民。這些初民有可能在文明發展的路途上不進反退，而成爲退化 (devolution) 的族群。是故，白人的使命，亦即「白人的負擔」，便是把文明帶給這些「野蠻族人」。

達爾文的物種進化論，爲適者生存、弱者遭淘汰之想法與說法，提供有力的辯護。正如羅素 (Bertrand Russell 1872-1970) 所言：「達爾文主義乃是馬爾薩斯人口論之應用於動植物界，而馬氏的人口論又是邊沁功利黨徒政經學說的不可分割的一部分。因之，達爾文主義贊成全球的自由競爭，勝利的動物就像資本家一樣風光」。

放棄早期耽於考察已死的祖先之作爲，維多利亞時代的人類學家便以活著的「野蠻族人」作爲他們研究的焦點，企圖由生者去瞭解死者。儘管他們對人類發展的階段可分幾期有所爭議，但19世紀的學者卻相信「自然狀態」的存在，它也是文明發展的早先階段。法學家梅因 (Henry Maine 1822-1888) 便主張追溯法律條文之變化，以瞭解社會的變遷。在他所著《古代史》(1861) 一書中，他指出原始社會以父權爲中心之家庭，擴大至氏族，而部落，最後發展爲國家。由原始社會親族地位 (親屬關係) 演變爲當今建立在契約之上的社會，表示社會的重大進化。

與梅因同時代的美國律師摩爾根 (Lewis Henry Morgan 1818-1881)，也著手研究親屬關係，特別是有關伊洛魁人與印地安人之親屬關係。由此他得出不同的社會對親族的分類與描寫的兩大原則，其一爲印地安人對親戚的稱呼，可以稱伯叔舅父姑姨丈等爲「父」；另一種則爲閃族語言對父親之外每個人都有不同的稱呼 (伯父、舅父、姨丈、姑丈等等)，他對這種不同的發現加以精彩的解說，頗能一新耳目。他也是一位進化論者。從親屬分類的簡單至複雜表示族群最先有其共同的淵源。這種把父方或母方的親戚用簡單的稱呼叫喚，並不只是爲著方便，更有其社會意涵，也即稱呼阿姨、阿嬸、阿姆、阿姑爲「老母」者，可以獲取母親同輩份的長者之關愛，摩爾根的學說對馬克思和恩格斯都有很大的影響。

泰勒是在1884年於牛津大學首先開講人類學，他研究的主要興趣在闡釋摩爾根語言稱呼與社會習慣之間的關係，而企圖指出其功能性的作用。此外，他對宗教有深刻的研究，而提出「存活」（survival）的概念，認爲它可以應用於習慣與信念之上。他的重大發現爲結婚時新郎與新娘住在男方或是女方處會影響一個社會對親屬關係的稱呼。此外，他認爲與他族的通婚（外婚），是消弭兩族仇恨的存活手段。

## 2.　涂爾幹功能主義的貢獻

一般視涂爾幹爲比較社會學的創立者，儘管他除了講學之外足不出戶，是一位典型安樂椅上的學者。他也是一位社會主義者與民主的改革者，更是一位非馬克思派激進的革命家。他一直堅信世俗的教育是轉化社會的利器。社會學最終的目的在爲社會主義提供人性的基礎，也爲世俗的教育提供實踐的指引。是故教育政策比革命手段更能達成社會的改變。

有異於梅因和斯賓塞，涂爾幹不認爲經濟上分工愈來愈細、愈專門會促成個人之間更大的競爭，會造成社會的原子化（雞零狗碎化）。與馬克思主張相反，涂爾幹不認爲工業化會造成資本主義的異化現象（儘管他也承認在「不正常」的情況下，社會有「失序」*anomie* 的出現）。相反地，在有利的條件下，經濟專業化會造成社會進一步的凝聚協和。分工並非如經濟學家的主張在提高生產力，只是生產力的提高是伴隨愈來愈細的分工而出現，蓋分工所以增強是由於社會的「密度」增加的緣故。

涂氏下達此結論是由於比較原始社會與現代社會之不同而得到的。原始社會分工程度低，社會的凝聚是建立在同氣相吸、同類相求的原則之上，可謂爲「機械性的團結」(機械性的連帶關係)。現代的工業社會分工精細，每人同質性低、異質性高，在相輔相成之下所凝聚的是「機能性 (有機性) 的團結 (連帶關係)」。同樣，法律也有兩種不同的性質之分別，其一爲古代報復性的法律，其二爲現代矯正性的法律。

涂氏學說之論據常有瑕疵，但卻具說服力，其秘訣在於其功能論的發揮：我們對人群社會生活會增加瞭解，假使我們把這種社會生活擺在功能的複合體之上去考察的話。譬如說，古代法律對犯人的懲罰，近乎情緒性的報復，此舉固然在嚇阻犯罪之再現，但卻也在宣洩群衆不滿的情緒。由是犯罪與懲罰的行爲反而有助於原始社會機械性的協和團結。涂氏這種的解說法當然十分弔詭，卻發揮解釋的功能。

與涂爾幹一樣善於觀察社會制度和善於解釋制度之間關係的學者爲英國社會學之父斯賓塞。他是一位著作等身的費邊社社員。就算才華出衆如斯賓塞者仍會犯論證錯誤的毛病，亦即與涂爾幹一樣犯著套套邏輯、因果相循的錯誤。在比較涂爾幹與馬克思時，我們都知道後者主張經濟資源及其控制之重要，但前者卻把重點擺在社會制度之上，這是社會構成體中使成員能夠在功能上發揮作用的機制。涂爾幹指出不同的社會結構產生不同的理念與意識形態。不管這些觀念是眞是假，它們必須像其他社會現象一般，透過功能性的分析來接受檢驗。這種要求使意識形態和概念體系從哲學與神學中釋出。在這裡涂爾幹比韋根斯坦早半個世紀指出概念是社會產生的集體表徵。

在《宗教生活的基本形式》(1912) 一書中，涂爾幹強調，與其以概念或信念的眞假去討論宗教，倒不如研究初民宗教的起源。以澳洲原始族群的圖騰爲例，它不過是進行漁獵遊牧的部落結構的反映，它代表族群的團結，也是對族群忠誠的象徵。宗教無非涉及神聖與世俗之別，都是社會現象。猶太教的上帝是一位維持社會秩序與道德的至尊，亦即上帝是社會的神化或稱神化的社會。因之，他認爲宗教乃是象徵的體系，也是社會對其本身的自我意識。它是集體存在思想的方式。要之，宗教乃是強烈的社會互動（集體的沸騰），帶有情緒的產品。宗教儀式則爲增強信仰者群體凝聚力，這點與馬克思強調宗教爲群衆痲醉的鴉片，有異曲同工之妙。

涂爾幹強調社會事實之存在，認爲社會事實存在於個人之外，對個人施展壓力。社會事實屬於群體，是故集體的信念與行爲不能化約爲個人的心理與行爲表現。亦即社會學無法化約爲心理學，儘管可以藉社會心理學來作解釋。不過社會心理學並非涂氏之擅長。要之，他主張要瞭解社會現象必須要在更大的社會境況下，瞭解該現象的功能。社會是一個動態的有機體或生機體（organism），其成員之命運與貢獻，繫於它對整個社會的存續之功能。這種整體觀、總體觀（holism）使研究者擺脫歷史命定主義的羈絆，是其貢獻，但因此掉進社會決定論，則爲其瑕疵。

## 3. 馬立諾夫斯基和賴德克立夫・布朗

涂爾幹的著作標誌著由演化論轉往功能論，也爲現代人類學的創立者馬立諾夫斯基和賴德克立夫・布朗搭橋。馬立諾夫斯基

(Bronislaw K. Malinowski 1884-1942) 為出生於克拉考的波蘭人類學者。他在其故鄉的大學以物理學和數學的論文獲得博士學位，由於有機會閱讀傅拉哲的《金枝》，使他改變研究對象，而對社會人類學發生濃厚的興趣。在移居倫敦之後，他完成有關澳洲土人的論文。在1915年至1918年之間，他進行田野考察，在新幾內亞特洛里安島的研究期間，他發展出田野緊密觀察法，常將其營帳架設於土人居住的村落裡。他強調學習原住民語言與採取他們觀點的重要性。1927年他成為倫敦政經學院首任社會人類學講座。

在馬氏眼中，人雖受社會化與接受文化的薰陶，畢竟還是一個動物。人生理上的需要、欲望必須獲得滿足：這種滿足是要靠社會的文化制度來達成的。由是婚姻是用來規範男女的性慾，經濟制度調節人存活的民生用品，法律與政治在保障人互動與合作的關係可以繼續進行。宗教與藝術雖然對人的動物存在沒有即刻與明顯的貢獻，卻是維持社會存在的另一機制。藝術、神話、儀式都是對既存的社會與政治活動的順利展開提供助力，特別是當技術知識不足以解決現實需要之時，或是人處於困苦無助之時。總的來說，馬氏仍舊倡議與闡述功能論，認為社會生活在發揮滿足人需求的功能。要之，文化對他而言，乃是人動物性存在與調適的特殊手段，只有人才會採用此種的手段。

社會生活為成員諸個人間追求報酬的行動，是一種「給與取」(give and take) 的相對性與相互性 (reciprocity)。人在社會中追求的不是像演化論所闡述的適者生存 (survival)，而是各盡所能使社會能夠發揮作用。因之，任何的禮俗、慣習即使是何等的幼稚或怪異，但都有其特定的功能，也達成其時代、其社會的目的。

換言之，對馬氏而言，所有的禮儀、親屬關係、經濟交易不必以其起源做歷史的溯源工作，而只需理解他們對社會有無用途來加以解釋。他著重社會制度的現時功用，以致常忽視其歷史演變。他把任何既存社會的和諧性均衡理想化。他這種去掉歷史的看法，未免把特洛里安島人看成是被鎖在石器時代的土人，而不受外界的影響，也不因社會衝突而改變其政治結構。事實上，該島人民對外界，包括殖民者、傳教士所帶來的衝擊，以及求新求變的精神，都是對馬氏學說的挑戰。

事實上，在其身後出版的日記（《嚴格意義下的日記》1967）中，透露外界白人對島民的日常生活構成重大的衝擊。這些觀察與推論的瑕疵不影響馬氏田野研究法及功能主義的重大貢獻。受其訓練栽培的後代人類學家，更能以全社會的觀點來處理人們的信念、禮儀、親屬、政治組織、經濟實踐等問題，視這些問題爲彼此關聯，而不可分開來研討。

由於馬立諾夫斯基重生物學、而輕社會學的理論取向，因之，其偏於一端的毛病受到他同代的競爭者與論敵賴德克拉夫・布朗（Alfred R. Radcliffe-Brown 1881-1955）的批評。賴氏因執教於英、美、澳、南非而聲名大噪，由於在劍橋大學接受人類學訓練，加上著作與研究成績卓著，而成爲悉尼、開普敦、牛津和芝加哥大學社會人類學的開創講座教授。

在理論上賴氏受到涂爾幹的影響最深，強調社會中的結構，以及不同制度之功能的重要性。他也是比較社會學的鼓吹者。儘管著作不多，但其精緻的理論與嚴格的田野研究法正可以補充馬立諾夫斯基經驗主義之不足。他雖也是一名功能理論家，但不若馬氏那樣大而無當。他是在涂爾幹的理論架構上加工精製，而成爲青出於藍而勝於藍的學人。

當馬氏自生物學上借用了化約原則，而集中在人的文化適應之檢討，賴氏卻再度強調所有習俗和制度的社會基礎。對後者而言社會是一個有機體，其成員扮演不同的角色，盡了不同的義務，俾使社會全體能夠生存與繁榮。在此他引進結構（structure）一概念，認爲這是社會賴以建立的有秩序、有組織的基礎，這個基礎是在相當長的時期中屹立不搖的事物，制度所以能夠發揮功能是在結構之中，也是在與結構發生關係裡才有可能。制度的作用在於維持事物現存的秩序，因之，作爲結構功能論者的賴氏，是認爲人群爲了追求其目的（社會團結）而合法化、正當化他們使用的手段（社會制度）。

在討論南非土人甥舅關係之密切時，賴氏使用了「兄弟姊妹的同等」(equivalence of siblings)之說法來解釋這一親屬關係。他認爲在父系社會中，由於兄弟姊妹感情融洽，也由於社會視此爲當然之舉，則在對待姊妹的孩子時，作爲舅父的人把甥兒或甥女也視爲已出，故予關懷、疼愛，可以說是母性愛心的延長或擴大。反之，姑姪關係的疏遠肇因於姑母的兄弟，亦即姪兒的父親，對孩子的嚴管督責。要之，把姑母當成雌性的嚴父，把舅父當成雄性的慈母看待，是造成舅甥親密和姑姪疏遠的原因。

有關這種親屬關係的解釋，正說明社會行爲有結構的面向，也有功能的面向，在無需研究行爲的歷史情形下，藉由結構功能的分析便可以獲得較爲圓滿的說明。要之，功能主義者認爲結構乃是提供給功能發揮的架構。社會結構的改變常隨社會制度的變化以俱來。同樣如果社會制度劇烈改變，則也會造成相應的結構之改變。

## 4. 散播論

把功能和結構的分析概念加以結合，而成為結構功能論，無疑地是對人類學歷史的和演化的理論之反彈。結構功能理論代表了現代社會人類學研究的新高。但隨後產生的為歷史學家與考古人類學者所常援用的則為「擴散論」、或「散播論」(diffusionism)。

散播論是認為理念、或人造器物（文物）隨著人群的遷徙旅遊而由一處轉往另一處。今天噴射機的飛航與電話、電視、網路的傳播，使理念、文化產物的交易無遠弗屆，這種散播的文化產品無論就質而言，還是就量而言，都達到空前的地步。

遺物的發掘使考古學者發現滅絕的人群或社會分佈與居住的範圍。把他們的文化與社會加以分門別類的類型學（typology），遂應運而生。如果某地同一文物產品大量出土，則證明同一族人居住該地而生產同一物品。反之，如果出土的地方在不同的層次發現不同的文物，則考古學家也可以假定這是不同的族群的混居，或先後的佔住，表現某種不連貫、不相續的關係。

與馬氏與賴氏同時代的英國學者史密斯（Elliot Smith 1871-1937），曾大力研究散佈於世界各地的木乃伊和特異保存屍體的技術等情況。他在赴埃及研究木乃伊的頭顱之後，無意間發現馬來亞土人的頭骨，認為兩者有很多相似之處。為此，他提出大膽的猜測，主張「文化叢結」(culture complex)：包括處理屍體的方式，是由埃及向世界各地其他地方擴散。他稍後還把刺青、穿耳、頭顱變形、對蛇的崇拜、大水的神話、丈夫幻想如同其妻正在懷孕（*couvade*）等等奇風異俗，看做是由一地擴散到他地的文化傳播。

這種文化散播論，自然也遭到學界的批判。因爲集中在個別的、物質的文物之上，而不注意它的社會脈絡，不但有以偏概全之弊，而且把不同的文物混合在一起、或相同的文物以地域的不同串連在一起，都不見得可以看出文化散播的實狀。許多借用的文化或儀式也常失去其本義。因之，靠散播論無法獲取文物流動走向與確認原來的生產地，也許對文化遷移的空間可以獲得多少的理解，但對其時間的變遷則不見得能夠完全掌握②。

## 四、文化人類學

### 1. 文化人類學與社會人類學的異同

列維・史陀認爲文化人類學爲美國學者慣用的名詞，社會人類學則爲英國學者普遍使用的稱謂，兩者並無分別，只是同一學科在不同國度的稱呼而已。對此觀點李奇（Edmund Leach 1910-1989）持反對的看法，他認爲社會人類學與文化人類學並非學術研究的同一形式（學科）之不同名字③。原因是社會人類學家概念的來源主要的爲涂爾幹和韋伯，文化人類學家則來自於泰勒的說法。

李奇認爲人類學家第一項關懷的事實爲分辨人與非人，於是文化與自然的對立成爲人有異於禽獸最大的分別標誌。人因爲懂得使用工具，所以創造文化，其他動物則否。因之，泰勒給文化或文明的定義爲一種複雜的總體，包括知識、信念、藝術、道德、法律、習俗和作爲社會成員取得、或學習而得的其他能力。因爲對文化作如是觀，泰勒遂主張研究文化之第一步爲把文化的成分做細緻的解剖與分類，分成「適當的群類」(proper groups)，這些群類包括武器、紡織、藝術、神話、儀式和慶典之類的東西。

李奇認爲今天的人類學家已不把文化以單數看待，而是對同一社會的文化，看成爲複數的次級文化所構成，所以基本上採取多元文化觀。而社會人類學家更不會把文化當成由眾多不同的群眾拼湊或合成的事物看待。即便是文化社會學也分成許多不同的派別，像哈里斯 (Marvin Harris) 便認爲，文化的特質應爲各地人民適應其自然環境而採取的因應措施，可視爲文化物質論者。另外施奈德 (David Schneider) 視文化爲「符號與意義的體系」，也就是把文化當成思想語言的過程，而排除文物實用的、物質的面向，可說是象徵的人類學派之主張。

## 2. 文化人類學的定義與課題

文化人類學就是把生活在文化和自創的世界中的人類之文化特色勾勒出來的學問。它把文化的因素（常素）當成人類的行爲因素（變素）來看待。因之，也可以目爲動物學行爲研究 (Ethologie) 的一部分。其主要的職責爲：(1)文化及其因素中變化的可能性，亦即分辨文化固定因素（常素）與文化變動因素（變素）；(2)比較人與動物行爲之差異與關聯；(3)本性遺傳的行爲與學習而得的行爲之比較，探究人類發展文化的能力之生物學基礎。

### (1) 文化的常素與變素

在文化的常素方面包括(A)使用技術來改變自然，俾食衣住行的民生需要得到滿足；(B)象徵的思維與符號性的語文之產生與使用；(C)兩性關係、親子關係（保種與照顧下代的觀念）的重視；

(D)藝術表現、音樂、舞蹈、美的標準等之產生；(E)群體生活的秩序、規範之產生。至於變素則爲上述常素之外的文化因素，而造成每一地區、每一族群所以異於其他族群的原因。

(2) **人與其他動物之行為的比較**

從人類的生成，推溯與類人猿之親屬接近的類似行爲 (homologes Verhalten)。但也有不少的行爲卻與其他高級動物有異而成爲人類之特質，例如性行爲、家庭組織、使用工具、語言等等。在性行爲方面，人類與類人猿相比，靠荷爾蒙分泌主導性慾者少，而靠大腦的指揮者多。動物性交的公開化與人類營造隱密氣氛（Intimsphäre）有所不同。

至於家庭的成立，主要建立在母子關係上，這點是人與動物無多大分別之處，不過比起其他動物來人類哺育期相當長，子女依賴母親的照顧需時較久。至於亂倫的禁忌，也是人類家庭有異於其他動物組成的家庭最大的不同。至於器具的使用，可視爲對周遭世界技術加工，也不限於人類，不過以人類製作的工具最爲巧妙、美觀、實用。動物對喜怒、哀傷的表情與人類無異，但把這些聲音轉化爲彼此溝通工具，只有人類才能辦到。語言的發明不但可以傳情達意，也是使人類可以進行思想、回憶、展望的工具。

(3) **文化能力的生物學基礎**

人類的行爲主要靠學習而得。不過學習不限於人類，就是其他動物（不說人猿就連狗、貓、豬等）也懂得藉學習而獲得本性遺傳之外的能力。經由學習過程而得到的行爲顯得有彈性而富變化。是故人類行爲普遍的基礎爲學習能力。學習能力的首要條件爲記憶，其次爲智慧（依賴經驗而學習的能力）。把記憶堆積、把感覺分類，再加上聯想，都是大腦的功能。大腦的大小隨著類人猿變成人類而有躍變增大之明顯的變化。除了大腦，重要的人類器官爲雙手。手的功能不僅在使用與製作器具，俾能技術地改變周遭環境，也在能掌握事物，確認事物的常態 (Dingkonstanz)，而協助人類發展象徵的思維，和創造符號、語言。以上說明了人類文化能力的生物學基礎。

不過對文化的多樣發展與成長，則受到人類生物學遺傳少，反而是由於累積 (Akkumulation) 的影響大。也就是文化之舊的因素隨著新的因素而保存下來。每一新發明、新發現都會呈現擴大、搭配、與變化的可能性。文化的演進並非以新的取代舊的過程，而是增添累進的過程。這種人類特有的文化演進觀，也使文化呈現多姿多采。累積過程的先決條件爲經驗與知識的傳統之維護，這就是老一輩與年輕一輩不同年代能夠聚居與溝通所造成的，也是由於人類成年時期比其他哺乳類長的緣故。累積的能力又因語言的發明與利用而發揮到最高的程度。

藉由累積而使文化成長的另一個因素爲人口衆多與稠密。人口愈多，發明的人才也相對增加，知識、技術、文化產品散播的機會跟著大增。分工、專職與休閒也是促使特殊才華的人得以發展的條件。要之，選擇的機制也是促成人類文化能力發揮的手段④。

## 3. 文化人類學的發展

### (1) 鮑亞士文化史學派

一位出生於德國，卻在美國開創文化人類學的學者就是鮑亞士 (Franz Boas 1858-1942)。他及其學派主宰20世紀初美國人類學界將近三十年。他的田野研究方法，包括對當地文獻的分析、學習當地語言、擢用當地人研究其本身文獻與文化，都是極富創新和具革命開創性。他的著作《原始藝術》(1927)，對人群物質文化的檢驗影響重大。他主要的研究地域與對象爲太平洋西北岸的美洲土著文化，他強調對民俗的調查而不斤斤計較文化中的因果律。他是一位文化相對主義者，主張各地文化必須以該地的意義架構加以詮釋和理解，亦即不可用研究者的價值觀來衡量。他此舉無異把泰勒和傅拉哲的演化論加以無情的揭穿與揚棄。他認爲研究文化必須把相關部份串連而見其整體的意義，他其後對心理學的發生興趣，爲文化與人格理論奠下基礎。

受鮑亞士影響的人類學家包括貝內蒂克 (Ruth Benedict 1887-1948)、克魯伯、米德 (Margaret Mead 1901-1978) 和薩皮爾 (Edward Sapir 1884- 1939)。除了強調親自觀察收集資訊之外，鮑氏的理論傾向於功能主義。功能主義研究嘗試分析文化中大小不同的成分之相互關連，重視文化中的構成單元如何發揮其功能，而促成整個文化的發展。鮑氏還強調收集成員生活史之重要，從而看出人格的發展與文化的變遷之關連。

⑵ **莫士的社會學派**

作爲涂爾幹的侄兒，莫士 (Marcel Mauss 1872-1950) 與其姑丈及其他著名的法國社會學家、人類學家合辦《社會學年鑑》，其中他對社會人類學的基本理念加以闡釋。在他著名的作品《贈禮》(*Gift,* 1925) 一書中，他說明人群相互交換禮物所表現的彼此密切關係。他此一作品以及有關分類的專著對列維・史陀以及其後的人類學理論之發展具啓發作用。可以說交易的社會學理論與信仰體系的社會學理論都是由莫士所奠立的。

他的學說不僅影響到列維・史陀與梅特霍 (Alfred Métraux)，也影響了馬立諾夫斯基與賴德克立夫・布朗。他與鮑亞士一樣，認爲研究社會現象必須研究整個體系，因爲體系不但會自我管理，也會追求均衡，從而使其成員統合在體系中，也使社會能夠適應新情勢，而不斷發展。他是促成結構論、或結構主義得以生成變化的功臣。換言之，社會不只是個人的集合，本身也發展成一種有機體。在很大意義下，莫士與鮑亞士一樣重視文化與人格之關聯，而促成文化人類學與心理學的發展。

⑶ **「大散播理論」(grand diffusionism)**

此爲德國學者葛列布涅 (Fritz Graebner 1877-1934) 與奧地利語言學家施米特 (Wilhelm Schmidt 1868-1954) 所主張的學說。他們也排斥了進化論，而主張文化的類同性乃發源於同一中心的說法。整個文化史是幾個文化綜合體、亦即文化圈 (Kuturkreis) 在地球上移動的歷史。這種缺乏科學根據大而不當的散播論，就稱爲「大散播理論」(grand diffusionism)。像美國的史密司 (Grafton Elliot Smith) 和皮禮 (William J. Perry) 居然認爲人類文化的搖籃爲埃及，而其後的文化係由埃及傳開發展而成的。

⑷ **功能主義和結構主義**

在第一次與第二次世界大戰之間，人文社會學蓬勃發展，多支學派的崛起，都拒絕了歷史的研究法。文化的功能論者，包括了馬立諾夫斯基的傳人，認爲解釋事實唯一的辦法，便是看該事實在文化中扮演何種的角色。文化人類學的目的在認知文化的總體以及部分的有機結合，每一文化都是獨一無二的實在 (相)。文化不需放在歷史的天秤上衡量，只需分析其成分與成分之間的關聯所構成的總體即足。所必須注意的是成分在目前所能發揮的功用。他們駁斥早期人類學家侈言「存活」、習俗、以及文化特質的傳承，而不注意其功能。

至於賴德克立夫・布朗則為結構主義的原創者。對他以及其他結構主義者而言，在體系的性質之外，亦即經驗的實在之外，是存在著無法直接觀察到的事物。這些事物對體系卻能起決定性的作用，這便是指結構而言。結構並非社會關係之總和。反之，研究者在社會關係中，把社會關係當成基本的資料而抽出「結構的模型」來。人類學家所從體系中塑造的模型如果能夠說明整個體系的運作，以及與體系有關的事實，則表示此一模型有效。這一方法對親屬、婚姻與神話的解釋有用，但對體系在時間過程中的變遷，卻無圓滿的解釋，這就是結構主義引起批評的所在。

(5) **文化心理學**

在兩次世界大戰間崛起的文化心理學乃為文化人類學之一分支，或稱民俗心理學（ethnopsychology）。這一分支是認為文化制約了個人的心理全貌，這是一反過去把人心當成普天之下人人皆相似的事物之看法。貝內蒂克就發現美國西南部普愛伯洛（Pueblo）的印地安人之想法和推理與其鄰近地區的印地安人不同，儘管兩者在地理環境方面並沒有什麼太大的差異。她的結論是每個文化在歷經長時期的變化之後為其成員賦予特定的「心理組對（設定）」(psychological set)，亦即心理上對現實的導向，這一組對或設定在事實上決定了成員如何看待環境所給予的訊息，以及如何來處理這些訊息。在實際上，文化會影響心靈怎樣運作。

有關文化與人格的研讀曾經發展成幾種不同的方向。教養與帶領小孩的形式之研究，使人們懷疑佛洛依德有關雙親與兒女關係（像戀母情結、戀父情結）之普遍性、寰宇性。對文化與社會價值的研究，包括文化的型態、人格的典型，或有關民族性格的考察，在在顯示文化心理學觀念的廣包，但研究成果多有參差不齊的表現。

## 五、人類學與新馬克思主義

以馬克思的概念來評論社會與文化人類學的英國學者有顧迪（Jack Goody），他討論和分析前資本主義的社會形構。在1960年代初期高芙 (Kathleen Gough) 指摘西方人類學家不注意帝國主義對發展中地區之侵略和不理解土著的社會變遷。

法國新馬克思主義（簡稱新馬）的人類學深受列維・史陀的影響，以意義的理解來剖析文化體系。他們首先批判舊蘇聯教條式的社會五階段演進說，而恢復馬克思有關「亞細亞生產方式」的討論，然後才提出類似的主張——「阿非利加的生產方式」。其中以法共黨員蘇利・卡拿爾（J. Suret-Canale）的影響最大。他認為非洲諸國的社會並不建立在對奴隸、或農奴的壓榨之上，而是對於完整不分的諸社區之剝削。因之，他認為新馬人類學的任務，不在闡述恩格斯定下的整套計畫，而在於發揮來自非洲的訊息與知識，俾以新證據來落實馬克思求知的精神。

自1960年代在巴黎召開的有關亞細亞生產方式的討論會，要求將馬克思主義對人類學的觀點加以修正，把馬克思與摩爾根所不知的訊息融合於新知系統中。在研討會上深受列維・史陀所影響的葛德利爾（Maurice Godelier）遂強調：歷史單線性發展觀不僅站不住脚，而且不是馬克思原來的主張⑤。

戴雷 (Emmanuel Terray) 在其著作《馬克思主義和原初社會》(1972) 及其後的文章中，甚至主張把馬克思學說官方版本的摩爾根社會發展次序（蒙昧、野蠻、文明）加以揚棄。他說：「我們所需要的不是這種分門別類的體系，而是一個分析工具」⑥。

葛德利爾除了反對單線性社會發展觀之外，他還企圖把列維‧史陀的結構主義和馬克思主義結合起來。他指出：馬克思利用內含於資本的結構之邏輯，以解釋資本是何物。亦即這些結構本身的轉變是以生產力和生產關係的改變，來加以解釋的。葛氏遂認為馬克思對資本的這種看法，和列維‧史陀的看法很相似，因此，可以把兩者相提並論。

1960年代以梅拉索（Claude Meillassoux）為主的法國人類學家大力探討「經濟人類學」，研究的對象為三個層次的問題：在第一個層次上討論經濟結構與經濟關係，以及由生產活動引伸的產品分配所涉及的長幼有序、成親條件和家庭組織的問題；在第二個層次上，亦即部落或村落的層次上，學者要解決政治和宗教問題；在第三、也是最高的層次上，則討論國家的經濟活動⑦。

總之，新馬人類學家要澄清的就是歷史唯物論可否應用到具體的社會分析之上，以及作為原初社會制度基礎的親屬關係，是否比馬克思所強調的經濟因素更為重要。換言之，親屬關係與經濟因素兩者孰輕孰重的問題成為新馬人類學家爭議的焦點。

要之，除了上述理論爭議之外，新馬人類學者也涉及第二次世界大戰之後發展中國家低度發展的問題。在眾多的問題中，又以婦女、老人、幼童、病患等弱勢群體的研究，以及各種各樣（國家、種族、宗教、階級、族群、黨派、個人等）的衝突之研究，成為學者的當務之急⑧。

## 注釋：

①Barrett, Stanley 1996 *Anthropology: A Student's Guide to Theory and Method,* Toronto *et. al.:* University of Toronto Press, pp.5-9; Murphy, Robert 1986 *Culture and Social Anthropology: An Overture,* Englewood Cliffs, NJ: Prentice- Hall, p.6.

②以上參考 Lewis, John 1976 *Social Anthropology in Perspective,* Henmondsworth, Middlesex: Penguin Books Ltd., pp.36-67.

③Leach, Edmund 1982 *Social Anthropology,* London: Fontana, p.41.

④Schwidetzky, Ilse 1965 "Kulturanthropologie", in: Gerhard Heberer *et. al.(hrsg.), Anthropologie, das Fischer Lexikon,* Frankfurt a.M. Fischer Bücherei Kg., S. 96-114.

⑤Godelier, Maurice 1977 *Perspectives in Marxist Anthropology,* Cambridge: Cambridge Universtity Press, pp. 91ff.

⑥Terray, Emmanuel 1977 "Event, Structure and History", in: J. Friedman and M. Rowlands, (eds.), *The Evolution of Social Systems,* London: Duckwath, p. 136.

⑦洪鎌德 1995 《新馬克思主義和現代社會科學》，台北：森大圖書公司，第150至151頁。

⑧Clammer, John 1985 "Engels' Anthropology Revisited", in: J. Clammer (ed.), *Anthropology and Political Economy: Theoretical and Asian Perspective,* London: Macmillan, pp. 78-82.

# 第十九章　社會心理學及其兩大派別

## 一、社會心理學的崛起

### 1. 定義

「社會心理學企圖理解與解釋諸個人的思想、感情和行為受到別人眞實的、或想像的、或隱含的存在之影響」(Allport 的定義)。

「社會心理學企圖在人的社會情境中理解與解釋其行為。社會心理學關懷人群及加諸人群的社會勢力彼此之相互影響」(Rosenberg與Turner之定義)。

「社會心理學……關懷個人們的行為與心理過程。個人們在社會的結構組織和群體中佔有一席地位，一方面社會心理學集中在解釋個人的行為，當成是被社會環境所控制、影響的或限制的。他方面它也關注個人的行為對社會的結構反應的方式、修正的方式和改變的方式，從而討論社群的操作功能」(Lindesmith與Strauss的定義) ①。

上面的第一個定義是從心理學出發去了解社會心理學；第二個定義與第三個定義則以社會學的觀點來說明社會心理學的基本

關懷。

## 2. 名稱與派別

研究「社會動物」的人類之政治行爲可溯源到古希臘哲學家亞里士多德。不過社會心理學的誕生卻是19世紀之事。最早使用這個名詞的應該是1897年崔普勒（Norman Triplett）有關競爭的效果之研讀，但有人則指出是心理學家麥道孤（William McDougall 1871-1938）與社會學家羅斯（Edward Alsworth Ross 1866-1951）在1908年分別出版的書中提及「社會心理學」這個詞彙，所以自其誕生社會心理學便由心理學與社會學兩個不同的領域所領養②。

嚴格來說社會心理學的近代祖師爺應推英國達爾文和美國詹姆士，因爲他們的學說促成了社會心理學爲介於心理學與社會學之間的學問。直到19世紀下半葉以後，由於定義、分析的層次、方法問題以及理論，使社會心理學分成以心理學爲主的社會心理學，以及以社會學爲主的社會心理學。社會心理學知識淵源上這兩股活頭泉水都值得吾人加以注目。

## 3. 心理學根源

在19世紀中對心理學影響重大的學者包括嘉爾敦（Francis Galton 1822- 1911）、溫德（Wilhelm Wundt 1832-1920）、巴夫洛夫（Ivan Pavlov 1849- 1936）、佛洛依德和韋特海默（Max Wertheimer 1880-1943）等人。

嘉爾敦對社會心理學的貢獻在於他發現新的統計方法和他對

優生學和智慧的研究，包括以指紋作爲個人之標誌，以及他有關人的能力之遺傳可能性和個人之區別方法。這些觀點對這一門學問有啓發的作用。

溫德首創實驗室於萊比錫（1879），俾進行心理實驗，並把實驗的結果加以量化。他相信經驗的首要性，所以特別注重感知對感覺的關連，由反應的時間來測量心理過程，他也對學習、記憶、回想等之過程進行分析。在1900至1920年間他撰寫了20本《諸民族心理學》（*Völkerpsychologie*）。

由於當時德國學界一直在爭論自然科學與精神科學的異同，促使溫德將心理學、特別是實驗心理學，歸類爲自然科學。不過有些心理問題卻與哲學有關，是故其研究又離不開精神科學的範圍。正因爲溫德不把心理學當成爲全部隸屬於自然科學，而遭其學生的批判，這也是他的心理學未能獲得更多後代學者讚賞的因由。此外他卷帙浩繁的《諸民族心理學》研究的對象爲語言、宗教、習俗、神話、巫術、認知等現象，主要的是文化所表現出來的事物，自然也被視爲精神科學的一部分。要之，對溫德而言心理學既是自然科學，也是社會科學。

巴夫洛夫以條件反應的行爲學說來衝擊了心理學派的社會心理學。在1898至1930年間他觀察未經痲醉的動物，發現腺體的活動，特別是狗的唾液排出之多寡可以測量牠的神經活動。這也就是藉著客觀的生理測量來瞭解動物主觀的心理活動。自1930年以後他還嘗試把動物條件反應律應用到人類的心靈之探測。一個精神失常的患者過度的自我禁制是一種保護機制，把自己從外界閉鎖起來俾排斥可能的傷害，亦即排斥所有引發傷害的過度刺激。俄國治療心理病之方式爲讓患者在安靜而少受刺激的環境中靜養，就是得自巴氏的研究成果。

佛洛依德對社會心理學的影響，顯示在他對潛意識動機及這些動機對人行爲的控制之學說上。他也是第一位理論家發現社會的需要與個人的滿足之間的衝突。此外，他還把動機力量的認同、視良知爲文化的產品、和保護機制對憂慮的控制等概念加以引進，這也是他重大的貢獻。

韋特海默的成就在研究格敍塔爾特（Gestalt 總體形象、整體情境）對行爲的作用。總體不只是由部分組成，常常還超越部分的積累。他這種總體論的看法促成他對認知的組織之研究。此外，他也注意到心理過程與神經過程之聯繫。

上述諸大家對社會心理學的衝擊至今仍舊處處顯現，譬如嘉爾敦所引發而至今仍在使用與發展的統計方法，促成後代心理學家對智慧、基因與環境的研究，這些都成爲行爲解釋的重要途徑。

溫德的影響力顯示在條件與情緒關係之繼續探討，以及心理學家一面研究一面學習的重要意義。

佛洛依德的影響從當今社會心理學家重視動機可得知端倪。特別是在個人意識之外，而又注意對個人產生衝擊的動機因素之研究，以及認同的研究都成當今學界探討的焦點。

韋特海默的總體圖像對個人行爲之影響依舊成爲當代社會心理學家關懷之對象。目前成爲研究重心之認知心理學，其所強調的認知（cognition）對感知（perception）之影響，是應歸功於韋氏的倡說。

## 4. 社會學根源

現代社會學心理學的先驅大部分爲社會學家，包括斯賓塞、馬克思、涂爾幹、韋伯和齊默爾。

斯賓塞對社會結構的建立和發展以進化論的眼光來加以探討。他認爲社會體系的生長過程中，異質性是其特徵，社會體系不只有統合，也有適應、以及分歧乃至解體諸現象，這些都符合進化論的觀點。

馬克思的慧見在於視勞動過程爲社會現象，而人群之作爲主要受經濟的生產方式所影響，本身也影響生產方式的形塑。馬克思強調社會階級、階級對立、階級衝突的首要性。正因爲階級發生鬥爭，社會才獲得變遷的動力，而歷史遂有遞變的可能。社會的變動靠進化少，靠革命多，尤其是涉及社會經濟形構（socio-economic formation）的變遷時，革命——亦即階級鬥爭的白熱化——是最重大的驅力。

涂爾幹以超越個人、外在於個人的社會事實之存在與變化，來解釋個人的行爲。社會的每一個面向（制度、組織、過程等）所以能夠長存不廢，在於它們各有其功能，這些功能加起來整個社會才能運作不息。社會的統合不管是古時的機械性團結，還是今日有機性的團結，都說明人必須仰賴社會才能存活與發展。個人變成社會人是通過互動的過程，個人如無法統合於社會體系，則會經驗到「失序」（*anomie*），亦即造成行爲偏離規範。

韋伯的貢獻包括他社會學的灼見，他認爲每個人對世界的看法都是主觀的，其行爲端視他對實在所賦予的意義，亦即對行動的解釋。他堅持要解釋人行動的意義就只有把該行動置於其社會情境之上。他又指出威望、權力對於個人在社會上、經濟上與社會地位的重要性。他對階層進行分析，俾了解社會階層體系的穩定、變遷與得以辨識。

齊默爾的新猷在於指出社會互動對個人的影響，以及群體是創造社會的基本條件。他關注人們對群體的依附與效忠，和社會分化之間的關連。他也討論社會交易之重要性，以及群體之間衝突對社會造成的分裂與統合的作用。

在現代接近社會學的社會心理學家的著作中，19世紀下半葉至20世紀上葉的社會學說之遺產及其影響不時浮現，現就前述幾位之貢獻略加說明：

斯賓塞的影響顯示在社會結構學派與人格學派之重視個人與社會互為因果的關係，也表現在有關領導與社會控制的學說。

馬克思的影響面則落實在現代社會階級分析之上。社會階級之分化、對抗、鬥爭乃是一種機制，從而顯示社會結構對個人行為的主宰，也表現在社會變遷非革命性的模型之上。馬克思的影響還包括當今學者對社會衝突之研究，對於個人存活機會之受制於權力和地位之探討。

涂爾幹的慧見表現在對社會事實存在之承認，這影響到當代有關個人行為起作用的因素、失序行為、社會控制之考察。象徵互動論有關透過社會互動來解釋自我與社會，也應歸功於涂氏的眞知灼見。

韋伯的影響也顯現在象徵互動論上，尤其是後者所注重個人怎樣主觀地建構出外界實在、個人與社會相互性之強調，以及後來的社會心理學者繼續研討階層體系對個人與群體之作用。

齊默爾也對象徵互動論有所影響。他對主觀意義的闡釋也備受關注。他的貢獻對當代社會心理學家而言，主要表現在有關社群、社會交易、群體附屬和社會網絡等之研究上。

儘管一般的說法是認為社會學探討巨視的、宏觀的社會問題，而心理學則探討微視的、細觀的社會問題，但社會心理學所處理的多半是涉及微觀的事項，亦即分析層次較低的社會問題。

## 二、米德的社會心理學與美歐社會心理學的比較

### 1. 語言和思維是社會活動

作爲留學德國，曾經是溫德（萊比錫）與狄爾泰（柏林）的學生之米德，由於在密西根大學時與杜威建立深厚的友誼，所以隨杜威到芝加哥大學哲學系教授社會心理學。20世紀初至1930年代初米氏始終任職於芝大，儘管杜威已前往哥大。一般美國學者均視米德爲哲學家，而忽視或忘記他是在哲學系教授社會心理學，是一位心理學家。

米氏生前出版的作品非常稀少，其主要著作《心靈、自我與社會》(1934) 是在其過世之後，由其學生的隨堂聽講（據稱他們雇用一名速記員，偷偷地記錄米氏在課堂上所說的每句話）的筆記整理後出版的。

米德如同其師溫德，主張語言是對話的形式，其內在的結構顯示爲具有社會性，而無法再化約爲其他的事物。溫德認爲語言是心靈的產品。米德則認爲心靈爲語言的產品。後者並以人類進化的觀點指出，最初人與人的交談常以手勢、姿態爲主導，而產生溝通的行爲，他說：「心靈是由溝通產生的，至於溝通是藉由社會過程、或經驗情況中姿勢的交互顯示〔交談〕而形成。換言之，溝通不是經由心靈而產生」③。

語言溝通產自說者與聽者之間的談話，要使談話順暢，說者與聽者要隨時留意對方的反應，亦即隨時替對方著想，也扮演對方的角色。換言之說話是以聽者之理解爲取向的；聽話則是以理

解講者之想法取向的。米德進一步強調講者與聽者事實上不只是分由兩個人身扮演，更多的時候是一個人身扮演講者與聽者的角色。這不限於獨自說話的情況，也是在兩人或兩人以上的交談中，所發生的情況。也就是說在講話時，講者同時扮演講者與聽者的角色，在聽話時，聽者同時扮演聽者與講者的角色。

在此瞭解下，語言是只限於人類使用的特殊溝通工具，它說明了人類智慧自我反射（反思）的性質。是故思維爲一種社會活動，它是從與別人交談轉向爲與自己交談的方式。是故思想也以交談的方式在進行。由是可知米德是把語言和思維當做人的社會活動來處理的。

## 2. 社會行動的哲學闡釋

米德認爲分析的基本單位爲溝通行動（act）或社會行動。語言就是人溝通行動最好的典例，也只限於人類才懂得使用。至於社會行動，則以進化的眼光不限於人類，其他群居動物也會發展出這種行動。一個行動意謂引起別人反應之動作。別人對我動作的反應是以我動作的結束來開始，而自我也就對別人的反應再反應。一個動作的意義不等於行動者的意圖。靠著對別人反應的想像，行動者基於過去的經驗，不斷修正自己的行動。這就是心靈和自我意識從社會的溝通網路中逐漸發展的因由。詳言之，心靈與意識是人類作爲整體，以及人類成員的一分子透過社會交往逐漸演變進化而成的。在這意義下，心靈乃是人類演進的自然現象。

米德有關行動的哲學，一方面受到達爾文進化論影響，他方面也是受到杜威有關心理學反射弧（reflex arc）④概念的影響。一個動作的起始並無法從外面看得出，它產生於行動者的神經中樞，而行動的結果每與行動者預想的觀點相違。更何況觀察者與行動者的觀點均爲有限的觀點。心理學家每以行動者，或以觀察者的觀點來解釋行動者的行動，而不知兩者之關連。對米德而言，觀點是在時空架構中客觀的、對由時空產生出來的事物之看法。至此，「採用別人的觀點」取代他早期「扮演他人的角色」這個概念。米德的社會心理學就在解釋行動者主觀的觀點與觀察者客觀的觀點如何可以結合起來。在此情形下有異於華生（John B. Watson 1878-1958）等行爲主義者。語言是社會的活動，而非喉頭的（laryngeal）口舌的操作（生理的活動），是要靠理解、而非靠觀察而獲知的人類行動。

## 3. 心靈、自我與生命

自1900年至1931年，米德在芝大哲學系每年均講授社會心理學，其講義經過其學生之整理已形成三種版本⑤。所講授的內容是由討論心靈開始，然後通過自我，最終講述社會。法利士（Ellsworth Faris 1874-1953）卻以瞭解米德的想法而建議調動順序爲先講社會，再講心靈，最後才講自我。這是因爲米德強調社會先於個人而存在的緣故。

米德認爲人之異於其他動物除了語言之外，就是手腦的並用。手的觸覺、眼的視覺與神經中樞的緊密關係，使人類能夠在三度空間中理解人們所接觸的客體，而對世界三度空間的知覺成爲人超脫動物，而自成一類的分界點。在與外界接觸中，又以接觸同類的他人、發展人的社會性（sociality）爲一個特別重要的標誌，這也說明掌握哲學的關鍵在於社會心理學。

社會心理學當成米德新講授的課目之名稱，出現在1900/1901

年的課程表上，比麥道孤和羅斯出版的書（1908）還早了8年。蓋外界物體成為人的經驗之一部分是由社會性的脈絡中產生出來的。這也成為把自我的經驗當成與別人交往的客體之先決條件。所謂別人包括他人、其他動物、其他事物。米德指出我們對待其他人或物的態度和關係是有分別的。儘管它牽涉到自我與他（人）物之關係，行動者與人的關係是社會的，而自我也是社會的產物。反之，自我與他物之關係就是手腦合作以瞭解外界事物之關係。這種關係因為語文的發明與應用，可以使盲目與耳聾的海倫・凱勒（Helen Adam Keller 1880-1968）不用凡事動手去摸索接觸也能發展心智，也能夠瞭解外界。

一個人能夠在經驗中體認外界事物，是由於手與眼的並用而創造了「事物」(things)，把事物當成經常的客體看待。不過在認識外物、把外物納入我們經驗的一部分之前，都是由於在人際交通中我們可以把別人的角色加以接受、加以扮演的緣故。對米德而言，人的動作包含內在與外在的時期，也就顯示動作內與外的面向。內的面向為心靈，外的面向為行為。行為科學只觀察外頭可見的人的行為，但無法理解人內在的心思。只有用眼看，人尚無法反思；反之，只有用耳聽，才會使人類進入反思的境界中，這就是說明人智的反思本領有待言語、而非靠觀察來獲得。

米德指出自我是從社會互動中產生出來。在對待我們自己時，採取別人的角色，我們便會成為我們本身的客體。我們對別人的感覺是我們自己成為客體必要的先決條件。人類意識的特質為牽連到別人時才有自我的感受。這點是與笛卡兒的我思故我在不同的，蓋笛卡兒此種說詞是把我與思想的對象、亦即靈與肉分開，也是把知道者與被知道的客體分開，這是一種「雙元論」(dualism)。亦即知道者乃為一個孤立的個人。米德的努力就是要克服這種雙元論，而其中人作爲一個知道者（知識的主體）絕非孤立的。剛好相反，是在與他人進行社會互動時，人才會意識到他自己的存在，也認識何謂自我。

米德有關社會心理學的演講稿經其學生與繼承人的不同詮釋變成兩種不同的稱呼，莫利士（Charles W. Morris 1901-1979）稱它爲「社會行爲主義」（social behavioralism），布魯默（Herbert Blumer 1900-1986）稱它爲「象徵互動論」（symbolic interactionalism）。但由於他的行爲主義有別於華生和史金納的行爲主義，加上他不是實證主義者，而是實用主義者，故稱他的心理學爲社會行爲主義是錯誤的。另一方面稱呼米德的社會心理學爲象徵互動論，倒是比較接近社會學派的社會心理學，也是比較接近米德的觀點，但不見得是米德社會心理學的眞實與完整的寫照⑥。

## 4. 美國社會心理學的蓬勃發展

誠如美國心理學家歐爾坡（Gordon W. Allport 1897-1967）所言：「社會心理學的根深植於整個西方傳統的知識土壤裡，但其開花結果卻是典型的美國現象」⑦。具有現代意義的社會心理學的確在第二次世界大戰當中以及結束之後才蓬勃發展。其主要的原因是在第二次世界大戰中社會科學家爲瞭解士兵在軍中生活是否適應，而進行大規模的調查。這是由社會學家史套佛（Samuel A. Stouffer 1900-1960）領導的研究群所進行的調查分析工作，並於戰後出版一系列的叢書《美國大兵》，而促成社會心理學的迅速擴展。

另一項促成社會心理學在美國極爲發達的緣由，是戰時研究隊伍在戰後進行科際整合的傳媒研究，亦即以耶魯大學爲中心的溝通與態度改變之研究，這成爲美國實驗心理學重大的成就。列文（Kurt Lewin 1890-1947）在麻省理工學院建立群體動力研究中心吸引了大批的學者與學生參加，而發展出認知的社會心理學，亦即歐洲總體形象（Gestalt）心理學的繼續發展。列文在1947年逝世之後，其同僚與子弟在卡特賴特（David Cartwright）領導下轉進密西根大學，從而改善與擴大研究方法。

美國社會心理學家所以呈現著對認知的心理研究興趣實由於第二次世界大戰期間不少德裔學者，特別是總體形象心理學者逃避納粹的迫害，移民新大陸的緣故，亦即受著總體形象心理學的影響⑧。

## 5. 美歐社會心理學的比較

一般而言，美國的社會心理學重視個人的社會心理的研究，歐洲則重視社會對個人的衝擊。換言之，歐洲的社會心理學注重人類心理操作功能與社會過程、社會事件之間的關係，以及這種功能怎樣來塑造與改變社會。

杜亞士（W.Doise）則以四種分析層次（levels of analysis）來比較美歐的社會心理學：

⑴**個人之內（intradividual）的層次**：人們如何組織他們對社會環境的看法與評價之機制（第一層）；

⑵**個人之間（interindividual）或情境（situational）的層次**：在某一情境下個人所採取的動作過程，但在情境之外不論個人擁有何種的社會地位，也不加以考慮的行爲（第二

層）；

⑶**社會和地位（positional）的層次**：不考慮到不同的群體，只關心情境以外個人社會地位之不同的層次（第三層）；

⑷**意識形態的層次（ideological）**：信仰、表述、價值和規範體系，由行動主體把這些體系帶入實驗的情境中（第四層）。

上面四個層次中美國的社會心理學集中在第一層與第二層；歐洲的社會心理學則牽涉連到第三層與第四層⑨。

## 三、社會學派與心理學派的社會心理學

社會學派的心理學集中在研討社會和個人的相互關係（reciprocity），視其主要的職責在於解釋社會的互動，在方法學上則倚靠觀察和調查。

### 1. 象徵互動論

在米德逝世的那一年（1931），其所開授的社會心理學由布魯默繼承。後者把課程名稱改爲「象徵互動論」。儘管這個名詞在米德生前迄無人使用，但對米德學說所強調語言之重要性，倒也有幾分傳神的概括。對米德而言，溝通的動作是社會分析的基本單位。布魯默充分理解要明瞭人類的社會互動，手勢和符號的溝通是絕對必要的。他所忽視的是符號互動的形式是不斷在改變演進中，假使溝通的形式不進展，心靈永遠滯留在原始自然的階段，而無法成爲社會文化的一環。

象徵互動論一名社會互動論，係討論一個社會體系中兩個或

兩個以上人員的相互影響。互動的單位係牽涉到文化體系，這些文化體系成爲互動的單位之行爲的取向，也規定了互動的過程。此外，互動發生的情境是互動體系的脈絡，對互動體系關連重大。

就過程來加以觀察，互動包含兩個階段：決定（在互動單位本身所作的行動）與溝通（兩個或兩個以上單元之行動）。

互動有時被當作社會交易來加以分析，也就是指人們加入協會、團體是預期獲得回報，而繼續留在群體中是因爲續留帶來回報。酬報可能存在於群體中（例如因愛而結合的家庭），也可能在群體之外（由群體的一分子獲得協助和諮詢的好處）。要之，象徵互動論主張人之所以是社會人，以及社會人的互動關係所以形成社會結構之因由，都是從人的社會互動引發的。此外，他們關心的主題爲人作爲行動體（agency）；社會生活的不確定性；人活動的時空境界（社會與自然）都仰賴符號、象徵來解釋；人的主觀經驗對環境與行爲的中介；自我作爲主觀經驗的載體對周遭環境的認知、塑造、衝擊等。這派主張曾引起實驗心理學家的抨擊，認爲其理念過分主觀、過分現象學，甚至是不客觀、不科學。

可是作爲社會學派的社會心理學之主要的分流底社會認知（social cognition）論，卻逐漸接受象徵互動論的某些理論，坦承認知是受到一個人在社會結構上的位置，以及個人參與社會過程所影響的，從而也承認社會認知用來解釋人的社會行爲和預測人的社會行爲是有其界限。

## 2. 社會結構與人格

研究社會結構對人格的影響，像工作的複雜性結構條件對工作人員知識靈活的衝擊，俾瞭解社會階級與同形性（conformity，隨波逐流）之間的關連。有人進行階級和族群與自尊之關連底考察，這種研究主要的發現為客觀結構與人格之關係是受到有關人員彼此互動，以及對宏觀結構的瞭解所仲介、所沖淡的。

儘管涂爾幹反對把社會現象化解為心理現象，因之，極力抨擊心理學主義，但帕森思（Talcott Parsons 1902-1979）卻大力分析人格與社會結構之間的關係。他引用文化人類學的理論，亦即深受佛洛依德學說把個人的人格視為本我（*id*）、自我（*ego*）與超我（*superego*）等之理論的影響，帕氏強調人格不但受到這些社會勢力的左右，並且顯示人格的特質與社會的組織（例如廠商、或宗教團體），有相得益彰的關連。

這種人格與社會結構之關係，還擴大為美國1930年代文化與人格學派（Culture and Personality School）之理論發展，企圖把心理分析的原則，應用到民俗材料的探究之上。它強調文化的形塑對個人人格發展之作用。人格之型態取決於人的社會化（socialization，家庭的養育、學校的教育、社會的薰陶等）。卡地內（Abram Kardiner）甚至視宗教和政治為一個社會成員的人格之投射。

以阿朵諾（Theodor W. Adorno 1903-1969）為首的學者群在1950年出版《權威人格》，分析納粹統治下絕對服從權威，與迫害者同流合汙，傲慢自大來對待下屬的納粹分子底性格。這包括反猶太主義心態、本族中心主義、法西斯心態等等，這些心態與傳統德國家庭要求紀律、僵硬的秩序、遵守法規，與絕對服從家長的命令有關。這是對偏見、自我防禦機制、尋找代罪羔羊等心理現象有系統的研究。

## 3.　社會表徵說

起源於涂爾幹集體想像、集體表徵說。第二次世界大戰結束後由法國心理學家莫士科維契（Serge Moscovici）爲代表。這是對美國與英國社會心理學傾向於純粹個人的分析之重大批判，也是對美國社會心理學集中在個人研究途徑的反彈。

由於莫士科維契指出涂爾幹是集體表徵說的先驅，因之造成這派學說既是社會學的，也是法國的。這派學者主張價值、理念和實踐都可藉表述的方式傳達給別人，也是人對社會生活的組織方式。它沒有完整與統一的理論，只有系統的假定，俾演繹出假設來。事實上此派學說企圖掌握日常生活的言說（daily discourse）之普遍特徵。日常言說包括對談、聽講。是故社會表徵說集中在分析言說之內容。它以爲人們的信念和知識，便在言說中透露。至於表徵是社會的乃是因爲內在與外在的表述都是經由不斷的對話而形成，亦即經由人的言談之社會互動，而形成溝通網絡。

## 4.　俗民方法論

俗民方法論爲美國社會學者嘉芬寇（Harold Garfinkel）所取名，目的在對傳統社會學的自覺性批評。他認爲一般百姓對其日常生活常識性的看法與判斷，即是社會成員利用庸言庸行的普通方法，對社會行動和社會結構的通常理解。這一學說一方面建立在現象論，他方面建立在後期韋根斯坦的語言學說之上。對於俗民方法論者而言，社會生活不過是日常語言的反覆使用。在日常語言中，任何一個概念或詞謂並無清楚明白的意涵，是故在人們交談中，不斷問及「您剛剛所說的是什麼意思？」這種問法與回答成爲人們溝通中必然的現象。

這一理論另一項重大的發現是人們對秩序的感受是透過會話過程中創造發明的，也是談話的結果。在談話中，我們反思到社會的實在。換言之，不只是普通人，就是傳統的社會學家，對社會實在的建構，也是透過訪談而建構起來，但後者對建構的社會秩序卻誤認爲眞實，而忘記這也會隨同環境與指意的變化而成爲不確定，成爲非實質的，成爲爭議的。因之，俗民方法論對解釋過程之完美化、正當化採取存疑的態度。人們爲了迴避問題而提出冠冕堂皇的說詞。「美飾」（glossing）成爲掩蓋事實，或製造事實的手段⑩。

## 5. 心理學的社會心理學

接近心理學的社會心理學研究之焦點爲個人的心理過程，並嘗試去理解社會的刺激對個人的衝擊，在方法學方面多數採用實驗的方法。這是社會心理學主要的流派。以美國的心理學誌而言，大部分也爲心理學派的社會心理學在投稿、編輯、操控和經營。

就像大部分的心理學者一樣，傾向於心理學的社會心理學者都把自我、個人的認識歸結到心思（mind）或心靈（psyche）之上。他們追溯個人的社會行爲至心思的源起，儘管他們意識到心思倚靠的是社會，但對此點不加強調。在方法論方面，接近心理學的社會心理學，主張使用實驗的方法，可以說比較接近自然科學的傳統研究法。它對觀察法或參與觀察法信心不大，蓋這種方法有沾染主觀的色彩之嫌疑。

心理學的社會學對社會化、偏差行爲、集體行爲興趣不大；他們研究的焦點擺在同形性（隨波逐流的性格）、侵略性，或好善樂施的行爲的考察之上。

心理學的社會心理學在1940年代則發展出「新看法」(new look）的認識論，在1960年代則發展爲「認知上的不協調」(cognitive dissonance)，至1970年代則發展爲「歸屬理論」(attribution theory)。所謂認知不協調爲費士丁傑（Leon Festinger 1919-）所倡議。例如嗜好抽菸者，明知抽菸有損健康，仍舊不肯戒煙，這是由於對抽菸害處的認知，不若抽菸的需要大。一般而言，認知是建立在協調之上，亦即去掉不協和而追求協調。因之，嗜煙者如何來減少不協調呢？其一爲改變態度，停止吸菸；其二爲尋找藉口，「那麼多人抽菸而活得很久」，不信抽菸對人體健康有害，是故利用這種觀念（藉口）來減縮認知之偏差或不協調。

至於「歸屬理論」是指大多數人對行爲原因的說明時，常引用的遊戲規則。大部分人對自己行爲之因由都會解釋是由於環境，或情境的變化而引發的（爲情勢所逼，不得不做這種反應），而對別人行爲的動機則把它歸屬於別人的人格因素（別人的企圖心、野心、自私貪婪等等），像對貧富不平等的看法，便可由柯呂格（James R. Kluegel）與史密思（Eliot R. Smith）的著作《不均的信念——美國人對是什麼與該是什麼的看法》(1986) 一書中，看出這種認知、信念和歸屬理論之闡述。

## 四、社會心理學兩派三流的統一

### 1. 社會心理學的分裂與統一

從上面的解說與分析，可知當代心理學不只分成社會學派的社會心理學，與心理學派的社會心理學，還可因其內容之不同而區分爲三個流派：即以認知心理學爲主的實驗社會學，社會結構與人格論，以及象徵性互動論。我們可用圖表來說明：

社會心理學定位圖

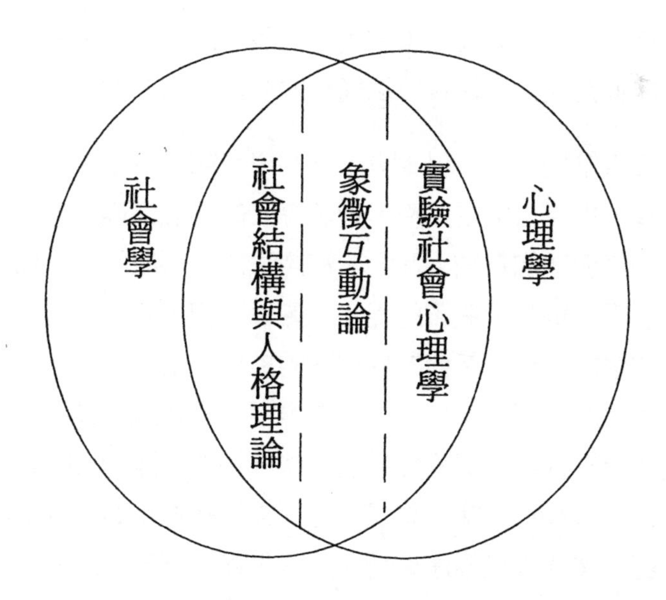


資料來源：採用House 1996：46之圖加以修改而成⑪。

有鑑於社會心理學兩派三流的爭論不僅造成學界的分裂與混亂，不少當代社會心理學家遂大力推動兩派三流重歸統一。其中較有創意的是皮悌格魯（Thomas F. Pettigrew）所提「大膽」(bold) 的統一論⑫，他建議將社會心理學的分裂置於當代社會科學的哲學底脈絡上，討論兩派三流的統合，以及改善理論貧乏的瑕疵。

皮氏認爲在當代社會科學的哲學中，受到各方所推崇的爲柏波爾 (Karl R. Popper 1902-1994) 的批判理性論 (critical rationalism)。因之，社會心理學有必要應用柏氏此一理論來結束兩派三流分裂的情勢。

## 2. 柏波爾的批判理性論大要

社會科學的哲學經過柏波爾的倡說，成爲當代影響面最廣的學說。他批判性的理性論可以簡單歸納爲下列七點：

⑴**反對歸納法**：從科學史上著名學者如克卜勒、伽利略、牛頓、馬克士威爾、愛因斯坦等人的成就來觀察，發現歸納法無從增加新知；反之，演譯法才是可取的。亦即問題的發現，暫時性假設的提出、驗證、初步證實，然後又是新問題的出現，新假設性理論的提出，重新驗證，得到次一步的證實等等循環性的演繹推理才是知識成長之途。

⑵這種**批判性循環檢驗的演繹法**之特徵爲「試行錯誤」(trial and error)，這點是受到達爾文物種進化的學說底影響，認爲理念也是循序漸進、適者生存、不適者遭淘汰的演變過程。

(3)**排謬法的強調**：科學與非科學的界限並非前者應用歸納法而獲得證實，而後者則否，這是傳統上實證主義者的說詞。柏氏認爲科學與非科學的分野在於學者採用演繹的排謬法（deductive falsification 或譯爲否證法）。此即利用演繹法把假設的錯誤儘量指出與排除，而非無限量地找出適合的例子來做歸納性的證驗。再多的「是證」，也抵擋不了一個「否證」，足以把一條原則加以推翻。科學的眞理是存在的，只是我們無法說何時、以何種的方法找到這個眞理。因之，我們可以做的是儘量把競爭的、敵對的假設消除，剩下來的主張自然更明確、更爲靠近眞理。

(4)**形上學**是無法加以排謬、否證的，但卻是激發科學的理念與理論可貴的源泉。柏氏對待非科學這種開放的想法是頗富吸引力，有異於史諾（Charles P. Snow 1905-1980）把科學與人文視爲兩種截然有別的文化、兩個互不溝通的世界，柏氏主張科學家應該從傳統的實證主義之枷鎖中解放出來。

(5)對語言不要太挑剔（"over-fussy"）。不滿意後期的韋根斯坦對語文的條分縷析，柏氏建議：「千萬別讓你自己陷入字句和其意義的嚴重思考之陷阱中，應當嚴肅思考的是事實的問題，以及對事實的主張；還有理論與假設，以及它們對問題是否能解決；以及它們所造成的新問題」⑬。

(6)**三個「世界」論**：吾人值得去思考三個「世界」的概念。第一個「世界」爲物理世界，第二個「世界」爲人類思想和行動的經驗世界；第三個「世界」爲人類思想的產品所造成的精神世界。第三個世界一旦建立便構成一個客觀的社會實在之一部分，它能夠形塑社會生活，也能夠創造歷史。

(7)**開放的與批判的爭辯**：蘇格拉底之前古希臘米列西亞的哲人就是因爲倡導公開而帶批判性的辯論而使希臘的哲學、科學、文藝獲得大躍進。是以科學的進步少不了有系統的使用激辯之法，故意讓別人來揭發科學家的蒙蔽和錯誤。是故大膽的理論雖然招致批評，但卻透露新的內涵，總比膽怯、小心翼翼的觀點用以藏拙有用，亦即大膽的理論對世界、對人類貢獻會更大。

## 3. 柏波爾理念的應用

其實柏波爾這種反實證主義、反工具主義、反行爲主義、反物質主義，而主張互動論開放的批判理性主義，不僅用於社會心理學的統合，也可以應用到社會科學各種分科的統合，乃至自然科學與人文學科的統一之上。我們在介紹當代人文思想與社會學說的結尾之際，把柏氏的科學哲學拿來殿尾，並非不重視其貢獻。相反地，從這個批判理性主義出發，才能掌握當代人文精神，也才能對跨世紀的社會科學有嶄新的認識。

### 注釋：

①以上三項定義取材自Stephan, Cookie White and Walter Stephan and T. F.Pettigrew (eds.) 1991 *The Future of Social Psychology,* New York et. al. : Springer Verlag, pp.3-5.

②*ibid.*, pp.1-12.

③Mead, G. H. 1934 *Mind, Self and Society from the Standpoint of a Social Behaviorist,* C. W. Morris, Chicago: University of Chicago Press, p.50.

④反射弧爲脊椎動物神經推動的途徑。它開始於感官（眼、耳、皮膚等）的受到刺激，而由腦細胞的纖維感受壓力，而傳達刺激至腦的中樞，由腦神經作出反應而送回器官（之後產生腺體等反應物）。

⑤Farr, Robert M. 1996 *The Roots of Modern Social Psychology: 1872-1954,* Oxford & Cambridge MA: Blackwell, p.75.

⑥Farr *op. cit.,* pp.81-82.

⑦Allport, Gordon 1954 "The Historical Background of Modern Social Psychology", in G. Lindzey and E. Aronson (eds.), *Handbook of Social Psychology,* 3rd ed., New York: Random House, pp.3-4.

⑧以上參考 Farr, *op. cit.*, pp.5-9.

⑨參考 W.Doise 1986 *Levels of Explanation in Social Psychology,* Cambridge : Cambridge University.

⑩洪鎌德 1997《社會學說與政治理論》，台北：揚智出版社，第115-116頁。

⑪House, James S. 1996"Sociology, Psychology and Social Psychology (and Social Science) "in : Stephan, Cookie White,Walter G. Stephan and Thomas F. Pettigrew (eds.) , *The Future of Social Psychology,* New York *et al.* : Springer-Verlag.

⑫Pettigrew, Thomas F. 1991 "Toward Unity and Bold Theory,"in : C. W. Stephan W. Stephan and T. F. Pettigrew (eds.) , *The Future of Social Psychology,* New York *et al.* Spring-Verlag, pp.13-27.

⑬Popper, Karl R. 1976 *Unended Quest,* La Salle, IL.: Open Court, p.19.

# 第二十章　現代社會的特徵

## 一、「西方」仍在全球稱霸

這本書一開始便以歐美、或西方的觀點來討論人文思想、社會學說、社會科學。固然作者偶然會把東方，包括古代中國，或現代東方集團（包括中、韓、越與解體的前蘇聯及自由化的東歐，特別是用馬列主義的觀點）的一些看法零星予以介紹，但整本書的重點仍舊是西方的文化、思想，與學術之求知精神。此舉對發展東方文化傳統與社會價值，似乎助力不大，這是作者在結束本書時深覺遺憾與無奈之處。蓋東方學術界尚未發展到足以與西方學術相抗衡的地步。因之，爲了吸收與學習西方之所長，我們被迫要去理解西方文化、思想、學術、文藝、科技等種種優越之處，然後才能進一步發展東方的價值與長處。

於是，談到現代社會，我們所看到的仍舊是以西方社會爲主體的已發展的、工業化的、城市化的、資本主義的、世俗化與現代化的社會。在很大的意義下，台灣社會所受美國、日本、歐洲（皆可視爲「西方」）的衝擊太大，儘管也保有部分中華文化與台灣本土的東方特質。總的說，台灣的社會已朝西方現代社會看齊，也亦步亦趨地走向接近西方工業與資本主義的社會。

對此「西方」一詞所包含的分門別類的作用（「西方」或「非

西方」的社會之區隔)，與這個字眼所代表一連串的意象(進步的、發展的、消費的）和可資比較的模式（非西方的社會離西方的社會距離仍遠，要超越不容易)，以及它意涵的意識形態（西方是可欲的、好的，非西方是壞的、保守的、宜放棄的）都是令英國開放大學教授霍爾（Stuart Hall）深感不安的事實，這位出生於牙買加的黑人學者，爲當代一位重要的文化批評家。他指出：流行在歐美各界用字的「西方及其他」(the West and the rest)，不但表現西方人傲慢鴨霸心態，也是使世界其餘人民深感不滿的字眼。但在西方稱霸的今天，世人儘管不滿也無可奈何，只有眼見這個名詞在世界各個角落囂張喧騰①。

西方的觀念之浮現與啓蒙運動的崛起有關，因爲此一人文運動爲純歐洲的事務，當時歐洲人自認其社會爲人類有史以來最先進的社會，其人民也是最先進的人類。但西方的觀念卻也是全球性的，原因是歐洲或西方的「進步」，便反映非西方之「落伍」。不管是進步還是落伍都是一體之兩面。歐洲歷史、生態、文化發展的形式之所以獨一無二，是與其他社會做一比較相對照後，歐洲人自認的不同與分別。事實上，西方之所以特別，只是因爲同其他世界相比較而顯示其歧異而已。

西方大學問家馬克思和韋伯，也無法跳脫「西方與其餘世界」兩分法的陷阱。馬克思在論東方君主專制，亦即所謂「亞細亞生產方式」時，認爲由於東方專制君主集權，成爲全國最大的地主，控制屬下大片土地與人民，而使人民不致分裂爲階級。但無階級的分化與無階級的鬥爭，便會造成社會像一灘死水，完全停滯不前，是故作爲東方專制國家的印度幾乎無變化、無歷史可言。

韋伯在比較西歐與伊斯蘭教時，發現伊斯蘭教欠缺刻苦自勵的宗教、缺少法律的理性形式、沒有自由的勞動（依契約訂定的僱傭關係)、沒有城市，所以在回教統轄的地區資本主義無從生成與發展。

儘管馬克思與韋伯的理論模型非常精緻高明，但他們仍陷於西方—其餘、文明—粗野、發展—落後的兩種對立思考中。韋伯的思考是屬於「內部觀點」(internalist)，亦即認爲回教「落後社會」內在的特質，那種與世隔絕的內部力量，造成其封閉不長進。而馬克思的思考方式，也類似於這種「內在觀點」，不過他多加一點「外在因素」(externalist)，亦即考慮到該社會之外的世界之不同發展階段。例如馬克思視歐洲社會由原始公社邁向古代奴隸社會，接著進入中古封建社會，而最後又進入當代的資產階級社會，亦即置入於「結構化的國際情境」中 (Bryan Turner 語)。正因爲馬克思採取了部分「外在因素」，因之，他會贊成資本主義入侵這些東方專制的國家造成其社會之進展。換言之，像印度這樣一個停滯不前的社會，因爲有英國資本主義式殖民主義之進侵，而「破壞了前資本主義的〔生產〕方式，而不再阻擋〔印度〕進入歷史發展之途」。

但殖民主義與帝國主義非但沒有促使這些落後地區摧毀其經濟與社會發展的藩籬，反而保留或加強了這些阻礙，而使發展中的社會更爲仰賴西方殖民帝國。在殖民母國縱容下，封建統治、家族政治、菁英或買辦之獨裁反而使殖民地人民難以翻身，而本土文化在歐風美雨侵襲沖激下，逐漸褪隱失色。就這樣，西方並不代表現代化，它只是造成第三世界人民的一窮二白而已②。

## 二、市場經濟大行其道

現代社會一個特質就是經濟制度爲社會各項制度、組織和機制中最基本的物質基礎。經濟活動成爲社會活動的核心，而促成經濟活動蓬勃發展的機制則莫過於市場原則的發揮。儘管在20世紀前半個多世紀中，舊蘇聯首先採用社會主義的統制與計畫經濟，在20世紀中葉之後又有東歐、中、韓、越、古巴等起而效尤，但這個東方集團社會主義經濟政策實施的最後終歸失敗，更加強了西方世界對市場體制的信心。事實上在蘇東波（蘇聯、東歐和波蘭）變天，以及中韓越經濟改革之前，市場原則便被看好。

首先是1980年代以雷根、柴契爾夫人爲主的美英保守政府，採取反共產主義意識形態、反福利政策，而信從市場運作的策略，這導致保守主義的經濟思想之抬頭。其次，1989年東歐與俄國的動亂，造成蘇維埃式經濟的崩潰，爲「新的世界無秩序」（new world disorder）（波蘭人 K. Jowitt語）之開始。第三，則爲蘇東波與中韓越重新擁抱資本主義，改名推動了所謂的「社會主義」的市場經濟和商品經濟。

市場原則有兩項功能的重要性；其一爲規定方面的功能；其二爲意識形態方面的功能。根據新古典學派的說詞，市場機制藉交易來決定資源、貨物、勞務和所得之分配；在意識形態方面，市場制度在於對社會中經濟之主要制度性的特質（諸如生產、銀行、契約、勞動）加以合法化，而且重要在合法化由於市場運作的結果而產生的社會不平等。加之，市場機制也是對統制經濟之缺乏效率作出有力的對抗，也是唯一可以取代統制經濟者，它使後者失掉了繼續存在與運作的正當性。

馬克思曾經把工業社會的市場經濟（英國的產業革命）與政治民主（法蘭西大革命）的崛起看作世界發展過程的一體之兩面。但從拉丁美洲國家，乃至台、韓、星三條小龍一度處於威權統治之下的情況看來，把民主和資本主義畫上等號是無法成立的理論。顯然民主與資本主義並非一體之兩面。但認爲計畫經濟可以使人民當家作主，則離事實更遠。較持平的說法恐怕是海耶克（Friedrich Hayek, 1989-1992）的陳述，他說：「假使資本主義意謂自由處理私產的競爭性制度，那麼承認在這個制度下可以使民主實現，是一項重要的說詞。當經濟體系由集體主義的信條主控時，民主必然會被摧毀」③。

共黨國家在1980年代震驚於西方經濟的鉅大成就，也曾引進市場機制，但旋即發現經濟的激烈改變會削弱共黨牢固的控制與優勢，改革遂在走走停停中緩慢推行。而處於共產集團中的反對勢力，卻理解政治的自由化與民主化乃是徹底的市場改革之先決條件。

波蘭與中歐採用市場經濟制度的結果卻遭受連串的挫敗，其原因是人民心理上與社會結構上的阻礙尚未清除。由是波蘭的經改分裂成兩派——一派支持採用新自由改革措施徹底揚棄統制經濟；另一派則主張利用國家的力量介入經濟活動，俾社會公平得以維持，至少在過渡時期大家的負擔可以均分。儘管波蘭各界同意放棄統制經濟，但市場改革的程度與速度卻引起很大的爭議。

不只波蘭，就是東歐和舊蘇聯也都陷於經改爲先還是政改爲急，或是兩者齊頭並進的困窘中。此時大部分共黨國家的執政者也體會到市場經濟之必須恢復，但又不願意放棄政治上的控制權力。最後主張經改者佔上風，他們堅持政改與經改一起進行，終於導致共黨統治正當化之喪失，亦即各國共黨紛紛垮台，歷史於是進入後共產主義時代。

學者歐斐（Claus Offe）遂指出：

> 後共產主義的政治經濟面臨三個轉型的問題：財產必

> 須私有化，價格必須自由化（或「市場化」），國家財政必須穩定化以解除通貨膨脹的重大壓力。爲解決這三大問題，亦即三種轉變，必須做如下的考慮：私有化必須進行，俾減少過渡時期的成本……但穩定化並非在節省開銷、減少成本，而是增加支出，造成所謂「過渡性成本」(transition costs, 例如關掉沒有利潤的產業，減少社會支出），其結果就造成了市場化與私有化的政治阻力④。

由是可知前蘇聯與東歐共黨國家，在後共產主義時期中轉型的困難。對轉型缺乏信心的人，追求短期的、各自群體的利益。反之，對經改抱信心的人，則願意忍受短期低消費的不便與其他的犧牲。後共產主義社會的主要問題爲：民衆是否願意放棄向來的平等，而追求自由與有效率的經濟生活？由於執政者對此問題持不同的看法，所以答案也非明確。改革帶來高度的危險性與不確定性，但也帶來個體化及個人對其生涯之規劃與責任。對某些人而言，自由與個體化的生活並不意謂幸福，反而是不安定、無秩序的感受，他們甚至有「逃避自由」——避開自由——嚮往昔日共黨獨裁的復辟心態。

總之，蘇東波的變天爲東歐與俄國帶來「如釋重負」(relief)的感受，也帶來一片空白。隨著舊共黨國家紛紛引進市場改革的制度，每個國家因爲改革步伐有快有慢，因之轉型期也有長有短，但經改遭逢的困難挫敗，使此新秩序產生前的陣痛加劇。一般而言，後共產主義的社會將面臨三大變化：

⑴在經濟上這些社會將繼續把市場的原則加以落實；

⑵制度的安排（工業關係、法律、民間社會）和組織的形式（志願、隨意組成的民間團體）將繼續發展，此與市場原則和政治民主相容，而不致彼此衝突矛盾；

⑶東歐與俄國的經濟早晚會融入世界經濟與全球市場中⑤。

## 三、勞動的意義和角色之轉變——創富或異化？

在過去二又四分之一世紀的工業化過程中，人類的勞動力有了空前的改變。純就能源的觀點來說，過去利用人力、獸力的時代，已被煤、油、電力、核子能源的時代所取代。就心理與社會的觀點來說，對勞動的喜好（創富）或厭惡（異化），也是一大轉變，雖然這種轉變不若能源改變的明顯。

對勞動的承諾或視勞動爲人的異化，分別由韋伯與馬克思加以不同的詮釋，但都是對現代社會中人存活的主要手段和生產方式之析評。他們兩人考察的對象，都是在競爭性資本主義大行其道下，以個人勞動和工作的情況進行分析，而比較少從人群集體的生產方式著眼。蘇東波的變天正是集體營作失敗的結果，因爲在集體勞動中，人群無法培養勞動的倫理。但另一方面日本與東亞四小龍所採用的集體勞動方式卻又證明可以創造經濟財富，這就使馬克思與韋伯的學說面臨挑戰。

馬克思和韋伯學說的主旨在於說明經濟與社會的關連、社會發展中勞動所扮演的角色、以及勞動對勞動者本人的意義。他們兩人主張的不同約可分成下列數點：

⑴**研究的主題**：馬克思強調資本主義發展的客觀條件，特別

注意到階級的衝突；韋伯則分析文化，特別是宗教價值對資本主義產生的催化作用。不過把兩人的著作作一總觀覽，馬克思並非只重物質原因，韋伯也並非只重文化或精神原因。反之，兩人都強調經濟勢力同社會其他因素的相互牽連。

⑵**理論的反思：**馬克思對西方社會科學實證主義的傳統不加注意，只矚目於事物的客體性和科學規律；反之，韋伯認爲價值的偏好和研究者的價值承諾對研究主題、方法的選擇皆有影響，也會對研究的結論起了作用。

⑶**分析的方法：**馬克思主要以歷史的、辯證的、唯物的分析法來觀察事象；韋伯則兼採瞭悟法，也由複雜的歷史過程中擷取理念類型來加以概括化⑥。

在兩人這些不同的觀點與方法下，對勞動的考察自然得出不同的結論。顯然，馬克思以人的類本質看待勞動，勞動是個人實現其類本質的自由、創造、有意識的生產活動，也是把自然置於人的權力控制下之活動，透過勞動人爲其社會生活奠立了物質基礎，也爲人的本質作出完善的發展，這是文藝復興時代「人爲工具製造的動物」（*homo faber*）之闡揚。在資本主義初期，由於生產資料爲少數人所控制，遂把人的存活資料之勞動轉化爲生產資料。由是勞動成爲橫加在人身上、違背其本性的強迫性的操勞，這便是人的異化。馬克思辨認四種的異化勞動（人與產品，人與生產過程，人與人群，人與其本身的種類之異化）。只有當異化從人間消失，人性才會復歸，人才會重獲自由與解放。

馬克思在19世紀資本主義興起之時，所看到的階級對立、階級文化、階級鬥爭，鼓勵他採取計畫的經濟和集體的勞動。但他沒有看見20世紀集體勞動的結果不只是法西斯的集體奴役，也是共產主義的集體勞役，亦即以集體意志的名義實施共產黨人生涯排行榜（*nomenclatura*），而剝奪個人的自由發展。在當代西方資本主義社會中，儘管階級的存在仍舊是社會階層分化之標誌，但主張福利的資本主義畢竟要減低階級的摩擦，採取穿越階級、或超階級的聯盟策略來使衝突減到最低的程度。

韋伯把注意力鎖定在資本主義的源起和西方產生資本主義的歷史過程。在此過程中理性化的概念遂告浮現，換言之，他看到的是資本主義合乎理性的思想和行動之一面：亦即為著生產的利益而有系統、重方法之生產因素的組織方式。造成這種講究理性的資本主義之崛起，有其制度上與政治上的條件。在諸條件中他獨挑「選擇性的類似」（elective affinity）。他認為克制禁慾的新教倫理和經濟活動的理性之間存有「選擇性的類似」。他稱喀爾文教派先天選擇說（死後能否進入天堂的選擇權不操在信徒，而在上帝），造成信徒能否於死後升天（靈魂獲得救贖）的焦慮與期待。因之認為整日勤勞工作、克制物慾，亦即勤儉持家，是通往天堂的捷徑，這便是初期誓反教人生觀的主旨，這剛好與資本主義興起的勤勞節儉、有計畫的認眞工作之企業精神相類似。

有趣的是馬克思從異化勞動開始，而認為最終的人性復歸和共產主義社會的出現會使人類重燃對工作的熱情，積極從事創造性的勞動。韋伯則以人類積極參與工作開始，而終於人群發現勞動的機械化、非人性化和「去除神祕魅力化」（disenchanted）。

最後把馬克思與韋伯的觀念打碎的卻是歷史發展的事實。以共產主義的價值來打破私有制而且加以實驗的社會主義國家，到頭來發現集體勞動對人性的戕害遠勝於資本主義的體制。工人不但達不到解放，反而遭受奴役的痛苦。

現代社會勞動的異化，並非肇因於生產資料的擁有（私有制），而是由於資本主義大量生產所造成的，亦即肇因於資本主義式勞動的特別組織形式。19世紀末葉，以美國爲例，龐大的、有組織的資本主義，廠商規模擴大、結構龐雜、功能分殊，造成調度與控制的困難。工頭僱傭解職的權力漸失，而工人在工作場所之裁量權和決斷情形也逐漸淡化。在大公司行號中如何應用科學管理有效促進工作進行的泰勒主義（Taylorism）應運而生⑦。利用泰勒主義於汽車集裝線上之有效操作方式，亦即俗稱的福特主義（Fordism）跟著出現⑧。

福特主義帶來三種意涵。其一，造成勞動市場的穩定：它本來在對抗工會的怠工、罷工，要求國家介入勞資紛爭；其二，此一新的生產體系導致經濟成長，使工人收入增加、生活水平抬高；其三，大量使用機器，使工人的技術無用武之地，工作過程無聊無趣，社會關係趨於孤立，亦即造成勞動的異化。由於大量生產的需求，工人操作的方式幾乎是集裝線上的表現，這種集體勞動的形式遂成爲現代先進工業社會的典型，也成爲半世紀以來以美國爲首的社會科學者研究的對象。

不管是齊諾伊（Ely Chinoy），還是羅傑士（David Rodgers）對汽車工人的調查，都顯示工人勞動倫理和追求目標有了重大的改變。升遷固然是大家從事勞動向來的企求，但職業的穩定（安全）、工資的增加、消費主義、享樂主義、對子女的期盼等成爲新的工作目標。布勞納（Robert Blauner）指出勞動異化的幾個主要因素，像無力感、無意義、孤立、自我疏離等現象。此外他稱：不同的行業產生異化不同的層次，這是由於各行各業有其特別的科技、分工和人事結構的緣故。美國衛生教育與福利部在1973年出版了《工作在美國》的報告，這是研究現代社會勞動異化的一個高峰。在該報告中坦承工人對無意義、重複再三、乏趣的工作之不滿，以及工人要求擁有更大的自主權，承認其工作之成就，以及發展技術的機會等等願望。

爲了解除勞動異化，學者提出勞動人性化的主張。於是鼓吹把工作當成「自我實現」(self-actualizing)，亦即藉工作來把每個人的才華和能力發揮透徹。另外有人主張藉人際關係之改善來提高生產力，有人研究人的各種各類（安全、承認、自主、成就、挑戰和參與）的需要，認爲企業組織只要能滿足這類需要，個人的努力將會朝組織的目標邁進。

在20世紀最後30年間，被稱爲「後工業主義」的西方社會，也發展出新的社會體系。在國際競爭劇烈、科技更新頻繁、市場多樣化之下，新的勞動口號爲「伸縮性」、「彈性」(flexibility)，這是對泰勒主義要求標準化的過程之揚棄。彈性的專業化涉及新型工人的特徵，功能性的彈性是指工人擁有多種技術，可以隨時轉業或轉行。其理念爲管理層與工人的關係採取一種相互調適（adaptive）和合作的型態與風格。

在這種新的彈性工作理念下，工人的行爲應當是可以預測的、可以信賴的，這樣他們才會加強公司的競爭力。過去留意工人的需要，也變成爲新的「期待理論」(expectancy theory)，這是重返功利兼工具的理性範疇中，表明工作努力將會使工人獲得特別的報酬。在此關聯下，雇員對於其勞動經驗的潛在效果有估量預測和期待的可能。

繼續馬克思階級剝削的理論，處於壟斷性資本主義的現代西歐、北美、日、澳、紐等社會中，勞動的異化問題並無減緩的跡象，反而變本加厲。布雷維曼 (Harry Braverman) 認爲壟斷資本主義之下不只工人遭受貶損，連白領的文書工作者（職員）之勞動也貶抑到瑣屑、單調的地步。亦即勞動過程與工人的技術分家、勞動過程的監督及操控與勞動過程的理解分家，科技只爲管理層的利益服務，其效果在使勞動雞零狗碎化，也使勞動技術鈍化。其結果管理層維持一群便宜的勞工和高度的生產力，但工人卻被剝奪了他們對工作過程的監控權，從而與勞動過程疏離。布雷維曼抨擊主流派學者視異化只爲工人心理主觀的問題而非社會結構的問題，這會造成社會學家與企業界管理層同流合污，不再關心勞動過程的改善，而只關心工人如何來適應勞動過程⑨。

## 四、科技對生產、消費和環境的衝擊

主宰西方長達兩千餘年的猶太教與基督教傳統，其文化遺產至今仍在發揮作用，特別是兩元的思考方式，不只在日常的言說

(discourse)，也在社會科學的架構中經常浮現，像善與惡、對與錯、精神與物質（心靈與肉體）、個人與社會（涂爾幹）、理念利益與物質利益（韋伯）、社群與社會（杜尼斯Ferdinand Tönnies 1855-1936）、壓迫者與被壓迫者（馬克思），這些都是兩元思考的對立面。這種兩元思考容易陷於非黑即白、互相反對、互相排除，簡易的矛盾中。事實上，吾人對世界愈加瞭解，愈會發現這種對立面常是一體的兩面，或是彼此相互滲透，其間並沒有清楚明白的區隔界限。

同樣的說法也可以應用到人與自然的區別，這種區別顯非絕對。一開始人就是自然的一部分，人有系統地捲入自然的生成變化中，參與自然的演化，以及捲入自然最終的崩解。環境社會學在研討人與自然的交互關係與連結。隨著人類文明的高度發展，人們開始醒覺20世紀人類對自然濫墾亂伐所造成的生態危機。事實上環境社會學必然與生態學、生物學、礦物學、經濟學、文化研究、權力關係（政治學）和科技的考察結合成一門科際整合的學說，因爲這些學科都與環境的平衡之研究息息相關。

一談人類社會的起源，就要想到語言和科技是促成人類成群結黨、營集體生活的兩項重大發明。德國人類學家葛連（Arnold Gehlen 1904-）甚至把人類界定爲「使用工具的動物」。工具是無法離開生產與消費。既然馬克思認爲勞動是人與自然的互動，那麼勞動也可以說是成群結黨的人利用自然來設計的活動，俾人能夠存活與繁榮。

用來描寫現代社會的形容詞，如果不是「工業的」，便是「資本主義的」，或是「資產階級的」等字。這些形容詞彼此有重疊之處，不過至少對現代社會的某一面向有捕捉或勾勒的作用。這些字眼所牽涉的都爲現代社會物質面與制度面的特徵，亦即以現代人經濟生活爲主，展現現代重視生產、消費的特質。其中尤其是科技之發展，對現代社會的生產、消費與生態環境影響至深且大。

科技在近世的迅速崛起和其應用於經濟生產、提昇生產力有關，更因爲科技的發達，便利歐洲幾個古老的殖民帝國征服海外殖民地與市場，也導致了國際戰爭的頻生與慘烈。因之，科技成爲國家在其疆界之內進行階級統治，在疆界之外擴充勢力的重大工具。

在生產技術的改善方面，先有所謂的泰勒主義，繼有所謂的福特主義。福特主義不只是管理技術應用到生產部門，也鼓勵員工購買福特的汽車，因之，可以說是工業革新在生產與消費部門的兌現。在20世紀下半葉，日本人的企業管理方式又做了進一步的躍進。以豐田汽車公司老闆大野爲中心而發展的「單純生產」(lean production)，討論品質循環、全面品質管制、適時投入(just-in-time，看板制，各種零件即時提供裝配可省掉儲存的時間與空間)、零缺點、認同公司、終身服務制等等，其重點擺在人際關係的管理，而非僅有機器的改善而已。這種生產方式之所以成功，和日本尊卑有分、而特重禮節以及非正式的社會控制之傳統文化有關。

科技雖然帶來提昇人們生活水平、克服物質生活貧困的好處，但也造成少數人對多數人的凌虐壓榨，特別是對自然資源的濫用破壞。在很大的意義上，21世紀初將是科技—經濟的繁榮與人類自然生態恢復平衡兩者孰輕孰重、激烈爭辯的世代之來臨。

對自然的濫墾亂伐、戕害範圍的廣大與破壞程度的深峻目前已達空前的階段。這種情勢在1970年初有羅馬俱樂部的報告（1972），最近則有1991年 OECD的兩份報告，牽涉到城市空氣汙染、浪費、噪音、土質的惡化、林地的萎縮和野生動物的滅絕等情形，儘管工業發展國家的環保與綠色活動也積極參與改善的工作。

令人訝異的是OECD的報告中卻忽略了兩項對當前人類生存環境造成重大威脅的事實：其一爲全球溫室效應所造成氣溫上升，使海平面升高、沿海陸地沉沒；其二爲臭氧層的破壞，使太陽紫外線長驅直入，對人類、動植物的重大損害。

美、德兩國許多經濟學家擔心目前垃圾的堆積與資源的浪費，有可能使人類的文明在幾十年之後便告停止。人類目前使用經濟成長的四分之三的所得在於防阻政治、社會、經濟的危機，此舉導致人的生活素質未見改善。穆列（Norbert Muller）甚至預言2030年或至遲2040年全球政經社會文化體系可能全面崩潰，假使西方的生產、消費和生活型態不再改變的話。

造成人類前景黯淡的因由，根據OECD報告的分析有兩項：其一環保政策無效率；其二經濟的狀況與環境的狀況是相互倚賴難以切開。換言之，資本主義體制要求經濟成長，必然得擴大生產、流通和消費，這會造成對自然環境的過度利用、乃至濫用破壞。但潛藏在經濟原因（破壞環境的經濟原因）的背後則爲政治的、法律的、社會的、文化的因素。換言之，不管是國家之內或國界之外的經貿關係所造成的貧富不均、強國對弱國的剝削、富國人民浪費的物質消費態度，在在都造成今日人類的困境。要之，下圖可以把這些因果關係表述出來。

## 社會和自然相互關聯圖

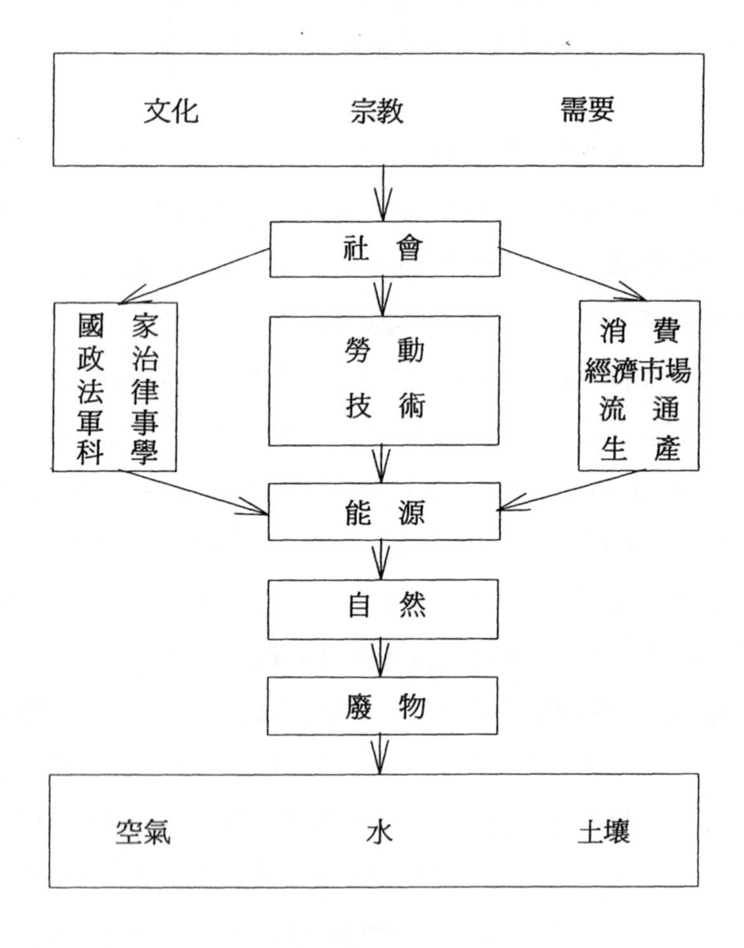


資料來源：採用Gyorgy Széll一文，由本書作者加以修正與重繪⑩。

## 五、人口的膨脹及其社會意涵

不管是地區、還是國度、抑是全球，人口的分佈成爲有組織的人類社會之生物學基礎。亦即人口的大小、組織樣式、再生繁衍、死亡率、遷徙都是社會形成的原因，以及其結果。研究人口的學問稱作人口學（demography），人口學不只在研究出生率、死亡率、性別、年紀、職業等不同的人口結構，也與財富分配的經濟學，家庭安排、社會階層化的社會學以及國家的人口政策、社會政策和移民政策之類的政治學有關，人口學也與人居住環境的生態學連結在一起，是故人口學是一種多學科、或科際統合的學問。

雖然採用科學方法去進行人口研究的有17世紀的葛藍特（John Graunt 1620-1674）與18和19世紀之交的馬爾薩斯。但認眞和積極地研究人口問題，卻是20世紀的學者。原因是20世紀初葉以來，人類才眞正面臨人口遽增的壓力和貧窮帶來的麻煩。

依據柯列（Ansley Coale）的研究，有史以來人類的數目增加可以分成兩個截然有別的時期：

(1)從公元元年至1750年，人口成長相當緩慢，全球人口增加一倍需費時1200年，因之，可以假定紀元前世界人口的成長也是非常緩慢。
(2)可是從1750年至1974年一共才225年間，人口呈現極爲快速的成長，全球人口每隔34.7年便增加一倍。

換言之，從公元元年至1750年人口每年增加率為每一千人才有0.36人的低成長率，相對於今天每一千人有20人的高成長率。截至1997年5月止，由於每秒就有4.4人出現在地球之上，而消失（死亡）的人只有1.7人，全球總人口已高達58億，預估西元2000年則將進入60億，這是非常龐大的數目。這個快速成長率非常驚人，如果不加控制，照此年成長率讓人口漫無節制地膨脹下去，估計再經過700年，地球上的每個人將會只擁有一平方英尺的活動空間，亦即地球將無法再讓人類可以生活下去。

既然人口問題成為當前學者與一般群衆關懷的焦點，研究的重心遂擺在生育率與死亡率，亦即造成人口成長的兩大主要因素之上。人口的遷徙、移民當然也成為研究的主題。19世紀社會學家關懷的是社會組織、社會的統合與解體、社會及其制度的進化，20世紀的社會學家，特別是人口學學者，則注意到了社會的集中、貧民窟的形成、貧窮的情況、鄉下人口的流失，以及制度上（家庭）與文化上（宗教）對人口成長或節制的影響，最近則把研究焦點放在性別、移民及疾病（愛滋病）等問題之上。

談到生育率，發展的社會已由高生育率和高死亡率轉向低生育率與低死亡率的「人口學的轉型」(a demographic transition)。這種轉型現象也發生在東方新進工業國度中。低生育率的原因之一為社會變遷，亦即伴隨著現代化過程之來臨，農村、單一化、不識字、穩定的社群轉變成城市的、多元的、訊息廣佈的、變動不居的複雜社會。工作的嚴格要求與接受教育、訓練的時間拖長，造成新婚夫婦面對產兒育女、傳宗接代的興趣缺缺，特別是現代社會生活費用頗高，衆多的子女需要生活費、教育費，也迫使有生育能力之男女對生男育女愼重考慮而緩後實行。

與已發展的社會截然相反的是發展中的國家。像印度一個具有生育能力的婦女，一生總生育數高達4.2人，造成印度每年生育率高達2.2%，也促成印度全人口高達8億5千萬人。估計在2050年時，印度總人口將有15億，超過中國的14.7億，成爲世界上人口最多的國家（參考《台灣時報》1999年元旦第10版 國際新聞）。在非洲一位婦女一生的總生育數高達4至6人。在此情形下，聯合國預測從1985年開始，每10年世界人口將增加8億之多，一直到2005年爲止，這樣快速增加的人口有90%是發展中國家的新生嬰兒。

中國的婦女一生中的總生育率已降到2.3人，這是強制實施家庭計畫而趨向穩定成長的結果。目前中國總人口有12億，大概要發展到15億7千萬人之後才會趨向穩定。造成發展中地區與國度高生育率的原因，主要是文化與社會經濟的考量，例如多子多福的觀念，衆多孩子提供雙親精神與感情上的滿足，以及養兒防飢的傳統觀念。

就出生率的情形來看，男嬰與女嬰之比率爲106比100，可是就各階段年齡群的比較，女性的死亡率比男性爲低，因之在某種情況下，女性似乎佔了上風。在男女人數應趨均等平衡下，中國、印度、巴基斯坦、亞洲西部卻呈現男多於女的現象。其中，中國的情況特別值得注意，根據1990年中國人口普查男女之比爲106比100，這是符合全球人口性別的比例。1995年其比例已攀升到118比100（參考《中國時報》1998年12月31日第14版）。可是剛生下的嬰兒至4歲小孩男女的比例居然是 110.4比100。令人駭異的是中國女嬰的死亡率與全球一般女嬰的死亡率相比居然爲130比100。這是因爲中國文化重男輕女的觀念在作祟。其結果，柯列指出，造成中國至少已少報或少生、或失蹤了將近6千萬名的婦女。這些失蹤的女性，半數或是被別人收養、或是由於高度的死亡率（殺害女嬰、讓女嬰早夭），或是未曾登記出生等等因素造成的。

有關愛滋病在世界每個國家與地區蔓延的可怕情況，可由最近在柏林召開的會議得到證實。據稱感染愛滋病毒（HIV）的人數至今已多達1千4百萬名，而其人數還在不斷增長中。在西方愛滋病有如中世紀的黑死病，都是造成大量患者死亡的可怕瘟疫。此一疾病最可怕者爲防止與醫治都極爲困難，而蔓延擴大的速度極快。在醫學、藥學尚無法療治愛滋病患之時，社會學家中醫療社會學、醫療人類學和病疫學都開始對愛滋病的社會因由與人類性行爲進行考察。就像早期視痲瘋病爲患者咎由自取，今日對愛滋病的發生、傳播，世人也採取道德的眼光譴責患者性行爲之不當。這是一種嚴重的錯誤觀念，亟須糾正。其中危險群（同性戀者、濫用毒品者）被視爲愛滋病的帶菌者、病原者，這種錯誤的態度使異性戀者、特別是婦女也大量被捲入愛滋病的帶原者行列。要之，愛滋病的出現和擴散，也可以說是現代社會中一項影響性行爲、婚姻、家庭與人際關係的新現象，它也是對科技文明和醫療能力的絕大考驗。

## 六、風險性與現代性

現代社會是一個風險性極高的社會，原因是科技的進步使現代社會步入後工業社會 (Daniel Bell語)、或是後資訊的社會中，但科技發展的複雜性和不可控制性，卻爲現代人帶來夢魘，例如層出不窮的核電廠失事，遠者如美國的三浬島、舊蘇聯的車諾貝爾，近者爲日本核電廠的事故，都給現代人絕大的恐懼、憂慮和深思。風險的問題成爲當代社會學者思考的核心問題之一，他們探討日常生活的行動條件，心理結構和行爲取向，俾人類在面對風險頻生的現代，能夠克服困難與自我調適。

在變化莫測、風險頻生的今日社會中，傳統形上學的偉大理論 (grand theory)，已失去詮釋現代社會複雜機制與變化的能力，人們必須提出具有解決問題意識的學說。因之，1980年代以來德國學者貝克 (Ulrich Beck)、魯曼（Niklas Luhmann）提出風險社會學的新觀念並解析風險的社會學意義，而紀登士對專家政治的弔詭性和現代性的討論也引起學界的矚目。

純就現代化的演展而言，貝克認爲由傳統社會進入工業化社會，其現代化的過程爲「單純的現代化」(einfache Modernisierung)，而當代工業化社會的現代化過程卻是複雜的、而亟需自我反省的「反思的現代化」(reflexive Modernisierung)。前者意謂前工業社會由工業社會所化解與取代；後者則爲工業社會的形式被另一個新的現代形式所化解與取代。他在《風險的社會》(*Risi-*

*kogesellschaft*：*Auf dem Weg in eine andere Moderne* 1986）一書中指出：要對風險社會有所理解，需要認識現代科技所牽動的政治、經濟、社會及文化的形式改變。現代社會已由階級社會發展爲風險社會，蓋當代人類所面對的衝擊是風險社會分配邏輯下的危機及不平等的問題，而非爲階級不平等引申的分配不均之問題。他認爲「風險社會」這個概念，應界定爲現代社會發展的一個階段，在此階段中由於新的科技發展所引發的政治、社會、生態和個人的危機已脫離了工業社會的控制範圍之外，也非現代工業社會的安全機制所能有效處理。換言之，質疑安全設施的決策過程與科技官僚處理危機的理性和能力，成爲學者問題的切入點。

魯曼對風險議題切入的途徑，是將知識（Wissen）與社會體系的分殊加以綰結。知識愈進步、科學分殊愈繁細，社會體系的分殊也愈益複雜。社會形態的變動，也隨著知識與科學的互動而日益發展，於是風險乃乘隙而生。事實上，由於社會體系分化愈趨細緻，社會體系的結構跟著更趨複雜，人們已無法透視社會的總體、掌握社會秩序的意義。這種無法理解社會秩序及其意義便超出了人類負荷的程度，而演變爲社會危機。因之，人們每日面對著的是隨著複雜的社會分殊所形成的「風險意識」，魯曼遂言：「當人們知道更多，他們也就更清楚，什麼是人們所不知道，這就形成風險意識」。顯然地這是對當代社會秩序的疑慮與不安，而迫使人們必須思考「應變」風險的辦法。

紀登士在其有關現代性的討論中，也提出風險這一關鍵議題。他要求建立「反思的現代性」(reflexive modernity)。他認爲在多元分殊的現代社會中，專家所扮演的角色有如早期僧侶作爲文化守衛者的身分。早前僧侶提供給人們有關宗教、社會以及心靈層面的釋疑與安慰的職能，他們也爲封建社會以權威核心爲主的社會秩序提出正當化的說詞，爲人群適時提出「社會本體論的安全」。相對於從前僧侶對權威地位不敢挑戰，且大力衛護的情況，現代社會的專家，因社會分殊、知識專門化，只能在各自的領域發揮諮詢、建議、決斷的工作。再說，專業知識的本質爭議性高，並非普遍、統一的觀點。是故其爭議性的專業與專家知識，在現代社會已無法提供本體論上的安全，而使人群始終面臨徬徨與選擇，亦即現代人已失去精神安全的避風港。尤其是在專家彼此爭論不休莫衷一是之下，民衆更有無所適從的感受。

風險社會學對現代性的檢討，集中在理性、制度、科學與科技政策的正當性問題，也檢討了社會認同的危機等議題。

由於近世自然科學的機械觀和工業革命的推波助瀾，遂以精確的計算、目標取向的「目的理性」爲思維的準繩，工業文明完全陷身於這種單線式的、目的理性式的窠臼裏。與此相關的是工業社會中的政治、經濟及技術等等作爲，遂與計算性、安全性、效率性等科學萬能的價值觀掛鉤，也與科技官僚、專家學者之被重用連繫起來，意謂爲「科學理性」。目的理性與科學理性的交織下，人類素樸地、天眞地形塑進步的圖像。人們將工業社會產生的危機，視爲社會生產過程中的副作用，誤認不過是「剩餘式的風險」。

事實上，這種工業社會自我正當化的辯詞是不堪一擊的。哈伯馬斯提出「溝通理性」、「生活世界殖民化」的主張，俾對目的理性作出系統性的批判。貝克也從「反思的現代化」之角度，重新審視工業社會的正當性。他指出：現代化反思的主體爲工業社會本身。可是工業社會自我詮釋與解決風險的系統，已隨其本身再生產的複雜性（資本主義擴張型的科技發展），而失去了控制的能力。因之，層出不窮的抗議活動、大量的失業情況、社會不公不平、社會認同的迷失不斷興起。現代社會必須從這種自我的難題與弔詭中尋找新的出路，它必須自我檢證、揚棄目的理性的規範體系，亦即進行全盤的反思，才能避免走上集體毀滅之途。

當代工業社會制度面，也引起人們的不安，這牽涉到宏觀方面制度下社會秩序的穩定性與微觀方面工業化制度的快速變遷，如何爲個人的心理之不安尋求解救之方。涉及前者必須承認在工業技術發展中災害事變之不可控制性和不可計算性。現代工業社會也必須承認科技的形成與發展和社會的結構是緊密連結，亦即科技行動來自社會行動。整個社會制度充分體現社會行動領域，包括制度的信念（如計算理性式的思維）和制度的結構（風險、災難的解決機制）。在目前代議體制下，科技政策的決斷與執行都成爲專家學者、官僚的禁臠，一般民衆無權過問。但科技官僚與專家學者之無知無能由連串災難，包括台灣最近爆發的豬隻口蹄疫、國家經營的油廠漏油到耕地與近海，可以看出。

再則，科技與日常生活關係密切，被視爲日常生活「理所當然」的一部分。例如捷運、藥品、電腦的使用，都成爲大家日常生活不可或缺的一部分，而不覺有何特別之處，這就會造成風險的一個重大來源。是故德國人類學者葛連指出社會環境的穩定性提供人們內心的安全感。但在工業社會中，制度、社會形態和價值觀大量的改變，卻衝擊了人類心理系統的穩定性，進而對制度質疑和不安，蓋人們無法掌握社會變動的態勢之緣故。事實上，科技社會的進展早已超出人類所能負荷的能力。從上述宏觀與微觀的角度來看，社會共識的喪失和個人不安的現象隱含著既存機制的不穩定性和危機性。在風險社會中，人類必須自我批判、自我成長，俾改變工業社會的基本邏輯，這也就是貝克和紀登士強調反思的現代性之因由⑪。

## 注釋：

①Hall, Stuart 1992 "Introduction" to *Formations of Modernity,* Stuart Hall and Bram Gieben (eds.) , London : The Open University, pp.276-280.

②Hall, *ibid.* pp.315-317.

③Hayek, Friedrich 1979 *The Road to Serfdom,* London : Routledge and Kegan Paul, p.52.

④Offe, Claus 1992 *The Politics of Social Policy in East European Transitions : Antecedents, Agents, and Agenda of Reforms,* Bremen : *Zentrum für Sozialpolitik, mimeograph.*

⑤以上參考 Smelser, Neil J. 1994 *Sociology,* Cambridge MA and Oxford：Blackwell, pp.147-161.

⑥洪鎌德（編著）1998《從韋伯看馬克思——現代兩大思想家的對壘》，台北：揚智文化事業公司，第4-25頁。

⑦泰勒主義的發明者爲泰勒（Frederick Winslow Taylor 1856-1915），他主張科學的企業管理：1.創造企業管理的科學；2.在體系的基礎上選擇工人；3.以科學方法教育與訓練工人，而教育與訓練是長期的、持續的；4.發展企業管理與工人之間的合作關係。由於泰勒只重技術面，而反對工會運動，所以爲工會界所反對。

⑧福特主義爲汽車大王福特（Henry Ford 1863-1947）的主張，他擴大泰勒主義，使科學的企業管理由生產集裝線擴大至市場的產銷結構。亦即：1.循環轉動的集裝線之生產方式；2.產品標準化、規格化；3.抬高工資，防止工人跳槽；4.以產品低價格、廣告、信貸促銷。要之，福特主義爲葛蘭西對福特作法的稱呼。

⑨洪鎌德 1995《新馬克思主義與現代社會科學》，台北：森大圖書公司，第161至163頁，第一版爲1988年。

⑩Széll, Gyorgy 1991 "Environment and Society or Environmental Sociology? In Search of a Paradigm", Presidential Address to the Thematic Group on "Environment and Society" of the International Sociological Association, Osnabrück：Universität Osnabrück, p.11.

⑪本節主要取材自周桂田1997〈現代性與風險社會——一個文化社會學的考察〉，擬發表之論文。另外可參考顧忠華、陳文耀 1993《「風險社會」之研究及其對公共政策之意涵》，木柵：國立政治大學社會學研究所。朱元鴻 1995〈風險知識與風險媒介的政治社會學分析〉，《台灣社會研究季刊》，第十九期，第195至224頁。

# 人名引得

[J]



[K]



[L]

[M]

[S]

[X]



[Y]



[Z]

# 事物引得

# The Humanities and Contemporary Society

*by Dr. HUNG Lien-te*

## Contents

社會叢書 02

人文思想與現代社會

作　　者／洪鎌德
出 版 者／揚智文化事業股份有限公司
發 行 人／葉忠賢
總 編 輯／孟　樊
登 記 證／局版北市業字第 1117 號
地　　址／台北市新生南路三段 88 號 5 樓之 6
電　　話／(02)2366-0309　2366-0313
傳　　真／(02)2366-0310
郵撥帳號／14534976 揚智文化事業股份有限公司
印　　刷／偉勵彩色印刷股份有限公司
法律顧問／北辰著作權事務所　蕭雄淋律師
初版一刷／1997 年 9 月
二版一刷／2000 年 3 月
定　　價／新台幣 400 元

ISBN　957-8637-75-8
網址：http://www.ycrc.com.tw
E-mail：tn605547@ms6.tisnet.net.tw

國家圖書館出版品預行編目資料

人文思想與現代社會=The humanities and contemporary society / 洪鎌德著. -- 二版. --臺北市：揚智文化，1999〔民 88〕

面：　公分. -- （社會叢書；2）

含索引

ISBN　957-8637-75-8（平裝）

1.人文科學-哲學，原理 2.社會科學-哲學，原理

119　　　　　　　　87015452